# HISTOIRES ABOMINABLES

ŒUVRES DE ALFRED HITCHCOCK

*Dans Le Livre de Poche :*

HISTOIRES A NE PAS LIRE LA NUIT.
HISTOIRES A FAIRE PEUR.

ALFRED HITCHCOCK

*présente :*

# *Histoires abominables*

*(STORIES THEY WOULD'NT LET ME DO ON T. V.)*

PRÉFACE DE ALFRED HITCHCOCK

ROBERT LAFFONT

# *PRÉFACE*

Bonsoir, *mesdames et messieurs, c'est Alfred Hitchcock qui vous parle.*

*Je suis probablement un des producteurs les plus envahissants de la télévision et c'est ce qui m'a gâté. Il ne me viendrait pas à l'esprit de présenter des histoires au public sans y ajouter mes commentaires. Les éditeurs de ce livre, bien plus avisés que ceux qui vous offrent mes émissions, ont limité mon intervention à cette courte préface.*

*Tout d'abord, il convient que je vous donne l'assurance formelle que ces histoires ne seront pas émaillées d'annonces publicitaires*[1]*. A la différence de mes émissions, il vous sera loisible de les apprécier, que vous soyez tournés dans n'importe quelle direction, assis dans n'importe quelle pièce de la maison. Ou à l'extérieur, s'il vous agrée. En outre, vous pourrez les lire à n'importe quelle heure et, si vous consacrez à l'une d'elles plus d'une demi-heure, vous ne serez passibles d'aucune pénalité. Il va de soi que ces détails sont destinés à ceux d'entre vous qui, ayant la mémoire courte et de bons postes de télévision, ont peut-être quelque peu oublié la liberté dont jouit le lecteur.*

1. Remarque superflue en ce qui concerne l'édition française.

*Une anthologie d'histoires, tout comme un soufflé, reflète le goût de la personne qui a choisi et mélangé les ingrédients. Il importe au plus haut point, par exemple, de savoir si l'on a utilisé de l'ail et des oignons, et à quel moment on a ajouté l'arsenic. Il me semble douteux que vous trouviez beaucoup d'ail ou d'oignons dans ce volume mais j'ai la certitude que vous y trouverez plus qu'un peu d'arsenic. Mon seul espoir est que le goût vous en soit venu comme à moi.*

*Ce choix d'histoires s'adresse essentiellement à ceux qui trouvent trop fade la saveur de la télévision. Il en est qui ne vous plairont peut-être pas, parce que vous les jugerez scandaleuses, macabres ou grotesques, mais je suis sûr que vous n'en trouverez pas une qui soit fade ou ennuyeuse.*

*La raison pour laquelle je vous présente ces histoires en un volume et non pas, comme c'est mon habitude, sur votre écran de télévision vous paraîtra évidente à la lecture. Après tout, les acteurs ne sont que des hommes (discutable, mais vrai). Et cette caractéristique constitue un handicap sérieux pour quiconque serait tenté de porter à l'écran le* Lukundoo, *d'Edward Lucas White,* La Voix dans la Nuit, *de William Hope Hodgson, ou* La Dame sur le Cheval Gris, *de John Collier.*

*Ces récits, ainsi que plusieurs autres contes fantastiques et surnaturels, forment une partie du recueil dont le sujet principal et toujours populaire demeure le crime. Toutefois, c'est en vain que vous y chercheriez le récit d'un meurtre des bas-fonds, d'un homicide commis par des voyous. Comprenez-moi bien, je n'ai aucun parti pris contre les gangsters. Quelques meurtres tout à fait charmants ont été le fait de criminels professionnels. Cepen-*

*dant, à tout prendre, le travail le plus intéressant dans ce domaine est l'œuvre d'amateurs. Des amateurs remarquablement doués, mais des amateurs. Ce sont des gens qui s'acquittent de leur travail avec dignité, bon goût et originalité, qualités tempérées par le sens de l'humour. En outre, ils ne vous assomment pas en vous racontant ensuite comment ils en sont arrivés là. Ce sont des voies de fait polies et saines émanant de personnes civilisées, et j'estime que la lecture en est divertissante.*

*Je suis venu tard à la télévision et d'aucuns ont prétendu que j'attendais que les écrans deviennent assez grands pour que je puisse m'y loger (allégation contre laquelle je proteste de tout mon poids). Toutefois, j'en suis venu à beaucoup aimer ce moyen d'expression et j'espère bien que l'on ne verra pas dans l'existence de ce livre une critique mais simplement la reconnaissance d'un fait patent. A savoir qu'il y a certaines histoires auxquelles la télévision ne peut rendre justice. Quant à mon aimable commanditaire, il est plutôt tolérant et lorsque, au cours de l'émission, je mords la main qui me nourrit, ce n'est vraiment que pour rire. J'ai chaque fois la certitude que c'est le tour le plus réussi de la semaine et, si vous voulez voir comment ça se passe, vous êtes invités à prendre l'écoute n'importe quel dimanche soir.*

*Mais maintenant, il vaut mieux que je m'efface pendant que vous choisirez la première histoire à lire.*

*Bonne nuit et bonne chasse.*

ALFRED HITCHCOCK.

# Comment l'amour s'imposa au professeur Guildea

par

Robert S. Hichens

*Traduit par Jos Ras*

## I

Les gens à l'esprit obtus se demandaient souvent comment le père Murchison et le professeur Frederic Guildea pouvaient être des amis intimes. L'un était toute foi, l'autre tout scepticisme. Il n'y avait qu'amour dans le père Murchison. Par-dessus sa longue soutane noire, il observait le monde avec une tendresse presque enfantine et ses yeux doux, bien qu'entièrement dépourvus de crainte, semblaient sans cesse occupés à contempler la bonté qui existe dans l'humanité et à se réjouir de ce qu'ils voyaient. Le professeur, en revanche, avait un visage dur, tranchant, terminé par un bouc noir, agressif. Son regard était vif, perçant et irrévérencieux. Les lignes qui entouraient sa petite bouche aux lèvres minces étaient presque cruelles. Sa voix était rude et sèche et, parfois, dans ses moments d'énergie, elle montait jusqu'au soprano. Elle décochait des mots avec une sécheresse coupante. L'attitude habituelle du professeur était un mélange de méfiance et de besoin de connaître. Il était impossible de supposer qu'au milieu de ses occupations il pût y avoir place pour l'amour, soit d'une personne, soit de l'humanité en général. Cependant, il passait sa vie en recherches scientifiques qui apportaient au monde d'immenses bienfaits.

Les deux hommes étaient célibataires. Le père Murchison faisait partie d'un ordre anglican qui lui interdisait le mariage. Le professeur Guildea avait une piètre opinion de la plupart des choses et des gens, mais surtout des femmes. Il avait jadis occupé un poste de maître de conférences à Birmingham. Mais lorsque sa réputation grandit par ses découvertes, il vint habiter Londres. C'est là, lors d'une conférence qu'il fit dans l'East End, qu'il rencontra pour la première fois le père Murchison. Ils échangèrent quelques paroles. Peut-être la brillante intelligence du prêtre attira-t-elle l'homme de science qui, à l'ordinaire, était porté à considérer le clergé avec quelque mépris. Peut-être aussi fut-il conquis par la sincérité limpide de cet adepte au solide bon sens. Comme il quittait la salle de conférences, il demanda brusquement au père de venir le voir chez lui à Hyde Park Place. Le père, qui allait rarement dans le West End, sauf pour prêcher, accepta l'invitation.

« Quand viendrez-vous? » dit Guildea.

Il pliait le papier bleu sur lequel il avait écrit ses notes d'une petite écriture nette. Le bruissement sec des feuillets servait d'accompagnement à sa voix nette et sèche.

« De dimanche en huit, je prêche le soir à Saint-Sauveur, dans vos parages, dit le père.

— Je ne vais pas à l'église.

— Non, dit le père, sans que la moindre intonation de surprise ou de blâme perçât dans sa voix.

— Venez dîner ensuite.

— Oui, merci.

— A quelle heure viendrez-vous? »

Le père sourit.

« Dès que j'aurai fini mon sermon. L'office est à six heures trente.

— Donc vers huit heures, j'imagine. Ne prêchez pas trop longtemps. J'habite au 100, Hyde Park Place. Bonsoir. »

Il passa autour de ses papiers un élastique qui claqua, et s'éloigna à grands pas, sans serrer la main du prêtre.

Le dimanche convenu, le père Murchison prêcha devant une foule compacte de fidèles, à Saint-Sauveur. Le thème de son sermon était la sympathie et l'inutilité relative de l'homme sur la planète, s'il n'apprend à aimer son prochain comme lui-même. Le sermon était plutôt long et lorsque, vêtu d'une ample douillette noire, coiffé d'un chapeau rond et rigide aux bords plats, par-dessus lequel pendaient les bouts d'une cordelière noire, le prédicateur se dirigea vers la maison du professeur, les aiguilles du cadran lumineux de l'horloge de Marble Arch marquaient huit heures vingt-cinq.

Le père pressa le pas, se frayant un chemin à travers la cohue de soldats immobiles, de femmes qui bavardaient et de gamins des rues, endimanchés, qui ricanaient. C'était un soir tiède d'avril, et lorsqu'il atteignit le numéro 100 à Hyde Park Place, il trouva le professeur, tête nue, sur le pas de sa porte, le regard tourné vers les grilles du parc et jouissant de l'air tiède et humide, au bout du couloir éclairé.

« Ah! il était long, le sermon! s'exclama-t-il. Entrez.

— Oui, j'en ai peur, dit le père, docile à l'invitation. Je suis un de ces êtres dangereux, un prédicateur qui improvise.

— C'est plus agréable de parler sans notes lorsqu'on le peut. Accrochez votre chapeau et votre manteau — non, votre douillette — ici. Nous allons dîner tout de suite. Voici la salle à manger. »

Il ouvrit une porte sur la droite et ils pénétrèrent dans une pièce longue, étroite, tapissée d'un papier couleur or, avec un plafond noir d'où pendait une lampe électrique munie d'un abat-jour couleur or. Dans la pièce se trouvait une table ovale sur laquelle on avait disposé deux couverts. Le professeur sonna. Puis il dit :

« Il semble qu'on parle plus spontanément autour d'une table ovale qu'autour d'une table carrée.

— Vraiment! Vous croyez?

— Oui, j'ai eu le même invité deux fois, une fois à une table carrée, une fois à la table ovale. Le premier dîner a été morne; le second fut brillant. Asseyez-vous, je vous prie.

— Comment expliquez-vous cette différence? dit le père, s'asseyant et ajustant soigneusement sous lui le pan de sa soutane.

— Hum! Je sais comment vous l'expliqueriez, vous.

— Ah! oui. Comment donc?

— A une table ovale, par l'absence d'angles, la chaîne de la sympathie humaine, le courant électrique est beaucoup plus continu. Permettez que je vous serve la soupe.

— Merci. »

Le père tendit son assiette et, ce faisant, tourna vers son hôte le regard rayonnant de ses yeux bleus. Puis il sourit.

« Eh quoi, dit-il de sa voix agréable de ténor léger, iriez-vous parfois à l'église?

— Ce soir, pour la première fois depuis des siècles; et, sachez-le bien, je me suis horriblement ennuyé. »

Le père souriait toujours, et ses yeux bleus pétillaient gentiment.

« Ah! vraiment, dit-il, quel dommage!

— Mais le sermon n'y est pour rien, ajouta Guildea. Ce n'est pas un compliment. J'énonce un fait. Le sermon ne m'a pas ennuyé. Sinon, je l'aurais dit ou je me serais tu.

— Et lequel de ces deux partis auriez-vous pris? »

Le professeur sourit presque avec bonne humeur.

« Je ne sais pas, dit-il. Quel vin buvez-vous?

— Aucun, je vous remercie. Je suis antialcoolique. Dans ma profession et mon *milieu*, c'est indispensable. Oui, je prendrai un peu d'eau de Seltz. Je crois que c'est le premier parti que vous auriez choisi.

— Très probablement, et bien à tort. Cela ne vous aurait pas beaucoup affecté.

— Non, je ne crois pas. »

Ils en étaient déjà à l'intimité. Le père était très à son aise sous le plafond noir. Il but un peu d'eau de Seltz et sembla l'apprécier plus que le professeur son bordeaux.

« Vous souriez, je vois, de cette théorie de la

chaîne de la sympathie humaine, dit le père. Alors comment expliquez-vous l'insuccès de votre dîner carré avec des angles, le succès de votre dîner ovale, sans angles?

— Probablement par le fait qu'à la première occasion le bel esprit de la table souffrait du foie, par suite d'un refroidissement, alors qu'au second dîner, il était en parfaite santé. Cependant, vous le voyez, j'ai adopté la table ovale.

— Ce qui veut dire...

— Pas grand-chose. A propos, vous avez passé sous silence, ce soir, le rôle notoire que joue le foie dans l'affection. C'est une lacune sérieuse.

— Il y a dans votre vie une lacune plus grave encore : l'absence de tout désir d'étroite sympathie humaine.

— D'où vous vient l'assurance que je n'éprouve pas ce désir?

— Je le devine. Votre expression, votre attitude me disent qu'il en est ainsi. Vous désapprouviez mon sermon pendant tout le temps que je prêchais, n'est-ce pas?

— Une partie de ce temps. »

Le domestique changea les assiettes. C'était un homme d'âge mûr, blond, maigre, avec un visage blanc, dur, des yeux clairs, saillants, et un style impeccable dans son service. Quand il fut sorti, le professeur poursuivit :

« Vos remarques m'ont intéressé, mais je les ai jugées excessives.

— Par exemple?

— Permettez que je parle en égoïste un instant. La plus grande partie de mon temps se passe à travailler dur, très dur. L'humanité, vous en conviendrez, bénéficie des résultats de ce travail.

— Considérablement, acquiesça le père, pensant à plus d'une découverte de Guildea.

— Et pour l'humanité, le profit qui résulte de ce travail entrepris uniquement pour lui-même est tout aussi grand que si je l'avais accompli par amour de mes semblables, et que si, par sentimentalité, j'avais désiré les voir jouir de plus de bien-être qu'ils n'en possèdent à l'heure actuelle. Je suis tout aussi utile dans cette position qui est la mienne... dans cette absence d'affectivité... que si je me répandais en effusions, comme ces sentimentalistes qui veulent faire sortir les assassins de prison, ou, comme Tolstoï, favoriser la tyrannie en s'opposant au châtiment des tyrans.

— On peut faire beaucoup de mal avec de l'affection, beaucoup de bien sans elle. Oui, c'est vrai. Je n'ignore pas que *le bon motif* lui-même ne suffit pas. Néanmoins, je maintiens, qu'étant donné votre valeur, vous seriez bien plus utile au monde si, au lieu d'être dans ces dispositions, vous éprouviez de la sympathie, de l'affection pour la race humaine. Je vais même jusqu'à penser que vos travaux n'en seraient que plus magnifiques. »

Le professeur se versa un autre verre de bordeaux.

« Vous avez remarqué mon maître d'hôtel? dit-il.

— Oui.

— C'est un serviteur parfait. Il veille de façon impeccable à mon confort. Cependant, il n'y a pas en lui la moindre affection à mon égard. Je suis poli envers lui. Je le paie bien. Mais je ne pense jamais à lui, et ne me préoccupe jamais de lui en tant qu'homme. Je ne sais rien de son caractère, en dehors de ce que j'ai lu dans le certificat de son dernier maître. Il n'y a, diriez-vous, aucune relation vraiment humaine entre nous. Affirmeriez-vous que son travail serait mieux fait si je m'en étais fait aimer personnellement, comme un homme de n'importe quelle classe peut aimer un homme de n'importe quelle autre classe?

— A coup sûr.

— Je soutiens qu'il ne pourrait faire son travail mieux qu'il ne le fait actuellement.

— Mais s'il survenait une crise?

— Laquelle?

— Une crise quelconque; un changement dans votre état. Si vous aviez besoin de son aide, non plus en tant qu'homme et maître d'hôtel, mais en tant qu'homme et frère? Il est probable qu'il ne répondrait pas à votre attente. Vous n'obtiendriez jamais de votre domestique ce service de qualité supérieure dont le mobile ne peut être qu'une affection loyale.

— Vous avez fini?

— Tout à fait.

— Alors, montons. Oui, ce sont de belles gravures. Je les ai trouvées à Birmingham, lorsque j'y habitais. Voici ma salle de travail. »

Ils arrivèrent à une pièce double, entièrement tapissée de livres, et pourvue d'un éclairage électrique dont l'intensité était presque excessive. Les fenêtres donnaient d'un côté sur le parc et, de l'autre, sur le jardin d'une maison voisine. La porte par laquelle ils entrèrent n'était pas visible de la partie de la pièce la plus reculée, qui était aussi la plus petite; elle était cachée par une avancée du mur de la première; dans celle-ci : une table de travail surchargée de lettres, de brochures et de manuscrits. Entre les deux fenêtres du fond, il y avait une cage dans laquelle grimpait un grand perroquet gris, qui s'aidait du bec et des pattes dans ses lentes et méditatives ascensions.

« Vous avez un compagnon, dit le père surpris.

— Je possède un perroquet, répondit le professeur, d'un ton sec. Je l'ai acheté dans un but précis, lorsque j'étudiais les facultés d'imitation des oiseaux, et je ne m'en suis jamais débarrassé. Un cigare?

— Merci. »

Ils s'assirent. Le père Murchison jeta un coup d'œil sur le perroquet, qui s'était arrêté dans ses déplacements. Agrippé aux barreaux de sa cage, il les considérait avec des yeux ronds et attentifs, qui semblaient pleins de réflexion et d'intelligence, mais entièrement dénués de sympathie. Il tourna ensuite son regard vers Guildea, qui fumait, la tête renversée en arrière, son menton pointu, hérissé de la petite barbe noire, ainsi dressé en l'air. Il remuait rapidement sa lèvre inférieure dans le sens vertical, ce qui agitait sa barbe, et lui donnait un air particulièrement agressif. Le père eut tout à coup un petit rire.

« Pourquoi? » s'écria Guildea, qui laissa retomber son menton sur sa poitrine, et lança à son invité un regard peu amène.

« Je pense qu'il faudrait une bien grande crise pour que vous cherchiez un appui dans l'affection de votre maître d'hôtel. »

Guildea sourit à son tour.

« Vous avez raison. En effet. Le voici. »

L'homme entra, portant le café, et se retira comme une ombre s'éloigne sur un mur.

« C'est un être magnifique, inhumain, remarqua Guildea.

— Je préfère le gamin de l'East End qui fait

mes courses dans Bird Street, dit le père. Je suis au courant de tous ses ennuis. Il connaît certains des miens. Il est moins silencieux que votre domestique. Il lui arrive même de respirer avec bruit lorsqu'il est particulièrement préoccupé; mais à l'occasion, il ferait plus pour moi que de mettre du charbon dans ma grille, ou cirer mes chaussures à bout carré.

— Les hommes diffèrent. La vigilance d'un regard affectueux me serait odieuse.

— Mais alors, cet oiseau? »

Le père montrait du doigt le perroquet. Il était grimpé sur son perchoir, une patte en l'air, dans une attitude imposante, qui évoquait une bénédiction, et ne quittait pas des yeux le professeur.

« C'est le regard vigilant de l'imitation, qui cache une arrière-pensée : le désir de reproduire les singularités d'autrui. Non, j'ai goûté ce soir la fraîcheur, l'intelligence de votre sermon, mais je ne souhaite pas d'affection. Bien sûr, on peut désirer un sentiment raisonnable... (Il tirait vivement sur sa barbe, comme pour se mettre en garde contre la sentimentalité) mais toute affection plus intense serait irritante, et me pousserait, j'en suis sûr, à la cruauté. Et puis, elle ferait obstacle à mon travail.

— Je ne crois pas.

— Le genre de travail qui est le mien, oui. Je continuerai d'apporter mes bienfaits au monde, sans l'aimer, et il continuera d'accepter ces bienfaits, sans m'aimer. Et c'est bien ainsi. »

Il but son café. Puis, d'un ton plutôt agressif, il ajouta :

« Je n'ai ni loisir ni penchant pour la sentimentalité. »

Lorsque Guildea accompagna le père Murchison, il suivit celui-ci jusque sur le pas de la porte, et s'y tint un moment. Le père, par-delà la chaussée humide, regardait le parc.

« Je vois que vous avez une entrée juste en face de chez vous, dit-il distraitement.

— Oui, il m'arrive souvent de la franchir et de faire un bout de promenade pour me rafraîchir les idées. Je vous souhaite une bonne nuit. Revenez un jour.

— Avec plaisir. Bonne nuit. »

Le prêtre s'éloigna à grands pas, laissant Guildea debout sur la marche.

Le père Murchison revint souvent au numéro 100, Hyde Park Place. Il éprouvait de la sympathie pour la plupart des hommes et des femmes qu'il connaissait, et de la tendresse pour tous les êtres, connus ou inconnus, mais il en vint à nourrir un sentiment spécial pour Guildea. Et, chose assez curieuse, c'était un sentiment de pitié. Il plaignait ce travailleur acharné qui avait admirablement réussi, cet homme à la grande intelligence, au cœur intrépide, qui ne paraissait jamais déprimé, qui n'avait jamais besoin d'aide, qui ne se plaignait jamais des complications de l'existence, et allait droit devant lui, sans jamais hésiter. Le père plaignait Guildea, en fait, de se montrer si peu exigeant. Il le lui avait dit, car, dès le début, le commerce entre les deux hommes avait pris un tour de franchise singulier.

Un soir, alors qu'ils conversaient, le père en vint à parler d'une des bizarreries de l'existence : le fait que ceux qui ne désirent pas les choses les obtiennent fréquemment, alors que ceux qui les recherchent avec passion en sont frustrés.

« En ce cas, des torrents d'affection devraient se déverser sur moi, dit Guildea avec un sourire sardonique, car je la hais.

— Il en sera peut-être ainsi un jour.

— J'espère bien que non, très sincèrement. »

Le père Murchison se tut un instant. Il rapprochait les bouts de la large ceinture qui faisait le tour de sa soutane. Quand il parla, il semblait répondre à quelqu'un.

« Oui, dit-il lentement, oui, c'est bien ce que je ressens : de la pitié.

— Pour qui? » dit le professeur.

Puis, tout à coup, il comprit. Il ne dit pas qu'il comprenait, mais le père Murchison sentit, et vit, qu'il était tout à fait inutile de répondre à la question de son ami. Ainsi Guildea, assez curieusement, se trouvait très lié avec un homme qui était son contraire en tout et éprouvait pour lui de la pitié.

Le fait que Guildea n'en prenait pas ombrage, et n'y pensait presque jamais, montre peut-être aussi clairement que possible l'indifférence singulière de sa nature.

## II

Un soir d'automne, un an et demi après la première rencontre du père Murchison et du professeur, le père se rendit à Hyde Park Place et demanda au blond et sec maître d'hôtel (il s'appelait Pitting) si son maître était chez lui.

« Oui, monsieur, répondit Pitting. Voulez-vous me suivre, je vous prie? »

Sans bruit, il précéda le père dans l'escalier assez étroit, ouvrit doucement la porte de la bibliothèque, et de sa voix douce et froide annonça :

« Le père Murchison. »

Guildea était assis dans un fauteuil, devant un petit feu. Ses mains maigres, aux doigts allongés, étendues sur ses genoux, sa tête tombant sur la poitrine, il semblait plongé dans ses pensées. Pitting haussa légèrement la voix.

« Le père Murchison désire vous voir, monsieur », répéta-t-il.

Le professeur sursauta vivement et se tourna brusquement au moment où le père entrait.

« Ah! dit-il, c'est vous? Je suis content de vous voir. Venez près du feu. »

Le père lui lança un rapide coup d'œil, et lui trouva un air de fatigue anormal.

« Vous n'avez pas l'air bien, ce soir, dit le père.

— Non?

— Vous devez trop travailler. Est-ce que c'est cette conférence que vous devez faire à Paris qui vous donne du mal?

— Pas du tout. Elle est prête. Je pourrais vous la débiter instantanément, mot pour mot. Asseyez-vous donc. »

Le père obéit, et Guildea retomba dans son fauteuil, le regard rivé au feu, sans mot dire. Il semblait réfléchir profondément. Son ami se garda de l'interrompre, mais alluma tranquillement sa pipe, et se mit à fumer, songeur. Les yeux de Guildea ne quittaient pas le feu. Le père promena son regard sur la pièce, les murs couverts de livres aux reliures sobres, la table encombrée, les fenêtres aux lourds rideaux de brocart ancien, bleu foncé, et sur la cage placée entre les deux. Une couverture de drap vert la recouvrait. Le père se demandait pourquoi. Il n'avait jamais vu Napoléon (c'était le nom du perroquet) couvert, le soir, auparavant. Comme il regardait le drap vert, Guildea, d'une brusque secousse, releva la tête. Elevant les mains de ses genoux, il les joignit, et dit tout à coup :

« Trouvez-vous que je sois un homme séduisant? »

Le père Murchison fit un bond. Pareille question, émanant d'un tel homme, le stupéfiait.

« Miséricorde! s'écria-t-il, qu'est-ce qui vous fait poser cette question? Voulez-vous dire : séduisant pour l'autre sexe?

— C'est ce que j'ignore, dit le professeur, sombre, et plongeant de nouveau son regard dans le feu. C'est ce que j'ignore! »

L'étonnement du père augmentait.

« Vous l'ignorez? » s'exclama-t-il.

Il posa sa pipe.

« Voyons, croyez-vous que je sois séduisant, qu'il y ait quelque chose en moi susceptible d'attirer vers moi, irrésistiblement, un... un être humain ou un animal?

— Que vous le désiriez ou non?

— Exactement, ou plutôt, disons, de façon précise, même si je ne le désirais pas? »

Le père pinça ses lèvres assez charnues de chérubin, ce qui fit apparaître de petites rides au coin de ses yeux bleus.

« Ce n'est pas impossible, certes, dit-il au bout d'un instant. La nature humaine est faible, d'une faiblesse attirante, Guildea, et vous avez tendance à la bafouer. Je comprendrais que des femmes d'un certain genre, les intellectuelles, celles qui collectionnent les célébrités, vous recherchent. Votre réputation, votre nom illustre...

— Oui, oui, interrompit Guildea, non sans irritation. Je sais tout cela, je sais. »

Il tordit ses longues mains, en rejetant la paume vers l'extérieur, si bien qu'il fit craquer ses doigts. Un froncement de sourcils lui plissa le front.

« J'imagine », dit-il... (Il s'arrêta et toussa : une toux sèche, presque aiguë.) « J'imagine qu'il doit être très désagréable que quelque chose qui ne vous plaît pas vous aime, vous coure après; c'est bien ce qu'on dit, n'est-ce pas? »

Il se tourna à demi dans son fauteuil, croisa les jambes, fixa sur son visiteur un regard interrogateur, presque perçant.

« Quelque chose? dit le père.

— Bon, bon, quelqu'un. J'imagine qu'il ne peut rien y avoir de plus déplaisant.

— Pour vous, non, répondit le père. Mais je vous demande pardon, Guildea; je ne peux concevoir que vous autorisiez pareille intrusion. Vous n'encouragez pas l'adulation. »

Guildea secoua la tête d'un air sombre.

« Non, dit-il. Non. C'est justement cela. C'est ce qu'il y a de curieux dans l'affaire, c'est que je... »

Il coupa court, délibérément, se leva et s'étira.

« Je vais fumer une pipe, moi aussi », dit-il.

Il alla jusqu'à la cheminée, prit sa pipe, la bourra et l'alluma. Comme il approchait l'allumette du tabac, son regard se posa sur l'étoffe verte qui recouvrait la cage de Napoléon. Il jeta l'allumette au feu, tira quelques bouffées en s'avançant vers la cage. Lorsqu'il l'eut atteinte, il saisit l'étoffe, et commença à la tirer. Puis, tout à coup, il la remit en place, furieux.

« Non, dit-il, comme à lui-même, non. »

Il revint en hâte vers le feu, et se laissa retomber dans son fauteuil.

« Vous vous posez des questions, dit-il au père Murchison, moi aussi. Je ne sais pas du tout qu'en penser. Je vais tout bonnement vous exposer les faits, et il faut que vous me donniez votre opinion. Avant-hier soir, après une dure journée de travail, sans qu'elle eût été plus dure que d'habitude, j'allais à la porte d'entrée pour respirer un peu. Vous savez que cela m'arrive souvent.

— Oui, je vous ai trouvé sur le pas de votre porte la première fois que je suis venu ici.

— C'est exact. Je n'avais ni chapeau ni manteau. Je me tenais sur le seuil. J'avais, je me rappelle, l'esprit encore plein de mon travail. Il faisait plutôt sombre ce soir-là, mais pas absolument. Il était à peu près onze heures, onze heures et quart. Je regardais le parc et, tout à coup, je notai que mon regard était dirigé vers quelqu'un qui était assis sur un des bancs, me tournant le dos. Je vis cette personne, si c'était une personne, à travers la grille.

— Si c'était une personne! dit le père. Que voulez-vous dire par là?

— Attendez un instant. Je dis cela parce qu'il faisait trop sombre pour que j'en aie la certitude. Je vis simplement, sur le banc, une vague forme noirâtre, que j'apercevais par-dessus le dossier du siège. Je ne pouvais dire si c'était un homme, une femme ou un enfant. Mais il y avait quelque chose, et je me surpris à le regarder.

— Je comprends.

— Graduellement, je découvris que mes pensées se fixaient sur cette chose ou cette personne. Tout d'abord, je me demandai ce qu'il faisait là; puis, quelles étaient ses pensées, enfin, quel était son aspect.

— Quelque pauvre clochard, je suppose, dit le père.

— C'est ce que je me suis dit. Néanmoins, je sentis que je prenais un intérêt extraordinaire à cet objet, un intérêt si grand que je saisis mon chapeau et traversai la rue pour pénétrer dans le parc. Vous le savez, il y a une entrée presque en face de ma maison. Donc, Murchison, je traversai la rue, franchis la porte, m'approchai du siège, et découvris que... personne ne l'occupait.

— Aviez-vous gardé, en marchant, les yeux fixés sur votre but?

— Une partie du temps, mais je les avais détournés au moment précis où je franchissais la porte, car une bagarre avait éclaté à quelque distance de là. Lorsque je constatai que le siège était vide, je me sentis envahi par une sensation, tout à fait absurde, de déception, presque de colère. Je m'arrêtai, regardai autour de moi pour voir si quelque chose s'éloignait, mais en vain. La nuit était froide et brumeuse, et il n'y avait presque personne dehors. Avec ce sentiment de déception que je qualifie de stupide et anormal, je revins sur mes pas dans la direction de la maison. Lorsque je l'atteignis, je découvris que, durant ma courte absence, j'avais laissé la porte d'entrée ouverte, plus précisément entrouverte.

— Pas très prudent, à Londres.

— Oui, il va de soi que je n'en savais rien jusqu'à mon retour. Toutefois, je n'avais été absent que trois minutes environ.

— Oui.

— Il y avait peu de chances que quelqu'un fût entré.

— Je suppose que non.

— Vous croyez?

— Pourquoi me demandez-vous cela, Guildea?

— Bon, bon.

— Au reste, si quelqu'un était entré, vous l'auriez surpris, certainement. »

Guildea se remit à tousser. Le père, étonné, ne pouvait manquer de s'apercevoir qu'il était nerveux, et que sa nervosité affectait son état physique.

« J'ai dû prendre froid cette nuit-là », dit-il, comme s'il avait lu la pensée de son ami et s'empressait de la combattre. Puis il poursuivit : « Je pénétrai dans le vestibule, ou plutôt dans le couloir. »

Il s'arrêta encore; son malaise devenait très apparent.

« Et vous avez surpris quelqu'un? » dit le père.

Guildea s'éclaircit la voix.

« Précisément, dit-il. Nous y arrivons. Je n'ai pas une imagination débordante, vous le savez.

— Certainement pas.

— Non, eh bien, j'étais à peine engagé dans le couloir que j'eus la certitude que quelqu'un s'était introduit dans la maison pendant mon absence. J'en étais convaincu et, qui plus est, j'avais la conviction que l'intrus était cette même personne que j'avais vaguement aperçue assise sur le banc du parc. Que dites-vous de cela?

— Je commence à croire que vous avez beaucoup d'imagination.

— Hem! Il me sembla que la personne, l'occupant du siège, et moi, nous avions simultanément fait le projet d'engager une conversation, et que nous nous étions simultanément déplacés pour mettre le projet à exécution. Cette certitude devint si bien ancrée en moi que je me précipitai au premier étage, dans cette pièce, comptant y trouver le visiteur qui m'y attendait. Mais il n'y avait personne. Donc je redescendis et entrai dans la salle à manger. Personne. Je fus vraiment étonné. N'est-ce pas étrange?

— Très », dit le père, gravement.

L'attitude glaciale et sombre du professeur, gêné, contraint, éloignait l'humour qui aurait fort bien pu se glisser dans une conversation de ce genre.

« Je remontai, continua-t-il, m'assis et réfléchis à la chose. Je décidai de l'oublier, et pris un livre. J'aurais peut-être été capable de lire, mais soudain il me sembla remarquer... »

Il s'arrêta net. Le père Murchison observa qu'il avait les yeux tournés vers l'étoffe verte qui recouvrait la cage du perroquet.

« Mais laissons cela, dit-il. Il suffit que j'aie été incapable de lire. Je résolus d'explorer la maison. Vous savez qu'elle est petite, qu'il est facile d'en faire le tour. J'en fis donc le tour complet. J'entrai dans toutes les pièces, sans exception. Je m'excusai auprès des domestiques qui dînaient. Mon apparition les surprit sans nul doute.

— Et Pitting?

— Oh! il se leva poliment quand j'entrai, resta debout pendant que j'étais là, mais ne dit pas un seul mot. Je murmurai : « Ne vous dérangez pas », ou quelque chose d'approchant, et sortis. Murchison, je ne trouvai pas d'étranger dans la maison. Cependant, je regagnai cette pièce, convaincu que quelqu'un était entré pendant que j'étais dans le parc.

— Et ressorti avant votre retour?

— Non, était resté et se trouvait encore dans la maison.

— Mais, mon cher Guildea, commença le père, maintenant fort étonné. Sûrement...

— Je sais ce que vous voulez dire, ce que je serais tenté de dire à votre place. Mais attendez, je vous prie. Je suis également convaincu que ce visiteur n'a pas quitté la maison et s'y trouve en ce moment. »

Il parlait avec une sincérité évidente, avec une extrême gravité. Le père Murchison le regarda bien en face et rencontra son regard vif, ardent.

« Non, dit-il comme en réponse à une question posée. Je suis parfaitement sain d'esprit, je vous assure. Toute cette aventure me semble, à moi, presque aussi incroyable qu'elle doit l'être pour vous. Mais, vous le savez, je ne cherche jamais querelle aux faits, si étranges qu'ils puissent être. Je m'efforce simplement de les examiner à fond. J'ai déjà consulté un médecin, qui m'a déclaré en parfait état physique. »

Il s'arrêta, comme s'il s'attendait à une remarque du père.

« Continuez, Guildea, dit-il, vous n'avez pas fini.

— Non, j'étais absolument sûr, ce soir-là, que quelqu'un s'était introduit dans la maison, et ma conviction grandissait. J'allai me coucher, comme d'habitude, et dormis normalement. Cependant, dès mon réveil, hier matin, je savais qu'il y avait un habitant de plus dans la maison.

— Puis-je vous interrompre un instant? Comment le saviez-vous?

— C'est mon esprit qui m'en assurait. Je ne sais rien d'autre, sinon que j'étais parfaitement conscient d'une nouvelle présence dans ma maison, tout près de moi.

— Que c'est étrange! dit le père. Et vous êtes absolument sûr qu'il n'y a pas de surmenage dans votre cas? Vous n'avez pas le cerveau fatigué? Vous avez la tête tout à fait claire?

— Tout à fait. Ma santé n'a jamais été aussi bonne. Lorsque je suis descendu déjeuner ce matin, j'ai brusquement regardé le visage de Pitting. Il était aussi froid, aussi placide et inexpressif que d'habitude. Il était bien clair pour moi que son esprit n'était aucunement troublé. Après le déjeuner, je me suis mis au travail, conscient à chaque instant du fait de cette intrusion dans mon intimité. Néanmoins, je peinai pendant plusieurs heures, attendant quelque développement susceptible de dissiper l'obscurité et le mystère de cet événement. Je déjeunai. Vers deux heures et demie, il me fallut partir pour aller faire une conférence. Je pris donc mon chapeau et mon manteau, ouvris la porte et sortis sur le trottoir. A l'instant même, j'eus le sentiment qu'il n'y avait plus d'intrusion et, cependant, j'étais maintenant dans la rue, entouré de gens. Il me vint alors la certitude que cette créature, qui était dans ma maison, devait penser à moi, peut-être m'espionner.

— Un instant, interrompit le père. Que ressentiez-vous? Etait-ce de la crainte?

— Grands dieux! non. J'étais complètement déconcerté, et je le suis encore, passionnément intéressé, mais nullement alarmé. Je fis ma conférence, avec la même facilité qu'à l'ordinaire, et rentrai chez moi le soir. Au moment même où je pénétrais dans la maison, j'eus le sentiment très net que l'intrus y était encore. Hier soir, je dînai seul, et je passai ensuite quelques heures à lire un ouvrage scientifique qui m'intéressait profondément. Toutefois, pendant cette lecture, il n'y eut pas une minute où je ne sus qu'il y avait, à portée du mien, un esprit dont toute l'attention était tournée vers moi. J'ajouterai ceci : ce sentiment ne cessa de croître, et lorsque je me levai pour aller me coucher, j'en étais arrivé à une bien étrange conclusion.

— Quoi? Laquelle?

— Que cette créature — cette chose —, quelle qu'elle soit, qui s'était introduite dans ma maison pendant ma courte absence, alors que j'étais dans le parc, éprouvait à mon égard plus que de l'intérêt.

— Plus que de l'intérêt?

— Qu'elle m'aimait, ou commençait à m'aimer.

— Oh! s'écria le père. Maintenant je comprends pourquoi vous m'avez demandé il y a un instant si je croyais qu'il y avait en vous quelque chose qui soit susceptible d'attirer à vous irrésistiblement un être humain ou un animal.

— Précisément. Depuis que je suis arrivé à cette conclusion, Murchison, j'avoue qu'à ma vive curiosité est venu se mêler un autre sentiment.

— De crainte?

— Non, d'aversion, ou d'irritation. Non, non, pas de la crainte, pas de la crainte. »

Tout en répétant sans nécessité cette protestation, Guildea regarda de nouveau la cage du perroquet.

« Quel sujet de crainte y a-t-il dans une telle affaire? ajouta-t-il. Je ne suis pas un enfant pour trembler devant des fantômes. »

Il éleva brusquement la voix en disant ce dernier mot. Puis il se précipita vers la cage et, d'un mouvement subit, tira l'étoffe qui la recouvrait. Napoléon apparut. Il semblait somnoler sur son perchoir, la tête légèrement penchée de côté. Lorsque la lumière tomba sur lui, il s'agita, hérissa les plumes de son cou, cligna des yeux, et se mit sans hâte à glisser latéralement, dans un sens, puis dans l'autre, projetant la tête en avant, puis la retirant d'un air d'énergie satisfaite, encore qu'assez dénuée de sens. Guildea se tenait près de la cage, le regardant de très près, et, à vrai dire, avec une attention dont l'intensité paraissait remarquable, presque anormale.

« Oh! l'absurdité de ces volatiles! dit-il enfin, en revenant près du feu.

— Vous n'avez rien d'autre à me dire? demanda le père.

— Non, j'ai toujours le sentiment de la présence de quelque chose dans ma maison. J'ai toujours l'impression d'être l'objet d'une attention de tous les instants. Je suis toujours irrité, sérieusement ennuyé, je l'avoue, par cette attention.

— Vous dites que vous avez le sentiment d'une présence, en ce moment même?

— En ce moment, oui.

— Vous voulez dire, dans cette pièce, avec nous, maintenant?

— Je le crois, du moins, tout près de nous. »

De nouveau, il jeta un coup d'œil rapide, presque soupçonneux, vers la cage du perroquet. L'oiseau était encore sur son perchoir. Il avait la tête baissée, penchée de côté, et il semblait écouter quelque chose avec attention.

« Cet oiseau reproduira les inflexions de ma voix

plus fidèlement que jamais demain matin, dit le père, observant Guildea, avec toute la douceur de ses yeux bleus. Il m'a toujours imité avec beaucoup d'habileté. »

Le professeur eut un léger sursaut.

« Oui, dit-il, oui, sans aucun doute. Eh bien, que dites-vous de cette affaire?

— Rien du tout. Elle est absolument inexplicable. Je peux vous parler franchement, j'en suis sûr.

— Bien entendu; c'est pour cela que je vous ai tout raconté.

— Je crois que vous devez être surmené, à bout de nerfs, sans vous en douter.

— Et que le docteur s'est trompé lorsqu'il m'a trouvé parfaitement normal?

— Oui. »

Guildea tapa sa pipe contre le manteau de la cheminée.

« C'est possible, dit-il. Je ne serai pas déraisonnable au point de nier cette possibilité, encore que je ne me sois jamais senti mieux de ma vie. Que me conseillez-vous donc?

— Une semaine de repos complet hors de Londres, au grand air.

— Ce qu'on prescrit habituellement. J'accepte. Je partirai demain pour Westgate et laisserai Napoléon pour tenir la maison pendant mon absence. »

Pour quelque raison qu'il ne pouvait s'expliquer, le plaisir que le père Murchison avait ressenti en entendant le début de la réponse fut amoindri, presque détruit, par la phrase finale.

Ce soir-là, il regagna à pied le centre de la ville. Plongé dans ses pensées, il se remémorait et considérait par le menu la première entrevue qu'il avait eue avec Guildea chez lui, un an et demi auparavant.

Le lendemain matin, Guildea quitta Londres.

## III

Le père Murchison était un homme si occupé qu'il n'avait pas le temps de s'appesantir sur les affaires d'autrui. Toutefois, pendant la semaine que Guildea passa au bord de la mer, le père pensa souvent à lui, avec beaucoup d'étonnement et quelque consternation. La consternation fut bientôt bannie, car le père au doux regard était prompt à déceler la faiblesse en lui-même, plus prompt encore à la chasser comme un hôte indésirable de l'âme. Mais l'étonnement subsista. Il devait aller *crescendo*. Guildea avait quitté Londres un jeudi. Il revint un jeudi, ayant au préalable adressé au père Murchison un mot pour lui signaler qu'il quitterait Westgate à telle heure. Lorsque son train entra dans la gare de Victoria, il fut surpris de voir la silhouette de son ami, en douillette, debout sur le quai gris, derrière une file de porteurs.

« Quoi, Murchison! dit-il. Vous ici! Auriez-vous quitté le sacerdoce que vous vous accordiez ainsi un congé? »

Ils échangèrent une poignée de main.

« Non, dit le père. Le hasard a fait que je me trouvais aujourd'hui dans ces parages, pour voir un malade. C'est ainsi que j'ai pensé à venir vous attendre.

— Et voir si j'étais toujours malade, hein? »

Le père lui jeta un petit coup d'œil bienveillant, mais accompagné d'un petit rire sec.

« L'êtes-vous encore? questionna le père, le regardant avec intérêt. Non, je ne crois pas. Vous semblez très bien. »

De fait, l'air marin avait mis un peu de hâle et de couleur sur les joues toujours maigres de Guildea. Son regard pénétrant brillait de vie et d'énergie, et il avançait, vêtu d'un costume gris, vague, et d'un pardessus flottant, avec une vigueur que l'on remarquait. De sa main gauche, il portait sans effort une valise bien pleine.

Le père se sentit entièrement rassuré.

« Je ne vous ai jamais vu en meilleure santé, dit-il.

— Je ne me suis jamais senti mieux. Avez-vous une heure à me consacrer?

— Deux.

— Bon. Je vais faire porter mon sac par un cab, et nous irons à pied par le parc, jusqu'à la maison, où nous prendrons une tasse de thé. Qu'en dites-vous?

— Cela me fera plaisir. »

Ils sortirent de la gare, passèrent à côté des petites marchandes de fleurs et des camelots, et se dirigèrent vers Grosvenor Square.

« Votre séjour a été agréable? dit le père.

— Assez agréable, et solitaire. Oui, j'ai laissé mon compagnon derrière moi, dans le couloir du numéro 100.

— Et vous ne l'y retrouverez pas, j'en suis sûr.

— Hem! s'écria Guildea. D'après vous, je suis une belle chiffe, Murchison. »

Il allongeait le pas en parlant, comme poussé à accentuer son impression de vigueur physique.

« Une chiffe, non. Mais tout homme qui demande à son cerveau une activité aussi continue que la vôtre a inévitablement besoin de vacances de temps à autre.

— Et j'en avais grand besoin, n'est-ce pas?

— Oui, vous en aviez besoin, je crois.

— Eh bien, c'est fait. Et maintenant nous allons voir. »

Le soir tombait très rapidement. Ils traversèrent la rue à Hyde Park Corner, pénétrèrent dans le parc, peuplé d'une quantité de gens qui rentraient chez eux après leur travail : des hommes en pantalons de velours à côtes, plaqués de boue séchée, portant en bandoulière des boîtes de conserves et des paniers plats contenant leurs outils. Certains, parmi les plus jeunes, parlaient, le verbe haut, ou sifflaient en marchant, sur un ton aigu.

« Jusqu'au soir, murmura le père Murchison.

— Quoi? demanda Guildea.

— Je ne faisais que répéter les derniers mots du texte, qui semble avoir trait à la vie, principalement à la vie de plaisir : « L'homme s'en va à « son travail, et à son labeur. »

— Ah! un auditoire composé de ces gens constitue un public qui est loin d'être désagréable. Il y en avait un grand nombre à la conférence que je faisais lorsque je vous ai rencontré pour la première fois, je me le rappelle. L'un d'eux essaya de m'embarrasser par ses questions. Il avait les cheveux roux. Les roux jouent toujours le rôle de contradicteurs. Je l'ai réduit au silence, cette fois-là. Eh bien, Murchison, maintenant, nous allons voir.

— Quoi?

— Si mon compagnon est parti.

— Dites-moi, vous attendez-vous à, voyons, à croire encore qu'il y a quelqu'un chez vous?

— Comme vous pesez vos mots! Non, je me le demande seulement.

— Vous n'avez pas d'appréhension?

— Pas un brin. Mais j'avoue que j'éprouve quelque curiosité.

— L'air marin ne vous a donc pas appris à reconnaître que toute cette histoire était due au surmenage?

— Non, dit Guildea, d'un ton très sec.

— Je croyais pourtant qu'il aurait cet effet.

— Que ce séjour me démontrerait que j'avais une imagination maladive, morbide, malsaine, eh? Allons, Murchison, pourquoi ne pas dire franchement que vous m'avez expédié à Westgate pour me débarrasser de ce que vous considérez comme une crise aiguë de névrose? »

Cette attaque n'ébranla nullement le père.

« Voyons, Guildea, répliqua-t-il, que pouvais-je penser, selon vous? Je ne voyais en vous aucun symptôme de névrose. Je n'en ai jamais vu. Vous êtes le dernier qu'on pourrait croire susceptible d'être atteint de cette maladie. Mais qu'est-ce qui est le plus naturel, que je croie chez vous à une névrose, ou à la vérité d'une histoire du genre de celle que vous m'avez racontée?

— C'est sans réplique. Non, je n'ai pas le droit de me plaindre. En tout cas, pour le moment, il n'est pas question de névrose chez moi.

— Et il n'y a pas d'étranger dans votre maison, j'espère. »

Le père Murchison quittant le ton badin qu'ils avaient adopté l'un et l'autre, prononça ces mots avec une gravité très réelle.

« Vous prenez cette affaire très au sérieux, je trouve, dit Guildea, parlant, lui aussi, avec plus de gravité.

— Comment pourrais-je la prendre autrement? Vous ne voudriez pas me voir rire alors que vous me racontez la chose sérieusement.

— Non. Si nous retrouvons mon visiteur à la maison, je peux aller jusqu'à vous demander de l'exorciser. Mais tout d'abord il me faut faire une chose.

— Laquelle?

— Vous prouver, aussi bien qu'à moi-même, qu'il est encore là.

— Cela n'irait pas sans difficulté, dit le père, considérablement surpris par le ton positif de Guildea.

— Si la chose est restée chez moi, je crois que je peux trouver un moyen. Et je ne serais pas du tout surpris qu'elle y soit encore, malgré l'air de Westgate. »

En prononçant ces derniers mots, le professeur était revenu au ton de badinage un peu sec qu'il avait précédemment. Le père ne parvenait pas à savoir si Guildea était exceptionnellement grave ou exceptionnellement gai. Comme les deux hommes approchaient de Hyde Park Place, leur conversation tomba. Ils avançaient en silence dans l'obscurité qui se faisait plus dense.

« Nous y voilà! » dit enfin Guildea.

Il introduisit la clef dans la serrure, ouvrit, fit entrer le père Murchison dans le couloir, le suivit de près, et fit claquer la porte.

« Nous y voilà! » répéta-t-il, d'une voix plus sonore.

L'électricité avait été allumée pour l'accueillir. Il s'arrêta et regarda autour de lui.

« Nous prendrons le thé tout de suite, dit-il. Ah! Pitting! »

Le maître d'hôtel blafard, qui avait entendu claquer la porte, s'avança doucement depuis le haut de l'escalier qui conduisait à la cuisine, salua respectueusement son maître, prit son manteau, ainsi que la douillette du père Murchison, et les accrocha l'un et l'autre à deux patères fixées au mur.

« Tout va bien, Pitting? Rien d'anormal? dit Guildea.

— Non, monsieur.

— Apportez-nous un peu de thé dans la bibliothèque.

— Oui, monsieur. »

Pitting se retira. Guildea attendit qu'il eût disparu; il ouvrit alors la porte de la salle à manger, passa la tête dans la pièce, resta ainsi un instant, en gardant une immobilité parfaite. Au bout d'un moment, il se retira, ferma la porte et dit :

« Montons. »

Le père Murchison le questionna du regard, mais ne fit aucun commentaire. Ils montèrent l'escalier et pénétrèrent dans la bibliothèque. Guildea, d'un regard rapide, explora la pièce. Un feu brûlait dans la cheminée. Les rideaux bleus étaient tirés. La lueur vive de la puissante lampe électrique frappait les longues rangées de livres, la table de travail, très en ordre par suite de l'absence de Guildea, et la cage du perroquet, qui n'était pas couverte. Guildea s'approcha de la cage. Napoléon, sur son perchoir, était ramassé sur lui-même, les plumes ébouriffées. Ses longues pattes, qui semblaient couvertes de peau de crocodile, s'agrippaient au barreau. Ses yeux ronds clignotaient; ils paraissaient recouverts d'une membrane, comme par l'effet de l'âge.

Guildea fixa l'oiseau avec insistance, puis fit claquer sa langue contre ses dents. Napoléon se secoua, leva une patte, en allongea les doigts, se plaça de côté sur son perchoir, jusqu'aux barreaux les plus proches du professeur, et y appuya la tête. De son index, Guildea la gratta deux ou trois fois, le regard toujours attentivement fixé sur le perroquet; puis il retourna près du feu, à l'instant même où Pitting entrait avec le plateau de thé.

Le père Murchison était déjà assis dans un fauteuil d'un côté de la cheminée. Guildea prit un autre siège et se mit à servir le thé, tandis que Pitting quittait la pièce, fermant doucement la porte derrière lui. Le père prit une gorgée de thé, le trouva chaud, et posa la tasse sur une petite table près de lui.

« Vous aimez ce perroquet, n'est-ce pas? demanda-t-il à son ami.

— Pas particulièrement. Il est parfois intéressant à étudier. L'esprit et la nature des perroquets sont curieux.

— Combien y a-t-il de temps que vous l'avez?

— Quatre ans à peu près. J'avais bien failli m'en débarrasser juste avant de faire votre connaissance. Je suis très content maintenant de l'avoir gardé.

— Ah! oui, pour quelle raison?

— Je vous le dirai probablement dans un jour ou deux. »

Le père reprit sa tasse. Il ne pressa pas Guildea de lui donner tout de suite une explication, mais quand l'un et l'autre eurent fini leur thé, il dit :

« Eh bien, l'air marin a-t-il eu l'effet désiré?

— Non », dit Guildea.

Le père fit tomber quelques miettes restées sur sa soutane et se dressa sur son siège.

« Votre visiteur est encore ici? demanda-t-il, et ses yeux bleus se firent presque durs et perçants en se posant sur son ami.

— Oui, répondit Guildea avec calme.

— Comment le savez-vous? Quand l'avez-vous su? Lorsque vous avez passé la tête dans la salle à manger, il y a un moment?

— Non, pas avant d'entrer dans cette pièce. Il m'a accueilli ici.

— Accueilli? De quelle façon?

— Simplement par sa présence ici, en me faisant sentir cette présence, comme je pourrais sentir la présence de quelqu'un si j'entrais dans l'obscurité. »

Très maître de lui, il parlait avec calme, du ton sec qui lui était coutumier.

« Très bien, dit le père, je n'essaie pas de lutter contre cette impression, ou de la détruire par des explications. Mais, naturellement, je suis stupéfait.

— Moi aussi. Jamais de ma vie, je n'ai éprouvé pareille surprise. Bien entendu, Murchison, je ne peux espérer que vous croyiez autre chose, sinon que je suppose — imagine, si vous préférez — qu'il y a ici un intrus; de quel genre? je l'ignore complètement. Je ne peux pas m'attendre à ce que vous croyiez qu'il existe vraiment quelque chose. Si vous étiez à ma place, et moi à la vôtre, je considérerais certainement que vous êtes victime de quelque hallucination d'origine nerveuse. Je ne pourrais penser autrement. Mais, patience. Ne m'accusez pas d'être un névrosé, ou d'avoir l'esprit dérangé, pendant deux ou trois jours encore. J'ai la conviction — à moins que je ne sois vraiment malade, ou que j'aie l'esprit dérangé — que je serai sous peu à même de vous donner quelque preuve de la présence d'un nouveau venu dans ma maison.

— Vous ne me dites pas quel genre de preuve?

— Pas encore. Il faut d'abord que les choses se précisent. En attendant, je vous dirai : si, en fin de compte, je ne peux vous apporter aucune espèce de preuve attestant que je ne rêve pas, je vous autoriserai à m'emmener chez n'importe quel spécialiste de votre choix, et je m'efforcerai résolument de me ranger à l'opinion qui est la vôtre pour le moment : qu'il n'y a rien d'autre qu'une erreur absurde. C'est bien votre opinion, n'est-ce pas? »

Le père Murchison se tut un moment. Puis il dit, d'un ton plutôt indécis :

« Ce devrait l'être.

— Et ce ne l'est pas? demanda Guildea, surpris.

— Oh! vous savez, votre attitude est terriblement convaincante. Cependant je doute encore, bien sûr. Comment pourrait-il en être autrement? Tout cela est affaire d'imagination. »

Le père parlait comme s'il s'efforçait de se dégager d'une position mentale qu'on l'obligeait d'assumer.

« Ce ne peut être que de l'imagination, répéta-t-il.

— J'emploierai pour vous convaincre un argument plus solide que mon attitude, ou bien je n'essaierai pas du tout de vous convaincre », dit Guildea.

Lorsqu'ils se séparèrent ce soir-là, il dit :

« Je vous écrirai dans un jour ou deux, probablement. Je crois que la preuve que je vais vous donner a pris forme pendant mon absence. Mais je le saurai bientôt. »

Le père Murchison était bien intrigué, lorsqu'il regagna son logis, assis sur l'impériale de l'omnibus.

## IV

Deux jours s'écoulèrent, au bout desquels il reçut un mot de Guildea, lui demandant de passer le voir si possible le soir même. Il en était empêché, car il était retenu par une réunion dans l'East End. Le lendemain était un dimanche. Il écrivit qu'il viendrait le lundi, et reçut peu après un télégramme : *Oui, lundi venez dîner sept heures trente. Guildea.* A sept heures et demie, il était devant le numéro 100.

Pitting lui ouvrit la porte.

« Est-ce que le professeur va tout à fait bien, Pitting? s'enquit le père en ôtant sa douillette.

— Je le crois, monsieur. Il ne se plaint de rien, répondit le maître d'hôtel, cérémonieusement. Voulez-vous monter, monsieur? »

Guildea les accueillit à la porte de la bibliothèque. Il était très pâle et paraissait sombre. Il serra distraitement le main de son ami.

« Servez-nous le dîner », dit-il à Pitting.

Comme le maître d'hôtel se retirait, Guildea ferma la porte avec précaution. Le père Murchison ne l'avait jamais vu aussi troublé.

« Vous êtes soucieux, Guildea, dit le père, très soucieux.

— Oui, c'est vrai. L'effet de cette histoire commence à se faire sentir sérieusement.

— Vous persistez donc à croire à la présence de quelqu'un chez vous?

— Certes, oui, je n'ai plus aucun doute là-dessus. Le soir où je suis sorti pour aller jusqu'au parc, quelque chose est entré dans la maison; mais que diable cela peut-il bien être? Il m'est encore impossible de le découvrir. Mais, avant que nous descendions dîner, je tiens à vous révéler quelque chose au sujet de cette preuve que je vous ai promise. Vous vous rappelez?

— Naturellement.

— N'avez-vous pas idée de ce que cela peut être? »

Le père Murchison fit signe que non.

« Regardez dans la pièce, dit Guildea. Que voyez-vous?

— Rien d'insolite. Vous n'allez pas me dire qu'il y a quelque apparition...

— Oh! non, non; il n'y a pas d'apparition sous la forme habituelle : drapée de blanc et vaporeuse. Dieu me préserve, je ne suis pas tombé si bas. »

Sa voix trahissait une irritation intense.

« Regardez encore. »

Le père Murchison le regarda, se tourna du côté où s'était fixé le regard de Guildea, et vit le perroquet gris qui grimpait dans sa cage, lentement, obstinément.

« Quoi? dit-il vivement. La preuve viendrait-elle de là? »

Le professeur acquiesça de la tête.

« Je le crois, dit-il. Descendons dîner, maintenant. J'ai grand besoin de prendre quelque chose. »

Ils descendirent dans la salle à manger. Pendant qu'ils mangeaient et que Pitting les servait, le professeur parlait des oiseaux, de leurs mœurs, de leur curiosité, de leurs craintes, et de leurs facultés d'imitation. Il avait évidemment étudié ce sujet à fond, avec la conscience qui le caractérisait dans tout ce qu'il faisait.

« Les perroquets, dit-il au bout d'un moment, ont un esprit d'observation extraordinaire. Il est regrettable que leur faculté de reproduire ce qu'ils voient soit si limitée. Sinon, je suis certain que leur imitation des gestes serait aussi remarquable que l'est souvent celle de la voix.

— Mais il leur manque des mains.

— Oui, mais ils font beaucoup de choses avec la tête. Je connaissais autrefois une vieille femme près de Goring, sur la Tamise. Elle était affligée de paralysie agitante. Elle tenait la tête continuellement penchée, et la balançait de droite à gauche. Son fils, qui était marin, lui rapporta d'un de ses voyages un perroquet qui reproduisait exactement le mouvement de tête de la paralytique. Ces perroquets gris sont toujours aux aguets. »

Guildea prononça cette dernière phrase lentement et délibérément, lançant par-dessus son verre de vin un coup d'œil pénétrant au père Murchison. En l'entendant, celui-ci eut une brusque illumination. Il ouvrit les lèvres pour faire une brève remarque. Guildea tourna son regard brillant vers Pitting au moment où ce dernier portait avec sollicitude des croquettes de fromage qu'il avait retirées du monte-charge reliant la salle à manger à la cuisine. Mais, quelques instants après, lorsque le maître d'hôtel eut placé des pommes sur la table, arrangé méticuleusement les carafes, enlevé les miettes, et se fut volatilisé, il dit, vivement :

« Je commence à comprendre. Vous pensez que Napoléon s'aperçoit de cette présence?

— Je le sais. Il n'a cessé d'épier le visiteur depuis le soir où il est arrivé. »

Le prêtre eut une autre illumination.

« Voilà pourquoi vous l'avez recouvert de cette étoffe verte un certain soir?

— Précisément. Par lâcheté. Sa conduite commençait à me porter sur les nerfs. »

Guildea pinça ses lèvres minces, abaissa ses sourcils, ce qui donna à son visage une expression de douleur subite.

« Mais, maintenant, j'ai l'intention de le suivre dans ses investigations, ajouta-t-il, redonnant à ses traits leur expression naturelle.

« La semaine que j'ai perdue à Westgate, il ne l'a pas perdue ici, je vous l'assure. Prenez une pomme.

— Non, merci, non, merci. »

Le père répéta son refus sans s'en apercevoir. Guildea repoussa son verre.

« Alors, montons.

— Non, merci, réitéra le père.

— Pardon?

— Qu'est-ce que je dis? s'écria le père, en se levant. Je pensais à cette affaire extraordinaire.

— Ah! vous commencez à oublier l'hypothèse de la névrose? »

Ils sortirent dans le couloir.

« Vous êtes si objectif sur tout ce qui concerne cette affaire.

— Pourquoi pas? Voici une chose très étrange et anormale qui survient dans mon existence.

Quelle est la conduite à tenir sinon de l'étudier avec calme et à fond?

— Que faire d'autre, en effet? »

Le père commençait à se sentir assez déconcerté, obligé qu'il était, en quelque sorte par une contrainte, de prêter la plus vive attention à une affaire qui aurait dû le frapper, lui semblait-il, comme étant parfaitement absurde. Lorsqu'ils pénétrèrent dans la bibliothèque, ses yeux se portèrent immédiatement, avec une profonde curiosité, vers la cage du perroquet. Un léger sourire arqua les lèvres du professeur. Il s'apercevait de l'effet qu'il produisait sur son ami. Le père vit le sourire.

« Oh! vous ne m'avez pas encore convaincu, fit-il en réponse.

— Je sais. Peut-être aurai-je réussi avant la fin de la soirée. Voici le café. Lorsque nous l'aurons pris, nous procéderons à notre expérience. Posez le café, Pitting, et ne nous dérangez plus.

— Bien, monsieur.

— Je ne prendrai pas mon café noir, ce soir, dit le père. Beaucoup de lait, s'il vous plaît. Je ne veux pas qu'on puisse jouer sur mes nerfs.

— Et si nous ne prenions pas de café du tout? dit Guildea. Pour que vous ne puissiez alléguer que nous n'étions pas dans un état parfaitement normal. Je vous connais, Murchison : aussi ardent dans votre scepticisme que dans votre vocation de prêtre. »

Le père rit et repoussa sa tasse.

« Fort bien. Pas de café.

— Rien qu'une cigarette et nous passerons ensuite aux choses sérieuses. »

La fumée gris bleu monta en volutes.

« Qu'allons-nous faire? » dit le père.

Il était assis très droit, comme prêt à l'action. A vrai dire, rien ne suggérait la détente dans l'attitude de l'un et de l'autre.

« Nous cacher, et épier Napoléon. A propos, cela me rappelle... »

Il se leva, alla dans un coin de la pièce, y prit un morceau de drap vert et en couvrit la cage.

« Je l'enlèverai lorsque nous serons cachés.

— Dites-moi d'abord s'il y a eu quelque manifestation de cette prétendue présence au cours de ces tout derniers jours.

— Simplement la sensation, dont l'intensité va toujours croissant, qu'il y a quelque chose ici, qui m'observe sans répit, qui assiste sans cesse à tous mes actes.

— Avez-vous l'impression qu'on vous suit lorsque vous vous déplacez?

— Pas toujours. La chose était dans cette pièce quand vous êtes arrivé. Elle y est maintenant. Mais lorsque nous sommes descendus dîner, j'avais l'impression que nous nous en éloignions. J'en conclus qu'elle était restée ici. N'en parlons pas pour l'instant. »

Ils s'entretinrent d'un autre sujet en achevant de fumer leur cigarette. Puis, lorsqu'ils jetèrent les mégots fumants, Guildea dit :

« Maintenant, Murchison, pour mener à bien cette expérience, je propose que nous nous cachions derrière les rideaux, de chaque côté de la cage, afin que l'attention de l'oiseau ne se porte pas vers nous, et ne se détourne pas de ce que nous désirons mieux connaître. Je retirerai l'étoffe verte lorsque nous serons cachés. Tenez-vous parfaitement tranquille; observez le comportement de l'oiseau, et dites-moi ensuite quelle impression il vous donne, comment vous l'interprétez. Marchez tout doucement. »

Le père obéit et ils se dirigèrent à pas feutrés vers les rideaux qui pendaient de chaque côté des deux fenêtres. Le père se cacha derrière ceux qui se trouvaient à gauche de la cage, et le professeur derrière ceux de droite. Dès qu'ils furent cachés, ce dernier tendit le bras, tira l'étoffe et la laissa tomber sur le parquet.

Le perroquet, bien au chaud, s'était évidemment endormi dans l'obscurité. Lorsque la lumière l'atteignit, il se déplaça sur son perchoir, ébouriffa les plumes de son cou, et souleva d'abord une patte, puis l'autre. Il tourna la tête sur son cou souple, qu'on eût dit élastique, et, plongeant le bec dans le duvet de son dos, procéda à quelques investigations approfondies avec un résultat qui lui parut satisfaisant car il releva bientôt la tête, et commença à s'occuper d'une noix qu'on avait fixée, pour sa nourriture, entre les barreaux. De son bec recourbé, il tâta la noix, la frappa, d'abord doucement, puis avec énergie. Finalement, il l'arracha, la saisit de sa patte rude et grise, la maintint fermement sur le perchoir, la cassa, puis en becqueta le contenu, éparpillant des miettes sur le bas de la cage, et laissant choir la coque brisée dans la baignoire de porcelaine fixée aux barreaux. Ceci fait, l'oiseau, méditatif, s'arrêta un instant, tendit une patte en arrière et se mit en devoir de déployer ses ailes, avec tant de manières qu'il avait l'air tout de guingois et difforme. La tête retournée, il procéda de nouveau à des recherches subtiles et approfondies parmi les plumes d'une aile. Cette fois, l'examen parut interminable, et le père Murchison eut le temps de prendre conscience de l'absurdité de la situation et de se demander pourquoi il s'y était prêté. Pourtant son sens de l'humour n'y trouva pas prétexte à rire. Au contraire, il fut soudain frappé d'un sentiment d'horreur. Lorsqu'il parlait à son ami et l'observait, le comportement du professeur, en général si calme, si terre à terre, même, était garant de l'authenticité de son histoire, et de l'équilibre bien réglé de son esprit. Mais il n'en était plus ainsi lorsqu'il était caché. Le père Murchison, debout derrière le rideau, les yeux fixés sur Napoléon qui ne trahissait pas la moindre émotion, commença à chuchoter par devers lui le mot : Folie, avec un sentiment grandissant de pitié et d'effroi.

D'un mouvement brusque, le perroquet contracta une de ses ailes, ébouriffa une fois de plus les plumes de son cou, puis tendit l'autre patte en arrière, et procéda au nettoyage de sa deuxième aile. Dans la pièce tranquille, on entendait distinctement le bruit des plumes. Le père Murchison perçut un léger frémissement dans les rideaux bleus derrière lesquels se tenait Guildea, comme si un souffle d'air venait de pénétrer par la fenêtre qu'ils cachaient. La pendule sonna dans la deuxième pièce, un morceau de charbon tomba dans la grille avec un bruit comparable à celui de feuilles sèches que le vent chasse brusquement sur le sol dur. Le père se sentit de nouveau envahi par une vague de pitié et d'effroi. Il lui sembla qu'il avait été très sot, peut-être même coupable, d'encourager ce qui semblait bien être l'étrange folie de son ami. Il aurait dû refuser de se prêter à une manœuvre qui, ridicule et même puérile en soi, pouvait fort bien se révéler dangereuse, en ce qu'elle encourageait une attente morbide. Napoléon, la patte tendue en avant, l'aile déployée, le cou tordu, apportant un empressement inconscient au soin de sa personne, apparemment certain de jouir d'une solitude absolue, d'une solitude douillette, conduisit le père à prendre nettement conscience de la bouffonnerie et du manque de dignité de sa conduite, et de la bouffonnerie plus pitoyable de son ami. Il saisit les rideaux, et il était sur le point de les écarter et de quitter sa cachette lorsqu'il fut arrêté par un mouvement subit du perroquet. L'oiseau, comme s'il était brusquement attiré par quelque chose, cessa de becqueter et, la tête toujours rejetée en arrière et tordue sur son cou, parut écouter avec la plus vive attention. Le regard de son œil rond était brillant et tendu comme celui d'un pigeon inquiet. Repliant son aile, il leva la tête, et se tint un moment bien droit sur son perchoir, soulevant et reposant ses pattes comme un automate; on eût dit qu'une émotion naissante provoquait en lui un désir incoercible de mouvement. Il tendit ensuite la tête en direction de la pièce la plus éloignée, et resta immobile. Son attitude évoquait avec tant de force la concentration de l'attention sur une chose toute proche debout en face de lui, qu'instinctivement le père Murchison promena son regard autour de la pièce, s'attendant presque à voir s'avancer doucement Pitting, qui serait entré par la porte cachée. Mais il ne vint pas et le silence régnait. Néanmoins, il était clair que l'agitation et l'attention du perroquet allaient augmentant. Il penchait de plus en plus la tête, tendait le cou tant et si bien que, près de tomber, il déploya à demi ses ailes, les éleva légèrement au-dessus de son dos, comme pour s'envoler, et leur imprima un battement rapide qu'il prolongea pendant un temps que le père trouva interminable. Finalement, levant ses ailes aussi haut que possible, il les laissa lentement et délibérément retomber sur son dos, saisit de son bec le bord de sa baignoire, se laissa glisser sur le sol de la cage, et alla en se dandinant jusqu'aux barreaux, contre lesquels il appuya la tête. Il se tint ainsi parfaitement tranquille, dans l'attitude qu'il prenait chaque fois que le professeur lui grattait la tête. La pose de l'oiseau évoquait ce plaisir avec une précision telle que le père Murchison eut l'impression de voir un doigt blanc passer doucement parmi les plumes de sa tête. Une conviction très puissante s'empara de lui : quelque chose qu'il ne voyait pas, mais que l'oiseau voyait et accueillait avec joie, se tenait devant la cage.

Le perroquet redressa bientôt la tête, comme si le doigt qui le caressait s'était retiré, et les signes manifestes d'une jouissance physique aiguë firent place chez lui à une expression d'attention marquée et de curiosité vigilante. Se hissant à l'aide des barreaux, il grimpa de nouveau sur son perchoir, se déplaça de côté jusqu'à la paroi gauche de la cage, et se mit apparemment à observer avec un profond intérêt. Il inclina la tête bizarrement, s'arrêta un instant, puis inclina de nouveau la tête. Le père Murchison se surprit en train de se faire — d'après ce mouvement étudié de la tête — une idée précise d'une certaine personnalité. Les gestes de l'oiseau suggéraient une sentimentalité extrême, combinée avec cette espèce de résolution un peu vague qui est souvent la plus tenace. Une résolution de ce genre est une caractéristique très commune des personnes atteintes d'idiotie partielle. Le père Murchison fut amené à penser à ces pauvres créatures, étranges et déraisonnables, qui s'attachent souvent avec ténacité à ceux qui les aiment le moins. Comme maint autre prêtre, il les connaissait assez bien, car l'idiote au tempérament amoureux est particulièrement sensible à l'attrait des prédicateurs. Les saluts du perroquet lui remettaient en mémoire une femme pâle et terrible qui, pendant un certain temps, avait hanté toutes les églises où il exerçait son ministère, s'efforçant perpétuellement d'accrocher son regard, et lorsqu'elle y était parvenue, courbait la tête, arborant alors un sourire obséquieux et sciemment rusé. Le perroquet continuait à saluer, marquant un court arrêt entre chaque révérence, comme dans l'attente d'un signal qui l'appellerait à faire jouer ses facultés d'imitation.

« Oui, oui, il imite un être idiot », se surprit à dire le père Murchison sans cesser ses observations.

Il promena encore son regard autour de la pièce, mais ne vit rien d'autre que le mobilier, le feu qui dansait, et les rangs serrés de livres. Bientôt le perroquet mit fin à ses saluts et prit l'attitude concentrée et tendue de qui écoute avec attention. Il ouvrit le bec, montrant sa langue noire, le referma, puis l'ouvrit encore. Le père crut qu'il allait parler; il resta muet, mais il était clair qu'il s'efforçait d'articuler quelque chose. Il salua encore deux ou trois fois, s'arrêta, puis, ouvrant le bec, fit quelque remarque. Le père ne put distinguer un seul mot, mais la voix était débile et déplaisante; elle roucoulait et se plaignait à la fois. « Elle ressemble à une voix de femme », pensa-t-il. Il rapprocha son oreille du rideau, écoutant avec une attention presque fébrile. Les saluts reprirent mais, cette fois, Napoléon y ajoutait un mouvement de côté, affectueux et affecté, pareil au mouvement d'une créature sotte et passionnée qui se blottirait contre quelqu'un ou lui donnerait un petit coup de coude furtif. Le prêtre pensa encore à cette femme pâle et terrible qui hantait les églises. Plusieurs fois, il l'avait trouvée sur son chemin. Elle l'attendait après l'office du soir. Une fois, elle avait incliné la tête en souriant, laissant pendre sa langue, et s'était collée contre lui dans l'obscurité. Il se rappelait le recul de sa chair au contact de cette pauvre créature, le dégoût, allant jusqu'à la nausée, qu'elle lui inspirait et qu'il ne pouvait bannir, même en se rappelant qu'elle avait l'esprit dérangé. Le perroquet s'arrêta, écouta, ouvrit le bec, et dit encore quelque chose, de la même voix amoureuse de tourterelle, chargée de suggestion morbide, et pourtant dure, voire même dangereuse dans son intonation. Une voix répugnante, jugea le père. Mais, cette fois, bien qu'il entendît la voix plus distinctement qu'auparavant, il ne pouvait décider si c'était une voix de femme, d'homme, ou peut-être d'enfant. C'était, semblait-il, une voix humaine, mais étrangement asexuée. Pour trancher ce doute, il se retira dans l'obscurité des rideaux, cessa d'observer Napoléon, et se contenta d'écouter avec l'attention la plus aiguë, s'efforçant d'oublier qu'il écoutait un oiseau, et s'imaginant qu'il surprenait une voix humaine engagée dans une conversation. Après deux ou trois minutes de silence la voix reprit, pendant un assez long intervalle; elle semblait reproduire et répéter une série d'exclamations affectueuses, avec un roucoulement appuyé, d'une fadeur et d'une indécence indicibles. La morbidité de cette voix, la chute de ses inflexions, et son étrange impudeur, jointes à une douceur mourante et à un raffinement de courtisane, donnaient au père la chair de poule. Cependant, il ne pouvait distinguer aucune parole, non plus que l'âge et le sexe de la personne. Immobile dans l'obscurité, il n'avait qu'une seule certitude : une telle voix ne pouvait émaner que d'une créature particulièrement répugnante, ne pouvait exprimer qu'une personnalité qui lui était, à lui, sinon aux autres, intolérablement odieuse. Bientôt, la voix s'éteignit dans une espèce de hoquet rauque, que suivit un silence prolongé. Celui-ci fut interrompu par le professeur qui tira d'un coup les rideaux derrière lesquels se cachait le père, et lui dit :

« Sortez maintenant et regardez. »

Le père avança dans la partie éclairée, clignant des yeux, regarda du côté de la cage, et vit Napoléon immobile, en équilibre sur une patte, la tête sous son aile. Il semblait dormir. Le professeur était pâle, ses lèvres mobiles tirées dans une expression de dégoût suprême.

« Pouah! » dit-il.

Il alla vers la fenêtre de la pièce la plus éloignée, tira les rideaux, ouvrit la partie inférieure de la fenêtre pour laisser entrer l'air. Les arbres dénudés étaient visibles dans l'obscurité grisâtre du dehors. Guildea se pencha une minute à la fenêtre, emplissant ses poumons de l'air nocturne. Un instant après, il se retourna vers le père, et s'écria soudain :

« Nauséabond, n'est-ce pas?

— Oui, au plus haut point!

— Avez-vous jamais entendu parler de quelque chose de semblable?

— Pas exactement.

— Moi non plus. Cela me donne la nausée, Murchison, la nausée, littéralement. »

Il ferma la fenêtre et, nerveux, se mit à arpenter la pièce.

« Qu'en pensez-vous? demanda-t-il par-dessus son épaule.

— Que voulez-vous dire exactement?

— Est-ce une voix d'homme, de femme ou d'enfant?

— Je n'en sais rien; je ne peux pas arriver à me faire une opinion.

— Moi non plus.

— L'avez-vous souvent entendue?

— Oui, depuis mon retour de Westgate. Et jamais de paroles que je puisse distinguer. Quelle voix! »

Il cracha dans le feu.

« Pardonnez-moi, dit-il, se jetant dans un fauteuil. J'en ai des haut-le-cœur, à la lettre.

— Moi aussi, dit le père, avec sincérité.

— Le pis est, continua Guildea d'un ton nerveux, aigu, que cet être est entièrement dépourvu de cervelle; il n'a que l'astuce de l'idiotie. »

Le père sursauta en entendant de la bouche d'un autre l'expression exacte de sa propre conviction.

« Qu'est-ce qui vous fait sursauter ainsi? dit Guildea avec un soupçon dont la promptitude attestait l'état anormal de ses nerfs.

— C'est que cette même idée m'était venue à l'esprit.

— Laquelle?

— Que j'écoutais la voix d'un être idiot.

— Oui, c'est ce qu'il y a d'infernal pour quelqu'un de mon genre. Je pourrais me battre contre l'intelligence, mais ça! »

D'un bond, il fut de nouveau sur pied, tisonna violemment le feu, se posta sur le devant de foyer, le dos à la chaleur, ses mains dans les poches supérieures du pantalon.

« Voilà la voix de l'être qui s'est introduit dans ma maison. Agréable, ne trouvez-vous pas? »

Et maintenant, il y avait vraiment de l'horreur dans son regard et dans son intonation.

« Il faut que je le chasse, s'écria-t-il, il faut que je le chasse. Mais comment? »

D'une main qui frémissait, il tirait sur son petit bouc noir.

« Comment? continua-t-il. Qu'est-ce que c'est? Où est-ce?

— Vous avez le sentiment que c'est ici, maintenant?

— Sans aucun doute. Mais je ne saurais vous dire dans quelle partie de la pièce. »

Il regardait tout autour de lui. Aucun objet n'échappait à son rapide coup d'œil.

« Vous estimez donc qu'on vous poursuit? » dit le père Murchison.

Lui aussi était très ému et fort troublé, encore qu'il ne sentît pas de présence auprès d'eux, dans la pièce.

« Je n'ai jamais cru à des sornettes de ce genre, vous le savez, dit Guildea. J'énonce simplement un fait que je ne peux comprendre et qui commence à m'être très pénible. Il y a quelque chose ici. Mais alors que dans la plupart des cas où il est question d'un lieu hanté, c'est l'hostilité qui se manifeste, j'ai conscience, moi, d'être admiré, aimé, désiré. Ce qui m'est parfaitement horrible, Murchison, parfaitement horrible. »

Le père Murchison se rappela tout à coup la première soirée qu'il avait passée avec Guildea, et l'expression voisine du dégoût avec laquelle ce dernier s'imaginait inspirant à quelqu'un un sentiment d'affection chaleureuse. A la lumière de cette conversation lointaine, l'événement présent semblait fort étrange. Il avait presque l'allure d'un châtiment infligé pour un péché contre l'humanité qu'aurait commis le professeur. Mais regardant le visage crispé de son ami, le père résolut de ne pas se laisser prendre au filet de cette hideuse croyance.

« Il ne peut rien y avoir ici, dit-il; impossible.

— Alors qu'est-ce que cet oiseau imite?

— La voix de quelqu'un qui est venu ici.

— Ce ne pourrait être que la semaine dernière, car il n'a jamais parlé de la sorte auparavant, et notez bien qu'avant mon départ, j'ai remarqué qu'il observait et s'efforçait d'imiter quelqu'un, depuis le soir où je suis allé dans le parc, et non avant.

— Quelqu'un qui possédait une voix de ce genre a dû venir ici pendant que vous vous êtes absenté, répéta le père Murchison avec une douce obstination.

— Je le saurai bientôt. »

Guildea appuya sur la sonnette. Presque instantanément, Pitting se glissa dans la pièce.

« Pitting, dit le professeur, d'un ton aigu et sec, quelqu'un a-t-il pénétré dans cette pièce pendant que j'étais au bord de la mer?

— Certainement pas, monsieur, à part les femmes de chambre et moi-même, monsieur. »

La voix glacée du maître d'hôtel semblait exprimer une surprise voisine du ressentiment.

Le professeur, d'un geste violent, tendit le bras vers la cage.

« Le perroquet est-il resté ici tout le temps?

— Oui, monsieur.

— On ne l'a pas déplacé, transporté ailleurs, fût-ce un instant? »

Le visage pâle de Pitting se fit presque expressif, et il pinça les lèvres.

« Certainement pas, monsieur.

— Merci. Ça suffit. »

Le maître d'hôtel se retira, accusant avec ostentation la rectitude de sa démarche. Lorsqu'il eut atteint la porte, et fut sur le point de sortir, son maître l'appela :

« Un instant, Pitting. »

Le maître d'hôtel s'arrêta. Guildea se mordit les lèvres, tira deux ou trois fois sur sa barbiche d'un air contraint, et dit :

« Avez-vous remarqué que... que le perroquet s'est mis récemment à parler d'une... d'une voix particulière, très désagréable?

— Oui, monsieur, comme d'une voix douce.

— Ah! et depuis quand?

— Depuis que vous êtes parti, monsieur. Il n'arrête pas.

— Précisément. Bon, et qu'en dites-vous?

— Pardon, monsieur?

— Que pensez-vous du fait qu'il ait adopté cette voix?

— Oh! c'est simplement pour s'amuser, monsieur.

— Je vois. C'est tout, Pitting. »

Pitting disparut, et ferma la porte sans bruit derrière lui. Guildea regarda son ami.

« Eh bien, vous voyez! s'écria-t-il.

— C'est certainement très étrange, dit le père, très étrange vraiment. Vous êtes certain que vous n'avez pas de domestique dont la voix rappelle celle-ci?

— Mon cher Murchison! Garderiez-vous auprès de vous, même deux jours, un domestique qui aurait cette voix?

— Non.

— Ma femme de chambre est à mon service depuis cinq ans, ma cuisinière depuis sept ans. Vous avez entendu parler Pitting. Ces trois forment tout mon personnel. Un perroquet ne parle jamais d'une voix qu'il n'a pas entendue. Où a-t-il pu entendre cette voix?

— Mais nous n'entendons rien.

— Non. Et nous ne voyons rien non plus. Mais lui, oui. Il sent quelque chose. N'avez-vous pas vu comment il présente la tête pour qu'on la lui gratte?

— Il semblait le faire. Oui.

— Il le faisait. »

Le père Murchison ne dit rien. Il se sentait envahi d'une gêne qui grandissait au point de devenir de l'appréhension.

« Etes-vous convaincu? dit Guildea, avec une pointe d'irritation.

— Non. Toute cette affaire est très étrange. Mais tant que je n'aurai pas entendu, vu ou senti, comme vous, la présence de quelqu'un, je ne peux y croire.

— Vous voulez dire que vous ne voulez pas?

— C'est possible. Mais il est temps que je m'en aille. »

Guildea n'essaya pas de le retenir, mais, en l'accompagnant à la porte, il lui dit :

« Faites-moi la gentillesse de revenir demain soir. »

Le père avait un engagement. Il hésita, scruta le visage du professeur, et dit :

« Bien. A neuf heures, je serai auprès de vous. Bonne nuit. »

Lorsqu'il fut sur le trottoir, il se sentit soulagé. Il se retourna, vit Guildea rentrer dans le couloir, et frissonna.

## V

Ce soir-là, le père Murchison fit à pied le trajet de Hyde Park Place à Bird Street. Il avait besoin d'exercice après la soirée étrange et pénible qu'il venait de passer, soirée dont il se souvenait déjà comme d'un cauchemar. Tandis qu'il marchait, la douceur intolérable de cette voix sonnait à ses oreilles. Il essaya de l'écarter, et de réfléchir calmement à toute l'affaire. Le professeur avait apporté la preuve d'une présence étrange chez lui. Un être raisonnable pouvait-il accepter une pareille preuve? Le père Murchison se dit que c'était impossible. Les gestes du perroquet étaient, sans aucun doute, extraordinaires. L'oiseau avait réussi à produire l'illusion vraiment hallucinante d'une présence invisible dans la pièce. Mais qu'une telle présence existât vraiment, le père persistait à le nier en son for intérieur. Ceux qui sont ardemment religieux, qui croient implicitement aux miracles enregistrés dans la Bible, et qui règlent leur vie d'après les messages qu'ils supposent recevoir directement du Grand Maître d'un Monde caché, sont rarement enclins à accepter l'idée d'une intrusion surnaturelle dans les affaires de la vie quotidienne. Ils la repoussent résolument, de toute leur force. Ils la regardent fixement, comme une mystification puérile, sinon coupable.

Le père Murchison était porté à se ranger à l'opinion normale chez un prêtre sincère. Il était résolu à s'y conformer. Il ne pouvait pas, se disait-il maintenant, accepter l'idée que son ami fût puni de façon surnaturelle pour son manque d'humanité, son défaut de sensibilité, en se voyant contraint de subir l'amour de quelque horrible créature, que l'on ne pouvait ni voir ni entendre. Cependant, la situation de Guildea semblait être l'effet d'un châtiment. Ce qu'il avait anormalement redouté et repoussé en pensée, il semblait maintenant anormalement contraint de le subir. Le père, cette nuit-là, pria pour son ami devant l'humble petit autel de la chambre où il couchait, si pauvrement meublée qu'on eût dit une cellule.

Le lendemain soir, lorsqu'il se présenta à Hyde Park Place, ce fut la femme de chambre qui lui ouvrit. Le père Murchison enfila l'escalier, se demandant ce qui était arrivé à Pitting. Guildea l'accueillit à la porte de la bibliothèque, et le père fut péniblement impressionné par le changement survenu dans son aspect. Le visage était couleur de cendre; des lignes s'étaient creusées sous les yeux. Le regard lui-même exprimait l'agitation et une détresse horrible. Il avait les cheveux et les vêtements en désordre; ses lèvres se contractaient sans cesse comme s'il était bouleversé par quelque appréhension nerveuse.

« Qu'est devenu Pitting? demanda le père, saisissant la main chaude et fiévreuse de Guildea.

— Il a quitté mon service.

— Quitté votre service? s'écria le père au comble de l'étonnement.

— Oui, cet après-midi.

— Peut-on demander pourquoi?

— Je vais vous le dire. Son départ a un rapport très étroit avec cette... cette odieuse affaire. Vous vous rappelez qu'un jour nous avons discuté des relations qu'on devrait avoir avec ses domestiques?

— Ah! s'écria le père, qui eut une illumination subite. La crise est survenue?

— Précisément, dit le professeur avec un sourire amer. La crise est survenue. J'ai fait appel à Pitting, lui demandant de se comporter en homme et en frère. Il a répondu en déclinant l'invitation. Je lui ai adressé des reproches. Il m'a donné congé. Je lui ai payé ses gages, en lui disant qu'il pouvait partir sur-le-champ. Il est parti. Pourquoi me regardez-vous ainsi?

— Je n'en avais pas conscience, dit le père Murchison, se hâtant de baisser les yeux et de détourner son regard. Mais, dit-il, Napoléon est parti lui aussi.

— Je l'ai vendu aujourd'hui à un de ces marchands de Shaftesbury Avenue.

— Pourquoi?

— Il me rendait malade par son abominable imitation de... enfin, vous savez ce qu'il faisait hier soir. D'ailleurs, je n'ai plus besoin qu'il m'apporte la preuve que je ne rêve pas. Convaincu maintenant comme je le suis que tout ce que je croyais s'être passé s'est bien réellement passé, je me soucie peu de convaincre les autres. Pardonnez-moi de vous le dire, Murchison, mais je suis maintenant certain que si je désirais si vivement vous faire croire à la présence ici de quelque créature, c'est que je conservais encore en moi-même quelque vague doute. Tous les doutes se sont dissipés.

— Expliquez-moi comment.

— Soit. »

Les deux hommes étaient debout près du feu. Ils restèrent dans cette position tandis que Guildea poursuivait.

« La nuit dernière, je l'ai sentie.

— Quoi? s'écria le père.

— Je vous dis que la nuit dernière, comme je montais me coucher, j'ai senti quelque chose qui m'accompagnait et se blottissait contre moi.

— Affreux! » s'exclama le père, involontairement.

Guildea eut un sourire morne.

« Je ne contesterai pas l'horreur de la chose. Je ne le pourrais pas, puisqu'il m'a fallu appeler Pitting à mon secours.

— Mais, dites-moi, qu'était-ce, ou du moins qu'est-ce que cela semblait être?

— Cela semblait être une créature humaine. Semblait, dis-je; ce que je veux dire exactement, c'est que l'effet sur moi était plutôt celui d'un contact humain que de toute autre chose. Mais je ne pouvais rien voir, rien entendre. Seulement, par trois fois, j'ai senti cette pression douce, mais résolue, comme pour m'enjôler et attirer mon attention. La première fois que cela s'est produit, j'étais sur le palier, devant cette pièce, le pied sur la première marche. Je vous avouerai, Murchison, que je n'ai fait qu'un bond jusqu'à l'étage au-dessus, comme quelqu'un que l'on poursuit. Voilà la vérité; elle n'est pas reluisante... toutefois, au moment précis où j'allais entrer dans ma chambre, j'ai senti cette créature qui entrait avec moi, et, comme je l'ai dit, se pressant contre mon côté avec une tendresse repoussante, écœurante. Puis... »

Il s'arrêta, se tourna vers le feu, et posa sa tête sur son bras. Le père était très ému par l'étrangeté de l'impuissance et du désespoir que trahissait cette attitude.

« Puis? »

Guildea releva la tête. Son visage était empreint d'une stupeur douloureuse.

« Puis, Murchison, j'ai honte de l'avouer, je perdis tout sang-froid, brusquement, inexplicablement, d'une façon dont je me serais cru tout à fait incapable. Je jouai des mains pour essayer de repousser cette chose; elle se blottissait plus étroitement contre moi. La pression, le contact me devinrent intolérables. J'appelai Pitting, de toutes mes forces... Je... je crois que j'ai dû crier : « Au « secours! »

— Et il est venu, naturellement?

— Oui, avec son calme habituel, fait de douceur et de l'absence de toute émotion. Ce calme, contrastant avec le dégoût et l'horreur qui me soulevaient, m'irrita, j'imagine. Je n'étais plus moi-même, non, non! »

Il cessa brusquement, puis :

« Mais ai-je besoin de vous le dire? ajouta-t-il avec une ironie pitoyable.

— Qu'avez-vous dit à Pitting?

— J'ai dit qu'il aurait dû venir plus vite. Il s'excusa. La froideur de sa voix me fit sortir de mes gonds, et j'éclatai en une stupide et méprisable diatribe, le traitai de machine, lui décochai sarcasmes et reproches; puis, sentant cette chose qui revenait se blottir contre moi, je le suppliai de m'aider, de rester avec moi, de ne pas me laisser seul, je voulais dire en compagnie de mon bourreau. Fut-il épouvanté, ou irrité de l'attitude et des propos injustes et violents que je venais de tenir, je ne sais. En tout cas, il répondit qu'il avait été engagé comme maître d'hôtel, et non pour passer la nuit avec les gens. J'imagine qu'il me soupçonna d'avoir trop bu. Oui, sans aucun doute. Je crois que je lui lançai des injures, le traitai de lâche, moi! Ce matin il m'a dit qu'il voulait quitter mon service. Je lui ai remis un mois de salaire, un bon certificat de maître d'hôtel, et l'ai congédié instantanément.

— Mais la nuit? Comment l'avez-vous passée?

— Je ne me suis pas couché du tout.

— Où étiez-vous? Dans votre chambre?

— Oui, la porte ouverte pour lui permettre de partir.

— Vous avez le sentiment que cette créature est restée?

— Elle ne m'a pas quitté un instant, mais elle ne m'a plus touché. Dès qu'il a fait jour, j'ai pris un bain, je me suis étendu quelque temps, mais je n'ai pas fermé les yeux. Après le déjeuner, j'ai eu cette explication avec Pitting, et l'ai payé. Puis je suis monté ici. J'étais à bout de nerfs. Je me suis assis; j'ai essayé d'écrire, de penser. Mais le silence a été rompu de la façon la plus abominable.

— Comment?

— Par le murmure de cette voix effroyable, cette voix d'idiote amoureuse, sentimentale, mais résolue. Pouah! »

Il frissonna de tous ses membres. Puis il se ressaisit, prit, avec un effort embarrassé, l'attitude la plus résolue, la plus agressive, et ajouta :

« C'était le comble. Je n'en pouvais plus, je me levai d'un bond, donnai l'ordre de faire venir un fiacre, attrapai la cage et la transportai chez un marchand d'oiseaux de Shaftesbury Avenue, à qui j'ai vendu le perroquet pour une somme dérisoire. Je crois, Murchison, que j'ai frisé la folie à ce moment-là, car une fois sorti de cette misérable boutique, je m'arrêtai un instant sur le trottoir au milieu des cages de lapins, de cochons d'Inde et de chiots, et je ris bien fort. Il me semblait que mes épaules étaient libérées d'un poids, comme si, en vendant cette voix, j'avais vendu la maudite créature qui me tourmentait. Mais quand je regagnai la maison, elle y était. Elle y est en ce moment. Je suppose qu'elle y sera toujours. »

Il frotta ses pieds sur le devant du foyer.

« Que diable faut-il que je fasse? dit-il. J'ai honte de moi, Murchison, mais je crois qu'il doit y avoir dans le monde des choses que certains hommes sont absolument incapables de supporter. Eh bien, je ne peux pas supporter ceci, voilà tout! »

Il cessa. Le père se taisait. Cette extraordinaire détresse le laissait muet. Il reconnaissait l'inutilité de tout effort pour réconforter Guildea; il restait là, assis, le regard baissé, l'air presque morose. Il essaya alors de s'abandonner aux influences de la pièce, afin de percevoir tout ce qui s'y trouvait.

Il alla même, à demi inconsciemment, jusqu'à forcer son imagination à lui jouer des tours. Mais pas un instant il n'eut l'impression qu'il y avait avec eux une tierce personne. A la fin, il dit :

« Guildea, je ne peux prétendre mettre en doute la réalité du supplice qui vous est infligé ici. Il faut que vous partiez, tout de suite. Quelle est la date de votre conférence à Paris?

— La semaine prochaine. Dans neuf jours d'ici.

— Partez pour Paris dès demain; vous dites que vous n'avez jamais eu le sentiment que cette... cette chose vous ait poursuivi, votre porte franchie?

— Jamais, jusqu'ici.

— Partez demain matin. Ne revenez qu'après votre conférence. Nous verrons bien si cela met un terme à cette affaire. Espérez, mon cher ami, espérez. »

Il s'était levé. Il serrait maintenant la main du professeur.

« Voyez tous vos amis à Paris. Recherchez les distractions. Je voudrais aussi vous demander de rechercher... un autre secours. »

Il prononça ces derniers mots avec une gravité, une conviction, une simplicité empreinte de douceur, qui allèrent au cœur de Guildea. Touché, il lui serra la main à son tour, presque avec chaleur.

« Je partirai, dit-il. J'attraperai le train de dix heures du matin et, ce soir, j'irai coucher à l'hôtel, au *Grosvenor,* qui est tout près de la gare. Ce sera plus commode pour prendre le train. »

Sur le chemin du retour, ce soir-là, le père Murchison ne cessait de penser à cette phrase : « Ce sera plus commode pour prendre le train. » Il était atterré à l'idée de la faiblesse qui avait poussé Guildea à la prononcer.

## VI

Pendant les quelques jours qui suivirent, le père Murchison ne reçut aucune lettre du professeur. Ce silence le rassura. Il semblait attester que tout allait bien. Le jour de la conférence vint, et s'écoula. Le lendemain matin, le père ouvrit avidement le *Times* et en parcourut les pages pour y chercher un compte rendu de la grande réunion de savants à laquelle Guildea avait pris la parole. D'un regard anxieux, il suivait les colonnes du haut en bas; tout à coup, ses mains se crispèrent sur les feuillets qu'elles tenaient. Il venait de tomber sur l'écho suivant :

*Nous avons le regret d'annoncer que le professeur Guildea a été subitement pris d'un malaise sérieux hier soir alors qu'il s'adressait à un public de savants, à Paris. On avait remarqué qu'il était très pâle et très nerveux lorsqu'il s'était levé. Néanmoins, il s'exprima en français, avec aisance, pendant un quart d'heure environ. Puis il sembla perdre son assurance. Il hésita, lança des regards autour de lui, comme quelqu'un qui éprouve de l'appréhension ou une angoisse profonde. Une ou deux fois même, il dut s'arrêter, incapable, semblait-il, de continuer, de se rappeler ce qu'il se proposait de dire. Mais, se ressaisissant au prix d'un effort évident, il continua à parler à son auditoire. Soudain, il s'arrêta de nouveau, se déplaça furtivement le long de l'estrade, comme poursuivi par quelque chose qu'il redoutait, agita les mains, poussa un long cri rauque et s'évanouit. L'effet produit dans la salle était indescriptible. Le public se leva; les femmes hurlaient; pendant un moment, ce fut une véritable panique. On craint que le cerveau du professeur n'ait faibli temporairement par suite du surmenage. On nous donne à entendre qu'il regagnera l'Angleterre aussitôt que possible, et nous espérons sincèrement que le repos et le calme qui s'imposent auront bientôt le résultat désiré, qu'il recouvrera complètement la santé, et qu'il sera en état de poursuivre les recherches dont le monde a tiré de tels bienfaits.*

Le père laissa tomber le journal, se précipita dans Bird Street, envoya un télégramme à Paris pour demander des précisions, et reçut le jour même la réponse suivante : *Reviens demain. Prière venir le soir. Guildea.* Le soir fixé, le père se rendit à Hyde Park Place. Il fut introduit immédiatement, et trouva Guildea assis près du feu dans la bibliothèque. Il était d'une pâleur spectrale; une couverture épaisse lui couvrait les genoux. Son aspect était celui d'un homme émacié par une longue maladie, une expression d'horreur était installée dans ses yeux dilatés. Le père sursauta à sa vue; il eut de la peine à retenir un cri. Il commençait à exprimer sa sympathie lorsque Guildea l'arrêta d'un geste tremblant.

« Oui, je sais, dit Guildea. Je sais, cette histoire de Paris... »

Il bégaya et s'arrêta.

« Vous n'auriez jamais dû partir, dit le père, j'ai eu tort. Je n'aurais pas dû vous le conseiller. Vous n'étiez pas en état.

— J'étais très en forme, répondit-il avec l'irritabilité d'un malade. Mais cette horrible chose m'a accompagné à Paris. »

Il jeta autour de lui un coup d'œil rapide, déplaça son fauteuil, et remonta la couverture sur ses genoux. Le père se demanda pourquoi il s'emmitouflait ainsi; le feu flambait et la nuit au-dehors n'était pas très froide.

« Elle m'a accompagné à Paris », continua-t-il, appuyant ses dents sur sa lèvre inférieure.

Il marqua un nouvel arrêt. Il était clair qu'il s'efforçait de se dominer. Mais l'effort resta vain. Il n'offrait plus de résistance. Il se tordait dans son fauteuil et soudain explosa sur un ton de lamentation désespérée :

« Murchison, cette créature, cette chose, quelle qu'elle soit, ne me quitte plus, pas un seul instant. Elle se refuse à rester ici si je n'y suis pas, car elle m'aime, avec ténacité, idiotement. Elle m'a accompagné à Paris, y est restée avec moi, m'a traqué jusqu'à la salle de conférence, se serrait contre moi, me caressait tandis que je parlais. Elle est rentrée ici avec moi. Elle est ici maintenant — il poussa un cri aigu — maintenant, alors que nous sommes là ensemble. Elle se blottit contre moi, m'accable de caresses, me touche les mains. Mon ami, mon ami, ne sentez-vous donc pas qu'elle est ici?

— Non, répondit le père en toute sincérité.

— J'essaie de me protéger contre ce contact répugnant, continua Guildea, avec une surexcitation farouche, agrippant de ses deux mains la couverture épaisse. Mais rien n'y fait. Rien. Qu'est-ce? Qu'est-ce que cela peut être? Pourquoi est-ce venu cette nuit-là auprès de moi?

— Peut-être en guise de châtiment, dit le père, promptement, mais avec douceur.

— Pour quoi?

— Vous haïssiez l'affection. Vous repoussiez avec mépris les sentiments humains. Vous n'éprouviez, vous ne désiriez éprouver d'amour pour personne. Et vous ne désiriez pas davantage recevoir d'affection de quiconque. Peut-être est-ce là le châtiment. »

Guildea jeta sur lui un regard effaré.

« Vous croyez cela? s'écria-t-il.

— Je ne sais pas, dit le père. Mais il n'est pas exclu qu'il en soit ainsi. Essayez de supporter cette chose, ou même de l'accueillir. Il se peut qu'alors la persécution prenne fin.

— Je sais que cette chose ne me veut pas de mal, s'écria Guildea. Elle me poursuit par affection. Elle a été conduite vers moi par un attrait stupéfiant que j'exerce sur elle à mon insu. Je le sais. Mais pour un homme de mon tempérament, c'est bien là le côté sinistre de l'affaire. Si elle me haïssait, je pourrais la supporter. Si elle m'attaquait, si elle tentait de me porter quelque coup redoutable, je redeviendrais un homme; je tendrais toutes mes forces pour la lutte. Mais cette douceur, cette abominable sollicitude, cette stupide adoration d'une créature idiote, tenace, répugnante, affreusement sensuelle, je ne peux les souffrir. Que veut-elle obtenir de moi? Je la sens me palper, d'un doigt léger comme une plume, qui frémit tout autour de mon cœur, comme s'il cherchait à dénombrer mes pulsations, à découvrir les secrets les plus cachés de mes élans et de mes désirs. Il n'y a plus rien de privé en moi... (Il se dressa d'un bond, en proie à une grande agitation.) Je n'ai plus de refuge, s'écria-t-il. Je ne peux être seul, sans que l'on me touche, m'adule, m'épie, pas même une demi-seconde. Murchison, j'en meurs; je meurs. »

Il se laissa choir de nouveau dans son fauteuil, lança de tous côtés des regards apeurés, avec la passion d'un aveugle égaré par l'illusion que des efforts farouches et continus lui feront recouvrer la vue. Le père savait bien qu'il cherchait à percer les mystères de l'invisible, et à connaître ce qui l'aimait ainsi.

« Guildea, dit-il, d'un ton pénétré et insistant, essayez de le supporter. Faites plus : essayez de donner à cette chose ce qu'elle désire.

— Mais c'est mon amour qu'elle désire.

— Apprenez à lui donner votre amour et elle partira peut-être après avoir obtenu ce qu'elle était venu chercher.

— Ta, ta, ta! Vous parlez en prêtre : acceptez ceux qui vous persécutent; faites du bien à ceux qui vous outragent. Vous parlez en prêtre.

— En ami. J'ai parlé spontanément, du fond de mon cœur. L'idée m'est venue subitement que tout ceci, vérité ou apparence, peu importe, peut être en quelque sorte une étrange leçon. Des leçons m'ont été données; elles étaient pénibles. J'en recevrai bien d'autres. Si vous pouviez accueillir...

— Impossible! Impossible! s'écria Guildea, farouchement. De la haine! Je peux lui en donner, toujours, rien d'autre, de la haine, de la haine. »

Tandis qu'il parlait, la pâleur de cire s'accentuait sur ses joues, si bien qu'on eût dit un cadavre sans le regard qui seul vivait. Le père craignait de le voir s'affaisser et s'évanouir, mais, tout à coup, il se dressa dans son fauteuil et dit d'une voix aiguë, perçante, pleine d'une surexcitation contenue :

« Murchison! Murchison!

— Oui, qu'y a-t-il? »

Une joie délirante, inattendue, brillait dans le regard de Guildea.

« Elle veut me quitter! cria-t-il. Elle veut partir! Ne perdez pas un instant! Ouvrez-lui la fenêtre! La fenêtre! »

Le père, étonné, se dirigea vers la fenêtre la plus proche, tira les rideaux et l'ouvrit. On entendit craquer les branches d'arbres dans la brise. Guildea se pencha en avant, prenant appui sur les bras du fauteuil. Il y eut un moment de silence. Puis Guildea lui chuchota rapidement :

« Non, non, ouvrez cette porte; ouvrez la porte d'entrée. J'ai l'impression, j'ai l'impression qu'elle veut partir par où elle est entrée. Vite, vite, allez, je vous en prie! »

Le père obéit, pour le calmer, se précipita vers la porte et l'ouvrit toute grande. Puis, par-dessus son épaule, il regarda Guildea. Il était debout, penché en avant. Ses yeux fulguraient d'attente et d'impatience. Lorsque le père se retourna, d'un geste furieux de ses mains maigres, il lui montra le couloir.

En hâte, le père sortit et dégringola l'escalier. Comme il descendait, dans la pénombre, il lui sembla entendre derrière lui un léger cri, venant de la pièce, mais il ne s'arrêta pas. D'un geste brusque, il ouvrit la porte d'entrée, se rabattant contre le mur. Il attendit un moment, pour satisfaire Guildea. Il allait refermer la porte et avait déjà la main sur la poignée lorsque son regard fut irrésistiblement attiré du côté du parc. La nuit était éclairée par un jeune croissant de lune. Son regard se posa sur un banc qui se trouvait au-delà de la grille.

Sur le banc, quelque chose était assis, une forme, bizarrement ramassée sur elle-même.

Le père se rappela aussitôt la description que lui avait faite Guildea de cette nuit passée, cette nuit de l'Avent, et il fut envahi par une sensation de curiosité et d'horreur.

Etait-il donc vrai qu'une chose était effectivement venue auprès du professeur? Cette chose avait-elle achevé son œuvre, accompli son désir, et retournait-elle à son mode antérieur d'existence?

Le père hésita un instant sur le seuil. Puis il sortit d'un pas résolu, traversa la rue, sans quitter des yeux cet objet noir ou sombre, si bizarrement appuyé au banc. Il ne pouvait en deviner l'aspect, mais il lui sembla qu'il ne ressemblait à rien de ce qui s'était jusqu'ici offert à sa vue. Il arriva de l'autre côté de la rue, et comme il était sur le point de franchir la porte du parc, il se sentit brusquement happé par le bras. Il sursauta, se retourna, et vit un agent qui le toisait d'un air soupçonneux.

« Qu'est-ce que vous complotez? » dit l'agent.

Le père eut subitement conscience qu'il était tête nue, et que son allure, comme il avançait furtivement, en soutane, les yeux rivés sur le banc du parc, était probablement assez insolite pour éveiller les soupçons.

« Rien d'anormal, monsieur l'agent », répondit-il rapidement, glissant quelque argent dans la main du policier.

Puis s'éloignant de lui, le père, vivement contrarié par cette interruption, se précipita vers le banc. Lorsqu'il l'atteignit, il n'y avait plus rien. L'aventure de Guildea venait de se répéter, presque exactement. Tout plein d'une déception déraisonnable, le père regagna la maison, entra, et, par l'escalier étroit, se précipita vers la bibliothèque. Sur le tapis du foyer, tout près du feu, il trouva Guildea étendu, la tête mollement appuyée contre le fauteuil qu'il venait de quitter. Une expression affreuse de terreur était répandue sur le visage convulsé. En l'examinant, le père s'aperçut qu'il était mort.

Le docteur qu'on appela dit que la mort était due à une défaillance cardiaque.

Lorsque le père Murchison entendit ces paroles, il murmura :

« Une défaillance cardiaque! C'était donc cela! »

Il se tourna vers le docteur et dit :

« Est-ce qu'on aurait pu l'empêcher? »

Le docteur enfila ses gants. Il répondit :

« Peut-être, si on l'avait pris à temps. Une faiblesse cardiaque demande de grandes précautions. Le professeur était trop absorbé par son travail. Il aurait dû mener une vie bien différente. »

Le père acquiesça de la tête.

« Oui, oui », dit-il avec tristesse.

# Sortilège

par

M. R. James
*Traduit par Jos Ras*

*Le 15 avril 19...*

*Monsieur,*

*Le Conseil de l'Association de......... me prie de vous retourner le projet d'une communication sur* La Vérité de l'Alchimie *que vous avez bien voulu nous proposer de faire à notre prochaine réunion, et de vous informer que le Conseil ne voit pas la possibilité de l'inclure dans son ordre du jour.*

*Veuillez agréer...*

Le secrétaire.

*Le 18 avril 19...*

*Monsieur,*

*A mon grand regret, mes engagements ne me permettent pas de vous accorder une entrevue au sujet de la communication que vous nous proposiez. Par ailleurs, notre règlement ne prévoit pas que vous puissiez, comme vous le suggérez, en discuter avec un des Comités de notre Conseil. Per-*

*mettez-moi de vous donner l'assurance que le projet que vous nous avez soumis a été examiné avec le plus grand soin, et qu'il n'a pas été rejeté sans qu'il ait été fait appel au jugement d'une personnalité qui fait autorité en la matière. Aucun élément personnel (est-il besoin que je le mentionne) n'a eu la plus légère influence sur la décision du Conseil.*

*Je vous prie de croire...*

*Le 20 avril 19...*

*Le Secrétaire de l'Association de...... a l'honneur d'informer M. Karswell qu'il lui est impossible de communiquer le nom de la ou des personnes à qui a pu être soumis son projet de communication, et désire en outre lui signifier qu'il ne saurait envisager de répondre à toute autre lettre ayant trait à cette affaire.*

« Mais qui donc est M. Karswell? » demanda la femme du secrétaire.

Elle était passée au bureau de son mari, et, peut-être abusivement, s'était emparée de la dernière des trois lettres que la dactylo venait d'apporter.

« Pour l'instant, ma chérie, M. Karswell est un homme furieux. En dehors de cela, je ne sais pas grand-chose de lui, sinon qu'il a de la fortune, que son adresse est Lufford Abbey, Warwickshire, qu'apparemment il est alchimiste, et veut nous entretenir de son art. C'est à peu près tout, si ce n'est que, pendant une semaine ou deux, je n'ai pas envie de le rencontrer. Et maintenant, si tu es prête à partir, moi aussi.

— Qu'est-ce que tu as bien pu faire pour qu'il soit furieux? demanda Mme la secrétaire.

— La chose habituelle, ma chérie, la chose habituelle. Il m'a envoyé le projet d'une communication qu'il entendait faire à la prochaine réunion. Nous l'avons soumis à Edward Dunning — à peu près le seul homme en Angleterre au courant de ces questions — qui a jugé que cela n'avait ni queue ni tête; nous l'avons donc refusé. Depuis lors, Karswell me bombarde de lettres. La dernière chose qu'il voulait savoir était le nom de l'homme auquel nous avions transmis ses sornettes; tu as vu ce que je lui répondais. Mais, pas un mot là-dessus, à aucun prix.

— Bien sûr que non. Ai-je jamais commis d'indiscrétion? Mais j'espère bien qu'il ne parviendra pas à savoir que c'est le pauvre M. Dunning.

— Pourquoi le pauvre M. Dunning? C'est un homme très heureux, Dunning. Des tas de marottes, une maison confortable, et tout son temps à lui.

— Je voulais dire simplement que je le plaindrais si cet homme venait à connaître son nom et cherchait à l'ennuyer.

— Ah! oui. Je crois bien qu'alors ce serait vraiment le pauvre M. Dunning. »

Le secrétaire et sa femme ne déjeunaient pas chez eux, et les amis chez qui ils devaient se rendre étaient des gens du Warwickshire. Mme la secrétaire avait donc l'intention bien arrêtée de leur poser des questions judicieuses sur M. Karswell. Elle n'eut pas à se donner du mal pour introduire ce sujet. En effet, quelques minutes à peine s'étaient écoulées que la maîtresse de maison dit à son mari :

« J'ai vu ce matin l'abbé de Lufford. »

Le mari fit entendre un sifflement :

« Ah! oui. Qu'est-ce qui peut bien l'amener à Londres?

— Dieu seul le sait. Il sortait du British Museum comme je passais en voiture. »

Il n'y avait rien d'anormal à ce que Mme la secrétaire s'informât si la personne dont on parlait était vraiment prêtre.

« Oh! non, ma chère. Ce n'est qu'un de nos voisins de campagne qui a acheté Lufford Abbey il y a quelques années. Son vrai nom est Karswell.

— Est-ce un de vos amis? » demanda le secrétaire avec un petit clin d'œil à sa femme.

Cette question déchaîna un flot de remarques. Il n'y avait vraiment rien à dire en faveur de M. Karswell. Nul ne savait ce qu'il faisait de sa personne; ses domestiques étaient tous des gens affreux. Il avait inventé, pour son usage personnel, une nouvelle religion, et célébrait on ne sait quels épouvantables rites. Un rien le blessait et il ne pardonnait jamais. Il avait un visage atroce, persistait à dire leur hôtesse (son mari n'était pas entièrement de cet avis). Il ne faisait jamais une bonne action, et son influence, lorsqu'il l'exerçait, était maléfique.

« Rends justice à ce pauvre homme, ma chérie, interrompit le mari. Tu oublies la fête qu'il a donnée aux enfants des écoles.

— L'oublier, certes non! Mais je suis contente que tu en parles, parce qu'elle donne une idée de l'individu. Ecoutez un peu, Florence. Le premier hiver qu'il a passé à Ludlow, notre charmant voisin écrivit à M. Farrer, le pasteur de sa paroisse (ce n'est pas le nôtre, mais nous le connaissons très bien), lui proposant de montrer aux enfants quelques projections avec sa lanterne magique. Il prétendait en posséder d'un genre tout à fait nouveau, qui les intéresserait, croyait-il. Le pasteur fut assez surpris, car M. Karswell paraissait plutôt enclin à se montrer désagréable à l'égard des enfants; il se plaignait notamment de ce qu'ils pénétraient dans sa propriété, ou de quelque chose de ce genre. Cependant, l'offre fut acceptée, bien entendu. On fixa un soir, et notre ami alla s'assurer lui-même que tout se passait bien. Ses propres enfants assistaient à une réunion récréative que nous avions organisée de notre côté, et le pasteur nous exprima plus tard sa gratitude de leur avoir ainsi évité la séance de M. Karswell.

« Ce dernier s'était évidemment mis en tête de rendre ses petits spectateurs fous de terreur. Je crois bien qu'il y serait parvenu si on lui avait permis de continuer. Il commença par des choses relativement anodines, entre autres *Le Petit Chaperon Rouge,* et même là, dit M. Farrer, le loup était si horrible que l'on dut faire sortir quelques-uns des tout petits. Il précisa que M. Karswell, pour amorcer ce conte, produisit un bruit semblable au hurlement d'un loup dans le lointain. C'était bien le son le plus sinistre qu'il eût jamais entendu! Toutes les vues projetées étaient très ingénieuses et parfaitement réalistes. Mais où les avait-il prises? Comment les avait-il réalisées? M. Farrer ne pouvait l'imaginer. Le spectacle se poursuivait et l'horreur allait grandissant. Les enfants, hypnotisés, observaient le plus parfait silence. A la fin, M. Karswell passa une série représentant un petit garçon qui traversait son parc — Lufford, veux-je dire — le soir. Il n'était pas dans la salle un seul enfant qui ne pût reconnaître le lieu d'après les projections. Ce pauvre enfant fut suivi, puis pris en chasse, rattrapé et mis en pièces par une affreuse créature sautillante, de blanc vêtue, que l'on voyait d'abord se faufiler parmi les arbres, et qui, progressivement, devenait de plus en plus visible. M. Farrer dit que cela lui valut le plus affreux cauchemar dont il ait gardé le souvenir. On n'ose songer à l'effet produit sur des enfants. Cette fois, c'en était trop. Il interpella vertement M. Karswell, lui disant que cela ne pouvait continuer. Tout ce que l'autre répondit fut : « Ah! vous pensez qu'il est temps de mettre « fin à notre petite séance et de les envoyer au lit, « à la maison? *Très* bien! »

« Alors, s'il vous plaît! il projeta une autre vue : un gros amas de serpents, de mille-pattes, de répugnantes créatures ailées. Par quel procédé les fit-il pour ainsi dire sortir hors de l'écran et se répandre parmi les spectateurs, ce phénomène s'accompagnant d'une sorte de bruissement sec qui mit les enfants au bord de la folie? Il va de soi que ce fut la débandade. Un bon nombre d'entre eux furent blessés, plus ou moins gravement, dans cette ruée vers la sortie, et je suis convaincue que pas un ne ferma l'œil cette nuit-là. A la suite de quoi il y eut toutes sortes d'histoires dans le village. Bien entendu, les mères imputèrent en grande partie la faute à M. Farrer, et s'ils avaient pu franchir la grille, je crois bien que les pères auraient brisé toutes les fenêtres de l'abbaye. Eh bien, ma chère, vous savez maintenant qui est M. Karswell, et il vous est facile d'imaginer à quel point nous désirons sa compagnie.

— Oui, je crois qu'il a en lui toutes les possibilités d'un criminel distingué, ce Karswell, dit notre hôte. Je plaindrais celui qui figurerait sur sa liste noire.

— Est-ce lui, ou bien est-ce que je le confonds avec un autre? demanda le secrétaire, qui depuis quelques minutes fronçait les sourcils, comme lorsqu'on cherche à se rappeler quelque chose. Est-ce lui qui a publié une *Histoire de la Sorcellerie* il y a quelque dix ans ou plus?

— C'est bien lui. Vous souvenez-vous des comptes rendus de la presse?

— Certes, et ce qui nous intéresse également c'est que je connaissais l'auteur du plus virulent de tous. Vous aussi, vous devez vous rappeler John Harrington; il était à Saint-John en même temps que nous.

— Mais oui, très bien, en effet, encore que je ne croie pas l'avoir revu, ni avoir entendu parler de lui, depuis mon départ de l'Université jusqu'au jour où j'ai lu le récit de l'enquête faite à son sujet.

— Une enquête? dit une des dames. Qu'est-ce qui lui était arrivé?

— Ce qui lui est arrivé, c'est qu'il est tombé d'un arbre et s'est cassé le cou. Mais ce qu'on ne comprenait pas, c'était la raison qui avait pu l'inciter à grimper là-haut. C'était très mystérieux, il faut bien le dire. Voilà cet homme, qui n'avait rien d'un sportif, n'est-ce pas? et chez qui l'on n'avait jamais remarqué la moindre tendance à l'extravagance, qui rentre chez lui, par une route de campagne, tard dans la soirée : pas de vagabonds dans les environs; il était bien connu et très populaire dans ces parages. Tout à coup, il se met à courir éperdument, perd son chapeau et sa canne, et finalement grimpe à un arbre, difficile à escalader, qui poussait dans la haie. Une branche morte cède, le voilà qui dégringole et se casse le cou. On le trouve le lendemain matin, avec, sur son visage, une expression d'épouvante, la plus affreuse que l'on puisse imaginer. Il était certes assez clair que quelque chose l'avait poursuivi. On parla de chiens sauvages, de fauves échappés à des ménageries, mais on dut abandonner ces pistes. C'était en 89, et je crois que son frère Henry, que je me rappelle aussi à Cambridge, mais vous non, sans doute, s'efforce encore de trouver la clef de cette affaire. Il prétend, lui, que son frère a été victime de malveillance; je ne sais qu'en penser. On ne voit pas très bien comment elle aurait pu intervenir. »

Un moment plus tard, la conversation roula de nouveau sur l'*Histoire de la Sorcellerie*.

« L'avez-vous jamais feuilletée? demanda notre hôte.

— Oui, dit le secrétaire; j'ai fait mieux : je l'ai lue.

— Etait-ce aussi mauvais qu'on le prétendait?

— Impossible, quant au style et à la forme. Le livre méritait l'éreintement qu'il a eu. Mais, en outre, c'était un livre malfaisant. L'auteur ajoutait foi aux moindres mots de ce qu'il écrivait, et je me trompe fort s'il n'a pas expérimenté lui-même la plupart de ses recettes.

— Le seul compte rendu dont je me souvienne est celui de Harrington, et je dois dire que si j'avais été l'auteur du livre, cela m'aurait ôté à tout jamais l'ambition d'écrire. Je n'aurais jamais pu relever la tête.

— Cela n'a pas eu cet effet dans le cas qui nous occupe. Mais il est déjà trois heures et demie : il faut que je m'en aille. »

Pendant le trajet, la femme du secrétaire lui dit :

« J'espère que cet affreux bonhomme ne découvrira pas que M. Dunning a eu quelque chose à voir avec le refus de son exposé.

— Je ne crois pas qu'il y ait beaucoup de chances, dit le secrétaire; Dunning n'en parlera pas lui-même; ces choses-là sont confidentielles; aucun de nous non plus, pour la même raison. Karswell ne peut pas connaître son nom, car Dunning n'a rien publié sur le sujet. Le seul danger, c'est qu'il s'enquière auprès des employés du British Museum où il a coutume de consulter les manuscrits d'alchimie. Il ne m'est guère possible de leur dire de ne pas mentionner Dunning, n'est-ce pas? Ce serait le meilleur moyen de les pousser à bavarder. Espérons que cela n'arrivera pas. »

Cependant, M. Karswell était un homme astucieux.

Mais tout ceci n'est qu'un prologue. Quelques jours après, un soir de cette même semaine, M. Edward Dunning revenait du British Museum, où il s'était livré à des recherches, et regagnait la confortable maison de banlieue où il vivait en célibataire, avec deux excellentes femmes qui étaient depuis longtemps à son service. Il n'y a pas, pour le décrire, de détail à ajouter à ce que nous savons déjà. Suivons-le tandis qu'il rentre dignement chez lui.

Un train le déposa à deux ou trois kilomètres de sa maison et un tram le mena un peu plus loin. Le terminus se trouvait à quelque trois cents mètres de sa porte. Il n'avait plus envie de lire lorsqu'il monta dans le tram et, à vrai dire, la lumière était telle qu'elle ne lui permettait pas d'autres occupations que l'examen des affiches publicitaires collées sur les vitres qui se trouvaient en face de son siège. Il va de soi qu'il avait eu maintes occasions de contempler les affiches qui figuraient sur cette ligne de tram, et qu'à l'exception peut-être du dialogue brillant et convaincant échangé entre M. Lamplough et un éminent K. C. sur les vertus des « Pyretic Saline », elles ne donnaient pas beaucoup de champ à son imagination. Je me trompe : il en était une, à l'angle du tram le plus éloigné de lui, qui ne lui semblait pas familière. Elle était en lettres bleues sur fond jaune, et tout ce qu'il pouvait apercevoir était un nom : John Harrington, et quelque chose qui ressemblait à une date. En connaître davantage ne pouvait avoir pour lui aucun intérêt; pourtant, malgré cela, lorsque le tram se vida, il eut tout juste assez de curiosité pour se déplacer le long du siège de façon à pouvoir la déchiffrer plus à son aise. Il se sentit, jusqu'à un certain point, payé de sa peine; l'affiche n'était pas du genre habituel. Elle était ainsi libellée : *A la mémoire de John Harrington, F. S. A. les Lauriers, Ashbrooke. Mort le 18 septembre 1889. Il lui fut accordé trois mois de répit.*

Le tram s'arrêta. Le conducteur dut inviter M. Dunning, qui contemplait encore les lettres bleues sur fond jaune, à se lever.

« Je vous demande pardon, dit-il; je regardais cette affiche; elle est étrange, n'est-ce pas? »

Le conducteur la lut lentement.

« Çà, alors, dit-il; j' l'ai encore jamais vue, celle-là. C'est pas banal, quelqu'un qu'a voulu faire le malin, je pense. »

Il sortit un torchon et, sans oublier la salive, en frotta la vitre, puis il le passa à l'extérieur.

« Non, dit-il en revenant; ce n'est pas de la décalcomanie; c'est comme qui dirait en plein dans le verre, j'veux dire dans la matière elle-même, vous croyez pas, m'sieur? »

M. Dunning examina et frotta avec son gant avant d'approuver.

« Qui s'occupe chez vous de la publicité et donne l'autorisation de coller ces affiches? J'aimerais que vous vous renseigniez. Je vais simplement relever les mots. »

A ce moment, on entendit la voix du mécanicien :

« Grouille-toi, Georges, c'est l'heure.

— Ça va, ça va; j'ai d'autres chats à fouetter par ici. Viens un peu mettre le nez sur cette vitre.

— Qu'est-ce qu'elle a cette vitre? » dit le mécanicien, en approchant.

« Oh! alors, et qui diable c'est-y, Harrington? Et qu'est-ce que ça veut dire?

— Je demandais précisément qui était responsable de la publicité dans vos voitures, et je faisais remarquer qu'on ferait bien de se livrer à une petite enquête au sujet de celle-ci.

— Ben, m'sieur, ça se passe dans les bureaux, ce genre de travail, c'est notre M. Timms, je crois, qui étudie tout ça. En partant ce soir, j'lui ferai dire, et p't-être que je pourrai vous expliquer ça demain si vous vous trouvez par ici. »

Ce fut tout ce qui se passa ce soir-là. M. Dunning se donna simplement la peine de chercher Ashbrooke, et découvrit que c'était dans le Warwickshire.

Le lendemain, il retourna à Londres. Le tram

(c'était le même) était trop plein le matin pour qu'il pût dire un mot au conducteur. La seule certitude qu'il eût, c'était qu'on avait fait disparaître la curieuse affiche. La fin de la journée apporta un nouvel élément de mystère. Il avait manqué son tram, ou bien il avait préféré rentrer à pied, mais à une heure relativement tardive. Alors qu'il travaillait dans son bureau, la femme de chambre vint lui dire que deux employés des trams désiraient vivement lui parler. Cela lui remit à l'esprit cette affiche que, dit-il, il avait presque oubliée. Il fit entrer les hommes, le mécanicien et le receveur, et quand on se fut occupé des rafraîchissements, il demanda ce que M. Timms avait eu à dire au sujet de cette affiche.

« Ben, v'là, m'sieur, c'est pour ça que nous avons pris la liberté d' venir faire un tour par ici, dit le receveur, M'sieur Timms, il en a dit de toutes les couleurs à William, à propos de ça. D'après lui, y avait pas de réclame de ce genre qu'on avait envoyée, commandée, payée, affichée, ni rien, sans parler qu'elle y était pas, et que nous étions des idiots de lui faire perdre son temps.

« — Ben, qu'j'y ai dit; si c'est comme ça, tout « ce que je demande, m'sieur Timms, que je dis, « c'est d'aller y voir, en personne.

« — Bien, qu'il dit, j'y vais », et nous voilà par- « tis. Eh bien, je vous fais confiance, m'sieur, si cette réclame comme nous disons, était pas là, avec Harrington dessus, clair comme d' l'eau d' roche, les lettres bleues su' le verre jaune, et, comme j'l'ai dit à c'moment-là, même qu'vous étiez d'mon avis, dans l'verre, parce que, si vous vous rappelez, vous vous souvenez que j'l'ai frottée avec mon torchon.

— Bien sûr, je le revois très bien.

— Ah! vous pouvez le dire, mais j'suis pas de c't avis. M'sieur Timms, il est entré dans la voiture avec une lampe, non, il a dit à William de tenir la lampe en dehors. « Alors, qu'il dit, où elle est, « cette réclame de malheur, dont vous m'avez cassé « les oreilles? »

« — La v'là, que je fais, m'sieur Timms », et je mets la main d'sus.

Le receveur s'arrêta.

« Alors, dit M. Dunning, disparue, j'imagine, cassée?

— Cassée! ah! ben oui. Y avait pas, croyez-moi, pas pus de trace de lettres bleues, elles étaient ces lettres, su' ce morceau d'verre, que... mais à quoi bon c'qu'j'peux dire? J'ai jamais vu une chose comme ça. J'fais confiance à William, ici, mais comme je dis, à quoi ça m'servirait de parler?

— Et qu'a dit M. Timms?

— Oh! il a fait c'qu'j'l'avais forcé d'faire. Y nous a lancé tous les noms qui lui passaient par la tête, et j'suis pas sûr qu'j'lui donne tout à fait tort. Mais c'que nous avons pensé, William et moi, c'est qu'nous vous avions vu prendre par écrit qué'ques-unes de... oui, d'ces lettres...

— Oui, oui, j'ai encore le papier. Vous voulez que je parle moi-même à M. Timms, et que je le lui montre? C'est pour cela que vous êtes venus?

— V'là. J'te l'avais bien dit, dit William. Adresse-toi à un type comme il faut, si tu en trouves un sur ta route, v'là c'qu'j'pense. Tu vois, Georges, tu reconnaîtras qu'j't'ai pas fait faire une trop grosse bêtise, ce soir.

— Ça va, ça va, William, pas besoin d'dégoiser comm'si tu avais dû m'prend' par la peau du cou pour m'amener ici. J'suis venu sans m'faire prier, pas vrai? Mais c'est pas tout ça, faut pas qu'nous prenions tout vot'temps, m'sieur; mais si par hasard vous aviez un moment pour passer aux bureaux de la compagnie d'main matin et dire à m'sieur Timms c'qu'vous avez vu de vos yeux, nous vous serions très reconnaissants d'la peine. Comprenez-vous; c'est pas d'avoir été traités de... d'ça et du reste qui nous fait qué'qu'chose, mais s'il leur passait par la tête au bureau qu'nous avons vu des choses qui y étaient pas, alors, d'fil en aiguille, où nous serions dans douze mois d'ici, vous voyez, n'est-ce pas, c'qu'j'veux dire? »

Au milieu d'autres commentaires sur cette déclaration, Georges, entraîné par William, sortit de la pièce.

L'incrédulité de M. Timms, qui connaissait M. Dunning pour avoir échangé avec lui des saluts, fut grandement modifiée le jour suivant par ce que celui-ci put lui dire et lui montrer. On effaça des registres de la compagnie toute mauvaise note qu'on avait pu accoler aux noms de Georges et de William; mais d'explication, il n'y en avait point.

L'intérêt que M. Dunning prenait à l'affaire fut entretenu par l'incident qui se produisit le lendemain après-midi. Il se rendait à pied de son club à son train lorsqu'il remarqua devant lui, à quelque distance, un homme tenant une poignée de feuilles semblables aux prospectus que distribuent aux passants les agents de maisons qui ont de l'initiative. Cet agent n'avait pas choisi pour opérer une rue très fréquentée. En fait, M. Dunning ne le vit pas distribuer un seul de ces papiers avant qu'il arrivât lui-même sur place. Comme il passait, l'homme lui en glissa un dans la main; la main qui le tendait frôla la sienne; il en ressentit un léger choc. Elle semblait anormalement rude et chaude. En le dépassant, M. Dunning regarda l'homme, mais l'image qu'il en retira était si confuse qu'il ne put, plus tard, en dépit de ses efforts, parvenir à l'évoquer. Il allait d'un pas vif, et, sans s'arrêter, il jeta un coup d'œil sur le papier. Celui-ci était bleu. Son regard fut attiré par le nom de Harrington en grandes majuscules. L'instant d'après, la feuille lui fut arrachée des mains par un homme qui passa à toute allure, et disparut à tout jamais. Il revint sur ses pas en courant, mais où était le passant? Où était le distributeur?

M. Dunning était d'humeur un peu songeuse lorsque, le jour suivant, il passa dans la salle des Manuscrits rares au British Museum. Il remplit un bulletin pour demander Harley 3586, ainsi que plusieurs autres volumes. On les lui apporta au bout de quelques minutes, et il installait sur la table celui qu'il désirait consulter le premier, lorsqu'il lui sembla entendre chuchoter son nom derrière lui.

Il se retourna brusquement et, ce faisant, fit tomber sur le sol la petite chemise qui contenait des feuilles volantes. Il ne vit pas de visages connus, sauf celui d'un des gardiens de la salle, qui lui fit un petit signe de tête, et il se mit à ramasser ses papiers. Il croyait les avoir tous, et s'apprêtait à se mettre au travail quand, à la table derrière la sienne, un monsieur corpulent, qui se levait pour partir et venait de rassembler ses papiers, lui toucha l'épaule et dit :

« Puis-je vous remettre ceci? Je crois que cela doit vous appartenir. »

Et il lui tendit une main de papier qui manquait.

« C'est à moi, merci », dit M. Dunning.

L'homme quitta la pièce tout de suite après. Lorsqu'il eut fini son travail de l'après-midi, M. Dunning échangea quelques propos avec l'employé de service et saisit l'occasion de lui demander qui était cet homme un peu corpulent.

« Il s'appelle Karswell, dit l'employé. Il y a une semaine, il m'a demandé quels étaient les grands spécialistes en matière d'alchimie, et, bien entendu, je lui ai dit que vous étiez le seul dans ce pays. Je vais voir si je peux le rattraper; il aimerait vous être présenté, j'en suis sûr.

— Pour l'amour du Ciel, gardez-vous-en bien! dit M. Dunning. Je tiens tout particulièrement à l'éviter.

— Ah! très bien, dit l'employé. Il ne vient pas souvent ici. Il y a des chances pour que vous ne le rencontriez plus. »

Plusieurs fois, en rentrant chez lui ce soir-là, M. Dunning s'avoua que la perspective d'une soirée solitaire ne le remplissait pas de la joie habituelle. Il lui semblait que quelque chose de mal défini, d'impalpable, s'était interposé entre lui et ses semblables, l'avait pris en charge en quelque sorte. Il voulait se serrer contre ses voisins dans le train et dans le tram, mais, par hasard, train et tram étaient étonnamment vides.

Le conducteur, Georges, était songeur, et semblait plongé dans des calculs concernant le nombre de voyageurs. En arrivant chez lui, Dunning trouva sur le seuil le docteur Watson, son médecin.

« Je suis désolé, mais j'ai dû bouleverser tous vos arrangements domestiques, Dunning. Vos deux servantes sont *hors de combat*. En fait, j'ai dû les envoyer à la clinique.

— Grands dieux! Qu'est-ce qu'elles ont?

— Cela ressemble à une intoxication alimentaire. Vous y avez échappé, apparemment, sinon vous ne vous promèneriez pas. Je crois qu'elles s'en tireront.

— Mon Dieu, mon Dieu! Avez-vous une idée de ce qui l'a provoquée?

— Elles me disent qu'elles ont acheté à un marchand ambulant des coquillages pour leur déjeuner. J'ai fait une enquête qui m'a révélé qu'aucun marchand ambulant ne s'était présenté à d'autres maisons dans cette rue. Je n'ai pas pu vous faire prévenir. Elles ne pourront rentrer avant quelque temps. De toute façon, venez dîner avec moi ce soir, et nous prendrons des dispositions pour la suite. Huit heures. Ne vous inquiétez pas trop. »

La soirée solitaire lui fut donc épargnée, au prix de quelque angoisse et de quelque inconfort, il est vrai. M. Dunning passa une soirée agréable en compagnie du docteur, installé assez récemment, et rentra dans sa maison déserte vers onze heures trente. La nuit qu'il passa n'est pas une de celles qu'il lui plaît d'évoquer. Il était au lit, la lumière éteinte. Il se demandait si la femme de ménage viendrait d'assez bonne heure le lendemain pour lui donner de l'eau chaude, lorsqu'il entendit un bruit qu'il connaissait bien : la porte de son bureau s'ouvrait. Aucun pas dans le couloir, mais le bruit ne présageait rien de bon, car il savait qu'il avait fermé la porte ce soir-là, après avoir rangé ses papiers dans son secrétaire. Ce fut plutôt le respect humain que le courage qui l'incita à se glisser furtivement dans le corridor, à se pencher en chemise de nuit par-dessus la rampe, et à tendre l'oreille. Aucune lumière n'était visible. On n'entendait plus aucun bruit; seule une bouffée d'air tiède, voire même chaud, vint un instant jouer autour de ses tibias. Il repartit et décida de s'enfermer à clef dans sa chambre. Toutefois, il y eut d'autres désagréments. Une compagnie suburbaine en veine d'économies avait-elle décidé que la lumière qu'elle dispensait ne serait pas utile après minuit et cessé le travail? Le compteur était-il dérangé? Toujours est-il qu'il n'y avait pas de courant. Il ne lui restait qu'à trouver une allumette et à consulter sa montre : autant savoir combien d'heures d'inconfort l'attendaient. Il passa donc la main sous son oreiller, vers le coin familier, mais elle n'alla pas jusque-là. Ce qu'il toucha, c'était, à ce qu'il raconta plus tard, une bouche, munie de ses dents, et entourée de poils et, déclara-t-il, ce n'était pas la bouche d'un être humain.

Je ne vois pas à quoi servirait de deviner ce qu'il vit ou fit. Il se trouva dans la chambre d'amis, la porte fermée à clef, l'oreille collée à la serrure, avant d'avoir entièrement retrouvé ses esprits. Il y passa la fin d'une nuit des plus pénibles, s'attendant à chaque instant à entendre ferrailler dans la serrure, mais rien ne se produisit.

Au matin, non sans de multiples tremblements, et l'oreille aux aguets, il se risqua à réintégrer sa chambre. La porte, heureusement, était ouverte, et les stores levés (les domestiques avaient quitté la maison avant que ne fût arrivée l'heure de les baisser.) Bref, il n'y avait pas trace d'occupants. Sa montre aussi était à sa place habituelle; rien n'avait été dérangé; seule la porte de l'armoire s'était ouverte, selon son habitude invétérée. Un coup de sonnette à la porte de service annonça la femme de ménage, à qui, la veille au soir, on avait demandé de venir, ce qui donna à M. Dunning, lorsqu'il l'eut fait entrer, le courage de poursuivre ses recherches dans d'autres parties de la maison. Elles furent également stériles.

La journée ainsi commencée se déroula de façon assez sinistre. Il n'osa se rendre au Museum; en dépit de ce qu'avait dit l'employé, Karswell pouvait y paraître, et Dunning ne se sentait pas de taille à affronter un étranger qui lui était probablement hostile. Sa propre maison lui était odieuse. Il avait horreur de vivre en parasite chez le docteur. Il consacra un tout petit peu de son temps à aller faire un tour à la clinique où il fut quelque peu réconforté par les bonnes nouvelles qu'on lui donna de sa gouvernante et de sa femme de chambre. A l'heure du déjeuner, il se rendit à son club et il éprouva une deuxième satisfaction en y rencontrant le secrétaire de l'Association. Durant le déjeuner, Dunning lui conta le plus gros de ses malheurs, mais ne put se résoudre à parler de ceux qui pesaient le plus lourdement sur son esprit.

« Mon pauvre ami, dit le secrétaire, quel bouleversement! Nous sommes seuls à la maison, entièrement seuls. Il faut que vous vous installiez chez nous. Oui, oui, ne cherchez pas d'excuses! Envoyez vos affaires cet après-midi. »

Dunning était incapable de résister. A vrai dire, à mesure que les heures passaient, son angoisse à l'idée de ce qui l'attendait la nuit prochaine se faisait plus aiguë. Il était presque heureux en revenant précipitamment faire ses valises.

Ses amis, lorsqu'ils eurent le loisir de l'examiner attentivement, furent un peu saisis du découragementment que trahissait son aspect et firent de leur mieux pour le remettre d'aplomb. Ils n'échouèrent pas complètement, mais lorsque les deux hommes restèrent seuls à fumer, un peu plus tard, Dunning redevint morne. Brusquement, il dit :

« Gayton, je crois que cet alchimiste sait que c'est moi qui ai fait refuser son article. »

Gayton siffla.

« Qu'est-ce qui vous le fait croire? » dit-il.

Dunning lui rapporta sa conversation avec l'employé du Museum, et Gayton fut bien obligé de reconnaître que son hypothèse était probablement correcte.

« Non pas que cela m'impressionne, continua Dunning, mais cela pourrait être très gênant, si nous devions nous trouver face à face. Il a mauvais caractère, j'imagine. »

La conversation tomba de nouveau. Gayton était de plus en plus frappé par l'immense tristesse qui se répandait sur les traits et dans l'attitude de Dunning, et finalement, encore que cela lui coûtât un effort considérable, il lui demanda tout de go s'il n'était pas tourmenté par quelque chose de grave. Dunning poussa une exclamation de soulagement.

« Je mourais d'envie de m'en libérer l'esprit, dit-il. Avez-vous des renseignements sur un homme qui s'appelait John Harrington? »

Gayton fut saisi au point que tout d'abord il ne put que demander pourquoi. Dunning lui conta alors tout ce qui lui était arrivé, ce qui s'était passé dans le tram, dans sa maison, dans la rue, le trouble qui s'était emparé de son esprit, et ne l'avait pas encore quitté, et il termina en répétant la question par laquelle il avait commencé. Gayton ne savait que lui répondre. Il serait peut-être bon de lui raconter la fin de Harrington, mais Dunning était très nerveux, l'histoire était sinistre, et il ne pouvait s'empêcher de se demander s'il n'y avait pas entre ces deux cas un lien qui serait la personne de Karswell. Hypothèse difficile à accepter pour un esprit scientifique, mais l'expression « suggestion hypnotique » pouvait faciliter cette concession.

A la fin, il décida que ce soir la prudence dicterait sa réponse. Il examinerait la situation avec sa femme. Il répondit donc qu'il avait connu Harrington à Cambridge, et croyait qu'il était mort subitement en 1889, ajoutant quelques détails sur l'homme et les travaux qu'il avait publiés. Il ne manqua pas d'examiner la situation avec Mrs Gayton, et, comme il l'avait prévu, elle sauta sur la conclusion qui s'était présentée à son esprit. Ce fut elle qui lui rappela l'existence du frère de Harrington, encore vivant, Henry. Elle lui suggéra aussi qu'on pourrait l'atteindre par l'intermédiaire de leurs hôtes de la veille.

« Il se peut que ce soit un original fini, objecta Gayton.

— Nous pourrions le savoir par les Bennett qui le connaissent », rétorqua Mrs. Gayton.

Dès le lendemain, elle alla voir les Bennett.

Il n'est pas nécessaire de raconter par le menu de quelle façon Dunning et Henry Harrington furent mis en présence.

L'épisode qui s'impose maintenant est le récit d'une conversation qui eut lieu entre les deux hommes. Dunning avait raconté à Harrington la façon étrange dont le nom du défunt avait été porté à son attention, et, de plus, avait vaguement parlé de ce qui lui était advenu par la suite. Il avait ensuite demandé si Harrington, en retour, serait disposé à rappeler quelques-unes des circonstances qui avaient entouré la mort de son frère. On peut imaginer à quel point Harrington fut surpris par ce qu'il apprenait; il ne se fit pas prier pour répondre.

« John, dit-il, quelques semaines avant la catastrophe, mais non immédiatement avant, était indéniablement, par moments, dans un état très bizarre. Il y avait à cela plusieurs causes; la principale était qu'il s'imaginait être suivi. Sans doute, c'était un homme impressionnable, mais jamais auparavant il ne s'était fait des idées semblables. Je ne peux me débarrasser de la pensée qu'il était en butte à la malveillance, et ce que vous me révélez sur vous-même me rappelle beaucoup le cas de mon frère. Est-ce que vous voyez quelque rapport possible?

— Il y en a précisément un qui s'est vaguement présenté à mon esprit. On m'a dit que votre frère, peu de temps avant sa mort, avait publié un compte rendu très sévère d'un livre; or, tout récemment, le hasard m'a placé sur le chemin de l'homme qui est l'auteur de ce livre, et dans des conditions susceptibles de m'attirer sa rancune.

— Vous n'allez pas me dire que cet homme s'appelle Karswell?

— Pourquoi pas? C'est justement son nom. »

Henry Harrington se renversa dans son fauteuil.

« Voilà qui est décisif pour moi. Et maintenant il faut que j'aille plus avant dans mes explications. D'après certaines paroles qu'il prononça, j'ai la certitude que mon frère commençait à croire, bien contre son gré, que Karswell était à l'origine de tous ses ennuis. Il faut que je vous dise quelque chose qui ne me paraît pas étranger à la situation. Mon frère était passionné de musique et allait fréquemment assister à des concerts à Londres. Trois mois avant sa mort, il revenait d'un de ces concerts, et me passa son programme, un programme analytique, — il les gardait toujours —, pour que j'y jette les yeux.

« — J'ai bien failli ne pas rapporter celui-ci,
« dit-il. Je suppose que je l'avais laissé tomber;
« quoi qu'il en soit, je le cherchais sous mon fau-
« teuil, dans mes poches, etc., et mon voisin me
« proposa le sien. Il me demanda si je lui per-
« mettais de me l'offrir, car il n'en avait plus
« besoin. Il partit tout de suite après. Je ne sais
« pas qui c'était, un homme corpulent, au visage
« entièrement rasé. J'aurais regretté de ne pas
« retrouver ce programme; il va de soi que j'au-
« rais pu en acheter un autre, mais celui-ci ne
« m'a rien coûté. »

« Une autre fois, il me dit qu'il s'était senti mal à l'aise tant en regagnant son hôtel qu'au cours de la nuit. En y réfléchissant, j'établis maintenant une corrélation entre ces faits. Peu de temps après, il revoyait ses programmes, les classant pour les faire relier. Dans le dernier, sur lequel, soit dit en passant, j'avais à peine jeté un rapide coup d'œïl, il trouva, entre les toutes premières pages, un petit papillon qui portait des caractères singuliers, en rouge et en noir, tracés avec un soin manifeste. Pour moi, cela ressemblait, plus qu'à toute autre chose, à des caractères runiques.

« — Mais, me dit-il, cela doit appartenir à mon
« gros voisin. Cela mériterait de lui être renvoyé.
« C'est peut-être une copie de quelque chose; il
« est clair que quelqu'un s'est donné du mal

« pour le faire. Comment trouver son adresse? »

« Nous examinâmes la chose ensemble et tombâmes d'accord que cela ne valait pas une annonce. Il était préférable que mon frère cherchât l'homme au prochain concert, qui aurait lieu bientôt. Le papier était posé sur la brochure. Nous étions tous les deux près du feu. C'était un soir d'été; il faisait frais et le vent soufflait. Je suppose qu'un coup de vent ouvrit la porte sans que je m'en aperçoive. En tout cas, une subite bouffée d'un vent tiède passa entre nous, souleva le papier et l'envoya droit dans le feu. Le papier était léger, mince; il flamba et, sans s'effriter, s'engouffra dans la cheminée.

« — Eh bien, dis-je, impossible maintenant de « le rendre. »

« Il resta silencieux une minute, puis, manifestant quelque irritation :

« — Non, mais pourquoi t'acharner à le « répéter? »

« Je lui fis remarquer que je ne l'avais pas dit plus d'une fois.

« — Pas plus de quatre fois, veux-tu dire », fut sa seule remarque.

« Je me rappelle tout cela très nettement, sans la moindre raison valable; et maintenant, pour en revenir au fond de l'affaire : je ne sais pas si vous avez regardé ce livre de Karswell dont mon malheureux frère avait fait le compte rendu. C'est peu probable, mais moi, oui, tant avant qu'après sa mort. La première fois, nous en avions ri ensemble. Le style en était pitoyable; on y trouvait tout ce qui peut faire dresser les cheveux sur la tête d'un ancien étudiant d'Oxford. Et puis, cet homme gobait tout. Il mélangeait les mythes classiques, les histoires de la *Légende dorée,* avec des récits de coutumes pratiquées de nos jours chez les sauvages; tout cela très justifié, sans aucun doute, quand on sait l'utiliser, mais ce n'était pas son cas. Il semblait mettre sur le même plan la *Légende dorée* et le *Rameau d'Or,* et ajouter foi à l'une et à l'autre. Donc, après le malheur, je repris le livre. Il ne s'était pas amélioré, mais cette fois, il fit sur mon esprit une impression différente.

« Je soupçonnais, je vous l'ai dit, que Karswell nourrissait de la rancune à l'égard de mon frère, et même, qu'il était jusqu'à un certain point responsable de ce qui était arrivé. Son livre m'apparaissait maintenant comme une œuvre sinistre. Je fus frappé en particulier par un chapitre où il était question d'user de sortilèges, soit pour gagner l'affection des gens, soit pour s'en débarrasser, plus spécialement à cette dernière fin; il évoquait tout cela d'une façon qui me semblait dénoter que ces choses-là lui étaient familières. Je n'ai pas le temps d'entrer dans les détails, mais je suis à peu près certain, d'après les renseignements que j'ai pu recueillir, que l'homme complaisant du concert était Karswell. Je soupçonne, j'irai même jusqu'à affirmer, que le papier était important, et je crois bien que si mon frère avait été en mesure de le rendre, il serait encore en vie. C'est pourquoi il me vient à l'esprit de vous demander si vous avez quoi que ce soit à ajouter à ce que je vous ai dit. »

En guise de réponse, Dunning avait à relater l'épisode de la salle des Manuscrits au British Museum.

« Alors il vous a vraiment tendu quelques feuilles; les avez-vous examinées? Non? Il faut, si vous me le permettez, que nous les regardions ensemble, sans tarder, et très minutieusement. »

Ils se rendirent à la maison, qui était encore vide, car les deux domestiques n'étaient pas en état de reprendre le travail. La poussière recouvrait les papiers de Dunning sur sa table de travail. Dans une chemise se trouvaient les cahiers de papier brouillon de petit format dont il se servait pour ses notes. De l'un de ceux-ci, lorsqu'il le prit, s'échappa, tournoyant avec une célérité inquiétante, un papillon de papier mince et léger. La fenêtre était ouverte, mais Harrington la ferma violemment, juste à temps pour intercepter le papier qu'il attrapa au vol.

« C'est bien ce que je pensais. Il est possible que nous ayons là le même papier qui fut remis à mon frère. Il faut être sur vos gardes, Dunning, il se peut que cela signifie quelque chose de grave pour vous. »

Ils tinrent une longue consultation. Le papier fut soigneusement examiné. Comme l'avait dit Harrington, les caractères qu'il portait ressemblaient à des runes plus qu'à toute autre chose, mais ni l'un ni l'autre ne pouvaient les déchiffrer, et ils hésitaient à les copier, de crainte, avouèrent-ils, de perpétuer tout dessein maléfique qu'ils pouvaient receler. Aussi n'a-t-il pas été possible (s'il m'est permis d'anticiper légèrement) de vérifier ce que transmettait ce message — ou cet ordre — étrange. De toute façon, Dunning et Harrington étaient convaincus qu'il avait pour effet d'attirer ses possesseurs dans une compagnie fort indésirable. Ils s'accordaient à penser qu'il fallait le renvoyer à son lieu d'origine, et, de plus, que le seul moyen sûr et certain était de s'y employer en personne; et là, il était nécessaire d'avoir recours à l'artifice, puisque Karswell connaissait Dunning de vue. Il lui fallait d'abord modifier son aspect en se rasant la barbe. Oui, mais si le coup était porté auparavant? Harrington était d'avis qu'on pouvait en fixer la date. Il connaissait la date du concert où la « marque noire » avait été mise sur son frère : c'était le 18 juin. La mort avait suivi le 18 septembre. Dunning lui rappela que l'inscription qu'il avait lue sur la vitre du tram mentionnait trois mois.

« Peut-être, ajouta-t-il dans un rire sans joie, l'échéance de mon billet est-elle fixée aussi à trois mois. Je crois que mon agenda me permettra de préciser. Oui, l'incident du Museum s'est produit le 23 avril, ce qui nous amène au 23 juillet. Et maintenant, vous comprenez qu'il devient extrêmement important pour moi de suivre le déroulement des ennuis de votre frère, s'il vous est possible d'en parler.

— Bien sûr. Le sentiment d'être épié chaque fois qu'il se trouvait seul était tout d'abord ce qui l'affligeait le plus. Au bout d'un certain temps, je pris l'habitude de coucher dans sa chambre, et il s'en trouva mieux. Mais il parlait beaucoup dans son sommeil. De quoi? est-il sage de s'y appesantir, tout au moins avant que tout ne soit arrangé? Je ne le crois pas; je peux cependant vous dire ceci : deux envois lui parvinrent par la poste pendant ces deux mois, portant l'un et l'autre le timbre de Londres. L'adresse était tracée d'une écriture impersonnelle de commis. L'une était une gravure sur bois de Bewick, arrachée sans précaution à une page; une gravure qui montre une route au clair de lune; un homme la suit, traqué par une horrible créature à aspect de démon. Elle portait en légende les vers du *Vieux marin* dont la gravure était, j'imagine, une illustration, évoquant celui qui, s'étant une fois retourné,

*poursuit sa route,*
*Et ne se retourne plus;*
*Car il sait qu'un horrible démon*
*Marche sur ses talons.*

« L'autre était une éphéméride du genre de celles qu'envoient fréquemment les fournisseurs. Mon frère n'y prêta pas attention, mais je l'examinai après sa mort, et constatai que tous les feuillets avaient été arrachés à la suite du 18 septembre. Vous serez peut-être surpris qu'il soit sorti le soir où il fut tué, mais le fait est que, durant les quelque dix derniers jours de sa vie, il s'était senti entièrement libéré de cette impression d'être suivi ou épié. »

La consultation aboutit à ceci : Harrington connaissait un voisin de Karswell, ce qui lui permettrait, pensait-il, de surveiller les mouvements de celui-ci. Le rôle de Dunning consisterait à se trouver prêt, à chaque instant, à se poster sur la route de Karswell, à garder le papier en sécurité, et dans un endroit aisément accessible.

Ils se séparèrent. Les semaines qui suivirent mirent les nerfs de Dunning à rude épreuve. La barrière impalpable qui avait semblé se dresser autour de lui depuis le jour où il avait reçu le papier se transforma graduellement en une obscurité qui l'enveloppait et l'empêchait de recourir aux moyens d'évasion auxquels on aurait pensé qu'il pouvait avoir recours. Il n'y avait auprès de lui aucun de ceux qui auraient pu les lui suggérer, et on eût dit qu'il avait été dépouillé de tout esprit d'initiative. Avec une angoisse indicible, tandis que s'écoulaient mai, juin et le début de juillet, il attendait un message de Harrington. Mais pendant tout ce temps Karswell n'avait pas bougé de Lufford.

Enfin, moins d'une semaine avant la date qu'il en était arrivé à considérer comme le terme de ses activités terrestres, un télégramme lui parvint :

IL QUITTE VICTORIA PAR LE TRAIN PAQUEBOT JEUDI SOIR. SOYEZ-Y SANS FAUTE. JE VIENS CHEZ VOUS CE SOIR. HARRINGTON.

En effet, il arriva, et ils arrêtèrent leur plan. Le train partait de Victoria à vingt et une heures et le dernier arrêt avant Douvres était Croydon West. Harrington repérerait Karswell à Victoria, et chercherait Dunning à Croydon, l'appelant au besoin par un nom convenu. Dunning, déguisé de son mieux, ne devait avoir aucune étiquette ou initiale sur ses bagages à main, et il fallait à tout prix qu'il eût le papier sur lui.

Point n'est besoin de décrire l'attente angoissée de Dunning sur le quai de Croydon. Le sentiment du danger qui le menaçait n'avait fait qu'augmenter durant les derniers jours, du fait que le nuage qui l'entourait s'était nettement éclairci. Cet allégement était de mauvais augure. Si Karswell l'évitait maintenant, il n'y avait plus d'espoir, et il y avait de grandes chances qu'il en fût ainsi. Le bruit de ce voyage pouvait être un stratagème. Les vingt minutes durant lesquelles il arpenta le quai et harcela tous les porteurs de questions concernant le train paquebot furent les plus sombres qu'il eût jamais connues. Cependant, le train arriva.

Harrington était à la portière. Il importait, bien entendu, qu'ils ne paraissent pas se connaître. Dunning pénétra donc dans le train par l'extrémité la plus éloignée du wagon, et ne gagna que graduellement le compartiment où se trouvaient Harrington et Karswell. Il était content, à tout prendre, de constater que le train était loin d'être complet.

Karswell était sur le qui-vive, mais n'eut pas l'air de reconnaître Dunning, qui s'assit sur la banquette opposée, cependant pas exactement en face de lui, et essaya, sans succès d'abord, de supputer les possibilités d'opérer le transfert désiré. A côté de Dunning, en face de Karswell, les manteaux de ce dernier étaient entassés sur la banquette. Il ne servirait à rien d'y glisser le bout de papier. Dunning ne serait, ou ne se sentirait, en sécurité, que s'il pouvait d'une façon ou l'autre offrir le papier et le faire accepter par l'autre. Un sac était ouvert; il contenait des papiers. Pouvait-on le cacher, de façon que Karswell l'oublie peut-être dans le compartiment? Dunning le retrouverait et le lui rendrait. C'était le seul plan qui lui paraissait réalisable Si seulement il avait pu se concerter avec Harrington, mais il n'en était pas question.

Les minutes passaient. A plusieurs reprises, Karswell se leva et sortit dans le couloir. La seconde fois, Dunning était sur le point de s'arranger pour faire tomber le sac de la banquette, mais il surprit le regard de Harrington qui le mettait en garde. Du couloir, Karswell les observait, probablement pour voir s'ils se connaissaient. Il revint, mais il était évidemment inquiet, agité, et lorsqu'il se leva pour la troisième fois, l'espoir surgit, car quelque chose tomba vraiment de la banquette sur le sol, presque sans bruit. Dunning ramassa l'objet, et vit qu'il tenait la solution dans ses mains. C'était une des enveloppes dans lesquelles Cook place ses billets. Elle contenait des billets. Ces enveloppes sont pourvues d'une poche dans la couverture. En quelques secondes, le papier dont nous avons entendu parler était dans la poche de cette enveloppe. Pour que l'opération pût s'effectuer avec plus de sécurité, Harrington se tenait dans l'embrasure de la porte du compartiment, et se débattait avec le store. C'était fait, et il était temps, car le train ralentissait en approchant de Douvres.

Au bout d'un instant, Karswell rentra dans le compartiment. A ce moment, Dunning réussit, sans savoir comment, à maîtriser le tremblement de sa voix, lui tendit l'enveloppe à billets et dit :

« Puis-je vous remettre ceci, monsieur? Je crois que cela vous appartient. »

Après avoir jeté un rapide coup d'œil sur le billet qui était à l'intérieur, Karswell donna la réponse espérée :

« Oui, monsieur, je vous suis très obligé. »

Et il plaça le tout dans la poche de sa veste.

Durant les quelques moments qui leur restaient, moments de tension et d'angoisse, car ils ignoraient à quoi pourrait conduire la découverte prématurée du papier, les deux hommes remarquèrent que le compartiment semblait s'obscurcir autour d'eux, que la température s'élevait, que Karswell ne tenait pas en place, qu'il était oppressé. Il attira vers lui le paquet de vêtements en vrac sur la banquette, et le rejeta, comme s'ils lui répugnaient. Eux, le cœur serré par l'angoisse, s'affairaient à rassembler leurs bagages, mais ils eurent, l'un et l'autre, l'impression que Karswell était sur le point d'ouvrir la bouche lorsque le train entra en gare de Douvres-Ville. Tout naturellement, dans le trajet de la ville à la gare maritime, ils se tinrent tous les deux dans le couloir.

A la gare maritime, ils sortirent, mais il y avait si peu de voyageurs qu'ils durent s'attarder sur le quai jusqu'à ce que Karswell, flanqué de son porteur, les eût dépassés pour gagner le bateau, et ce fut après cela seulement qu'ils purent, sans danger, échanger une pression de main et un mot laconique de félicitations. Dunning était au bord de l'évanouissement. Harrington le fit s'adosser contre le mur, tandis que lui même faisait quelques pas en avant pour regarder la passerelle où Karswell venait d'arriver. L'employé posté à l'entrée examina le billet du voyageur qui, chargé de vêtements, descendit dans les profondeurs du bateau. Brusquement, l'employé lui cria :

« Eh, là-bas, monsieur, est-ce que l'autre monsieur a montré son billet?

— De qui diable voulez-vous parler? » lui répliqua Karswell de sa voix hargneuse.

L'homme se pencha et le regarda.

« Le diable? je ne sais pas, vraiment. »

Harrington l'entendit dire, pour lui seul, d'abord, puis tout haut :

« Pardon, monsieur, je me suis trompé; ce devaient être vos couvertures! »

Puis à un de ses subordonnés, près de lui :

« Est-ce qu'il avait un chien avec lui, ou quoi? Bizarre, j'aurais juré qu'il n'était pas seul. Bon; quoi qu'il en soit, c'est à ceux du bord de s'en occuper. Le bateau est parti. Dans une semaine, nous verrons arriver les gens qui partent en vacances. »

Cinq minutes plus tard, il n'y avait rien d'autre que les lumières du bateau qui diminuaient, la longue rangée des lumières de Douvres, la brise nocturne, et la lune.

Longtemps, longtemps, Dunning et Harrington s'attardèrent dans leur chambre au *Lord Warden*. Bien que le plus gros de leur angoisse eût disparu, un doute pesait sur eux. Il n'était pas négligeable, certes. Avaient-ils le droit d'envoyer un homme à la mort, comme ils pensaient l'avoir fait? Ne devraient-ils pas au moins l'avertir?

« Non, disait Harrington, s'il est, comme je le crois, un assassin, nous avons simplement fait justice. Cependant, si vous croyez que cela vaut mieux... mais comment et où l'avertir?

— Son billet n'allait pas plus loin qu'Abbeville, dit Dunning. Je l'ai vu. Je pourrais télégraphier aux hôtels que donne le guide Joanne.

— Examinez l'enveloppe où se trouve votre billet, Dunning. Je serai plus tranquille. Nous sommes le 21. Il lui reste encore un jour. Mais j'ai bien peur qu'il n'ait disparu dans les ténèbres. »

Ils déposèrent des télégrammes au bureau de l'hôtel.

On ne sait pas très bien si ceux-ci parvinrent à destination, ou si, dans ce cas, ils furent compris. Tout ce qu'on sait, c'est que, l'après-midi du 23, un voyageur anglais, qui regardait, à Abbeville, la façade de Saint-Vulfran, où des réparations importantes étaient alors en cours, fut frappé à la tête et tué sur le coup par une pierre tombée de l'échafaudage dressé autour de la tour nord-ouest, alors qu'il n'y avait, comme il fut nettement prouvé, aucun ouvrier à ce moment-là sur l'échafaudage. L'identité du voyageur avait été révélée par ses papiers, qui portaient le nom de Karswell.

On n'ajoutera qu'un seul détail. Lors de la vente des biens de Karswell, une série de Bewicks, vendue sans garantie de défauts, fut acquise par Harrington. La page où aurait dû se trouver le bois du voyageur et du diable était, comme il s'y attendait, mutilée. Après un intervalle judicieux, Harrington répéta à Dunning certaines des choses qu'il avait entendu son frère dire dans son sommeil; mais Dunning l'arrêta rapidement.

# Un cavalier accompli

par

JÉROME K. JÉROME

*Traduit par Odette Ferry*

— CETTE histoire, commença Mac Shaugnassy, vient de Furtwanger dans la Forêt Noire.

Dans cette petite ville, habitait un majestueux vieillard nommé Nichola Geibel. Il confectionnait des jouets mécaniques avec une telle perfection qu'il avait acquis une réputation pour ainsi dire européenne. Il y avait des lapins qui jaillissaient du cœur d'un chou, remuant les oreilles et lissant leurs moustaches, puis qui disparaissaient sous les feuilles; des chats qui lavaient leur museau et remuaient les oreilles si naturellement que les chiens les prenaient en chasse; des poupées qui savaient saluer et dire avec beaucoup de courtoisie : « Bonjour. Comment allez-vous? » Certaines, même, chantaient d'une voix aigrelette.

Nichola Geibel était plus qu'un simple mécanicien : c'était un artiste. Son travail plus qu'une occupation : une manie, presque une passion. Dans sa boutique s'accumulaient une foule de jouets étranges, qui n'étaient pas destinés à être vendus, des jouets qu'il fabriquait uniquement par amour de la création : un âne mécanique qui pouvait trotter pendant deux heures grâce à un dispositif électrique, et trotter beaucoup plus vite qu'un âne véritable sans que le conducteur ait besoin d'intervenir! Un oiseau qui s'envolait, décrivait des cercles et revenait exactement à l'endroit d'où il était parti; un squelette pendu à une potence dansait au son d'une cornemuse; une poupée de la taille d'une femme jouait du violon, une autre habillée en homme pouvait fumer la pipe et boire plus de bière que trois étudiants ensemble, ce qui n'est pas peu dire...

D'après ce qu'on disait en ville, le vieux Geibel aurait pu fabriquer un être capable d'accomplir tous les gestes d'un homme respectable. La tentation était trop grande; Nichola Geibel y succomba : l'un de ses amis, le jeune docteur Follen, eut un bébé. A l'occasion du deuxième anniversaire, Mme Follen donna un bal; le vieux Geibel et sa fille Olga étaient parmi les invités.

Le lendemain, au cours de l'après-midi, Olga reçut quelques amies : les jeunes filles critiquaient sans indulgence leurs cavaliers. Le vieux Geibel, dans un coin du salon, semblait absorbé par sa lecture, personne n'y prêta attention.

« Les hommes dansent de plus en plus mal! dit l'une.

— Oui, et ceux qui prétendent savoir danser ont l'air de nous faire une faveur en nous invitant! » dit une autre.

Une troisième ajouta :

« Et leur conversation est particulièrement stupide. On sait d'avance tout ce qu'ils vont dire : « Oh! que vous êtes charmante, ce soir... Votre

« robe vous va à ravir... Quelle chaleur, pour la « saison... Allez-vous souvent à Vienne?... Aimez-« vous Wagner?... » Si seulement ils pouvaient sortir quelque chose de nouveau! »

L'une des jeunes filles qui n'avait pas encore exprimé son opinion, prit la parole :

« Moi, je ne fais jamais attention à ce que dit mon cavalier : si un homme danse bien, ça m'est égal qu'il soit stupide!

— Et c'est généralement le cas, conclut une jeune fille sèche et pleine de dépit.

— Je vais au bal pour danser! reprit celle qui aimait trop la danse. Tout ce que je demande à mon cavalier, c'est qu'il me tienne solidement et ne se fatigue pas avant moi.

— Alors, un robot ferait parfaitement ton affaire?

— Bravo! s'écria-t-on, c'est une idée magistrale... Un danseur qui marcherait à l'électricité et ne se fatiguerait jamais! »

Celle qui avait fait le portrait du cavalier accompli resta toute rêveuse :

« Oui... Un danseur qui ne se moquerait jamais de nous, ne marcherait jamais sur nos pieds...

— Ne froisserait pas notre robe...

— Danserait en mesure...

— N'aurait jamais besoin de s'éponger le visage entre les danses... J'ai horreur des hommes qui transpirent!

— N'aurait pas la tête qui tourne... N'aurait pas besoin de passer une partie de la soirée au buffet!

— Avec un phonographe bien réglé dans le ventre, il débiterait les fadaises habituelles et il serait alors impossible de le distinguer d'un homme de chair et de sang!

— Sauf qu'il serait plus aimable », constata la fille sèche et dépitée.

Le vieux Geibel avait posé son journal et n'avait pas perdu un mot de ce babillage, mais quand l'une des jeunes filles tourna les yeux vers lui, rapidement il dissimula son visage derrière la feuille. Les amies d'Olga parties, il se rendit dans son atelier. Longtemps, sa fille l'entendit aller et venir, soliloquant à voix haute. Pendant le dîner, il l'interrogea minutieusement sur la danse et les danseurs, sur les conversations échangées, sur les pas à la mode, bref sur tout ce qui se disait et se faisait au cours d'un bal.

Pendant les deux semaines qui suivirent, Nichola Geibel sortit à peine de son atelier. Il était nerveux, soucieux bien qu'enclin, aux moments les plus inattendus, à rire sans raison apparente, comme s'il se réjouissait à l'avance d'une farce connue de lui seul.

Un mois plus tard, le vieux Wenzel, le richissime marchand de bois, offrit un bal pour célébrer les fiançailles de sa nièce. Geibel et sa fille furent invités.

Au moment de partir, Olga chercha son père et, ne le trouvant pas, alla frapper à la porte de son atelier. Il apparut en bras de chemise, congestionné mais radieux :

« Ne m'attends pas, lui dit-il, je te rejoindrai au bal. J'ai quelque chose d'urgent à terminer. »

Comme elle lui obéissait, il la rappela :

« Dis à tes amies que je leur amènerai un jeune cavalier, charmant et danseur accompli. Elles en raffoleront! »

Il rit et ferma la porte.

Habituellement, Nichola Geibel tenait ses projets secrets, mais, cette fois, Olga crut en avoir deviné assez pour annoncer à ses amies une surprise. L'imagination des invités de Wenzel galopa et l'arrivée de Nichola Geibel était attendue dans la fièvre.

Le bruit des roues d'une voiture dans le passage fit taire toutes les conversations. Wenzel lui-même se précipita vers la porte puis revint dans le salon, le visage rouge d'émotion et de rire contenu. Il annonça d'une voix de stentor :

« Monsieur Geibel... et un ami! »

Nichola Geibel et « son » ami entrèrent et s'avancèrent jusqu'au milieu de la pièce, parmi des cris de joie et des rires.

« Permettez-moi, mesdames et messieurs, dit Geibel, de vous présenter un ami : le lieutenant Fritz. Mon cher, saluez ces dames et ces messieurs. »

Il posa une main encourageante sur l'épaule du nouveau venu et l'officier s'inclina profondément, avec une certaine raideur. Son salut fut accompagné d'un bruit guttural qui rappelait désagréablement le râle d'un mourant. Mais c'était un détail sans importance...

Il s'avança, d'un pas de parade. Le vieux Geibel marchait à ses côtés en lui tenant le bras. La marche ne devait pas être l'exercice favori du lieutenant Fritz, il devait préférer la danse!

« Jusqu'à présent, déclara Geibel, je n'ai pu lui apprendre que la valse, mais dans cette danse, il excelle. Laquelle d'entre vous, mesdemoiselles, accordera la première danse à mon protégé? Il a un sens précis de la mesure, il n'est jamais fatigué, il ne se moquera pas de vous, ne froissera pas votre robe, il vous tiendra aussi serrée que vous le désirez et dansera rapidement ou lentement, selon votre goût. La tête ne lui tourne jamais et il a de la conversation... Allons, Fritz, parlez vous-même. »

Le vieil homme tourna l'un des boutons de la jaquette. Fritz ouvrit la bouche et prononça sur un ton badin des mots qui semblaient sortir de son occiput :

« Puis-je avoir le plaisir... »

Puis sa bouche se ferma avec un bruit sec.

Sans aucun doute, le lieutenant Fritz avait fait une forte impression sur l'assistance, mais aucune des jeunes filles présentes ne semblait décidée à danser avec lui. Elles observaient de biais le visage de cire, les yeux fixes, le sourire figé, curieuses mais non séduites. Geibel s'approcha de celle qui avait évoqué le cavalier accompli :

« Ne reconnaissez-vous pas le danseur parfait tel que vous l'aviez suggéré? Vous devez au moins l'essayer. »

C'était une ravissante et impertinente jeune fille, elle adorait les espiègleries. Wenzel insista à son tour, elle accepta.

Geibel procéda alors à l'installation du danseur : le bras droit entoura la taille de la jeune fille et la tint fermement; les phalanges de cire se refermèrent sur la main délicate. Le vieux démiurge lui expliqua comment elle pouvait régler à son gré la vitesse du valseur, et comment l'arrêter quand elle serait fatiguée :

« Il vous fera tourner en formant un cercle complet. Prenez garde que personne ne vienne vous heurter ni modifier son allure. »

L'orchestre entama une valse, le vieux Geibel mit le courant. Annette et son étrange cavalier commencèrent à danser.

Pendant les premières mesures, les invités immobiles suivirent le couple du regard : le cavalier d'Annette dansait à la perfection. Il tenait la jeune fille étroitement serrée, tournait avec une régularité hallucinante, jetant de temps en temps, sur un mode aigu, des bribes de conversation coupée de brefs silences.

« Comme vous êtes charmante, ce soir, déclarait-il d'une voix étrange et fluette... Quelle soirée délicieuse... Vous m'accorderez bien une autre danse? N'est-ce pas?... Ne soyez pas cruelle... C'est délicieux de valser avec vous... Je pourrais ainsi tourner éternellement... Avez-vous dîné?... »

Annette se familiarisait avec son singulier danseur, sa nervosité se dissipait; elle entra dans le jeu :

« Vous êtes adorable... Moi aussi je pourrais valser avec vous toute la vie! »

Les invités de Wenzel entrèrent dans le jeu à leur tour : couple après couple, ils rejoignirent Annette et son cavalier sur la piste et quelques minutes plus tard tout le monde tournoyait au rythme de la valse. Nichola Geibel contemplait le spectacle et triomphait.

L'hôte s'approcha de lui pour lui glisser quelques mots dans l'oreille. Geibel sourit, acquiesça de la tête et tous deux se retirèrent discrètement.

« C'est la maison des jeunes, ce soir, dit Wenzel. Vous et moi irons fumer tranquillement une pipe devant un pot de bière. »

Cependant, le cavalier accompli tournait sur un rythme de plus en plus rapide. Annette essaya de desserrer l'écrou qui réglait la vitesse : elle fut entraînée dans un tourbillon furieux. Un à un, les danseurs épuisés quittaient la pièce; bientôt

Annette fut seule à tourner dans les bras du robot. La valse devint folle, allait plus vite que les violons. Les musiciens, déconcertés, renoncèrent à jouer, s'assirent et regardèrent fixement le couple. Quelques spectateurs riaient encore mais les plus âgés commençaient à s'inquiéter.

« Annette, dit une jeune femme, arrêtez-vous, vous allez être trop fatiguée! »

Annette ne répondit pas. Une jeune fille fut prise de panique quand elle aperçut le visage de la danseuse : il était d'une pâleur mortelle.

« Je crois qu'elle s'est évanouie! » cria-t-elle.

Un homme bondit sur la piste pour tenter d'arrêter l'automate; rudement bousculé, il tomba et les pieds d'acier lui meurtrirent la joue. Rien ne semblait pouvoir arrêter ce valseur infernal!

Par malheur, il n'y eut personne pour garder son sang-froid : agissant de concert, quelques hommes auraient pu ceinturer le monstre, le soulever de terre ou le coincer contre un mur. Mais il y a peu de têtes assez solides pour résister à la panique. En y réfléchissant, par la suite, les invités de Wenzel comprirent qu'il aurait été facile de mettre fin à ce cauchemar, il fallait seulement réfléchir et garder sa présence d'esprit. Or, l'atmosphère n'était pas propice aux méditations efficaces : les femmes s'énervaient, les hommes hurlaient des directives contradictoires. Il y en eut pour assaillir le robot à coups de poing, de sorte qu'au lieu d'évoluer au milieu du salon, le lieutenant Fritz fut précipité contre les murs, rebondit pour se heurter aux meubles, entraînant sa danseuse : un filet de sang apparut aux lèvres de la jeune fille et coula sur sa robe blanche. Le spectacle était hallucinant. Des femmes s'évanouirent, d'autres s'enfuirent en hurlant.

Enfin, une suggestion saine fut exprimée :

« Il faut trouver Geibel! »

Personne n'avait remarqué son départ, personne ne savait où le trouver. On partit à sa recherche. Certains s'étaient assemblés à l'entrée du salon; ils écoutaient : le bruit régulier du talon de fer marquant implacablement la mesure, le sourd rebondissement du corps se heurtant contre les meubles — l'horreur grandissait de minute en minute.

Sans se lasser, imperturbablement, le lieutenant Fritz poursuivait sa conversation : « Comme vous êtes charmante, ce soir... Ne soyez pas si cruelle... C'est délicieux de valser avec vous... Je pourrais ainsi tourner éternellement... »

On cherchait Geibel partout sauf là où il se trouvait. Chaque pièce de la maison fut explorée, quelqu'un courut chez lui, on perdit des minutes précieuses à réveiller la vieille bonne sourde, pour apprendre que Geibel n'était pas chez lui. On s'aperçut seulement alors que Wenzel était aussi absent et l'idée vint à l'un d'eux d'aller voir dans un petit pavillon, situé de l'autre côté du jardin, où se trouvait le bureau.

Quand il fut mis au courant de la tournure des événements, Geibel se leva, très pâle. Wenzel l'accompagna; ils se frayèrent un chemin dans la foule des invités rassemblés à la porte du salon, pénétrèrent dans la pièce et refermèrent la porte sur eux. Les curieux perçurent le son assourdi des voix, des pas précipités, le bruit confus d'une discussion — un silence puis, de nouveau, des chuchotements...

Quand la porte s'ouvrit, ils voulurent se ruer dans le salon mais les larges épaules de Wenzel en barraient l'entrée. Il désigna deux hommes plus âgés :

« C'est vous que je veux, et vous, Bekler. »

Sa voix était calme mais son visage mortellement pâle.

« Les autres doivent partir... faites sortir les femmes aussi rapidement que possible. »

Depuis ce jour, le vieux Geibel a limité son activité à la fabrication de lapins jaillissant d'un cœur de chou et de chats miaulant en se lissant les moustaches.

# Lukundoo

par

EDWARD LUCAS WHITE
*Traduit par Odette Ferry*

« IL semble raisonnable, dit Twombly, qu'un homme en croie ses propres yeux et, lorsque ses yeux et ses oreilles sont d'accord, il ne peut plus y avoir de doute en son esprit. Il ne lui reste qu'à croire ce qu'il a vu et entendu.

— Pas toujours », intervint doucement Singleton.

Tout le monde se tourna vers Singleton. Twombly, les jambes écartées, était debout, le dos tourné vers le feu. Il avait, comme d'habitude, l'air de dominer l'assistance. Et Singleton, comme d'habitude lui aussi, se dissimulait dans un coin. Mais quand Singleton parlait, il avait quelque chose à dire. Nous le regardâmes, conservant ce silence flatteur et spontané, qui invite aux discours.

« Je pensais, dit-il au bout d'un instant, à quelque chose que j'ai vu et entendu en Afrique. »

Jusqu'à présent, nous avions cru impossible de tirer de Singleton des souvenirs précis sur ses expériences africaines. A la manière de certains alpinistes qui parlent seulement de leur montée et de leur descente, Singleton nous avait seulement raconté qu'il était allé en Afrique et qu'il en était revenu. Aussi la phrase qu'il venait de prononcer retint-elle immédiatement notre attention. Twombly quitta la cheminée sans que personne pût dire à quel moment il était parti. L'atmosphère de la pièce changea : Singleton devint le point de mire et l'on alluma rapidement et furtivement quelques cigares. Singleton en prit un, le laissa s'éteindre et ne le ralluma point.

## I

Nous étions dans la Grande Forêt, à la recherche de Pygmées. D'après la théorie de Van Rieten, les nains découverts par Stanley étaient des métis de Nègres et de véritables Pygmées. Il espérait trouver une race d'hommes de quatre-vingt-dix centimètres au plus. Or, jamais nous n'avions rencontré d'êtres semblables.

Les indigènes étaient peu nombreux, le gibier était rare. Et, à part le gibier, il n'y avait rien à manger. Tout autour de nous s'étendait la forêt épaisse, humide, suintante. Nous constituions la seule nouveauté du pays. Aucun des indigènes que nous rencontrions n'avait jamais vu un homme blanc auparavant. Soudain, un jour, tard dans l'après-midi, un Anglais arriva à notre camp. Il avait l'air joliment épuisé. Nous n'avions jamais entendu parler de lui; par contre, lui, il avait non seulement entendu parler de nous, mais il avait marché pendant cinq jours pour nous rejoindre. Son guide et ses porteurs n'étaient pas moins harassés. Malgré ses haillons et sa barbe de cinq jours, on pouvait se rendre compte qu'il était d'ordinaire net et bien habillé. Il appartenait visiblement au genre d'hommes qui se rasent chaque jour. Petit et nerveux, il avait minutieusement banni de son visage typiquement britannique toute émotion humaine, si bien qu'un étranger pouvait le croire incapable d'éprouver un sentiment quelconque. Cet Anglais voulait traverser le monde en restant « comme il faut » et en n'ennuyant personne.

Il s'appelait Etcham. Il se présenta modestement et mangea avec une telle réserve que nous ne nous serions jamais doutés, si nos porteurs ne l'avaient appris des siens, qu'il n'avait fait que trois repas en cinq jours, et des repas plus que parcimonieux. Lorsque nous eûmes allumé une cigarette, il nous dit pourquoi il était venu :

« Mon chef est très mal en point. Il ne résistera pas si on ne fait rien pour lui. J'ai pensé que peut-être... »

Il parlait tranquillement sur un ton égal et doux, mais quelques gouttelettes de sueur se formaient sur sa lèvre supérieure, sous sa moustache broussailleuse. Et, en l'écoutant plus attentivement, on se rendait compte qu'il s'efforçait de réprimer l'émotion que nous sentions percer dans sa voix. Ses yeux voilés d'impatience, sa sollicitude vibrante m'émurent immédiatement. Van Rieten, en revanche, n'éprouvait aucun sentiment ou, s'il en éprouvait, il ne le montrait pas. Mais il écoutait attentivement et j'en fus surpris, car c'est le genre d'homme qui sait refuser immédiatement. Or, il écoutait les allusions hésitantes et timides d'Etcham. Il posa même des questions :

« Qui est votre chef?

— Stone », bégaya Etcham.

Nous fûmes l'un et l'autre stupéfaits, et nous nous écriâmes d'une seule voix :

« Ralph Stone? »

Etcham acquiesça.

Pendant quelques minutes, Van Rieten et moi restâmes silencieux. Van Rieten, lui, ne l'avait jamais vu, mais moi, j'avais été un de ses condisciples. Nous avions souvent parlé de Stone autour d'un feu de camp. Deux ans auparavant, au sud de Luebo, dans le territoire de Balunda, il avait mené contre un sorcier une lutte qui s'était terminée par la défaite du sorcier et de sa tribu, et on en parlait encore. Les indigènes avaient même brisé le sifflet de leur homme-fétiche et on en avait donné les morceaux à Stone.

Triomphe comparable à celui d'Elie sur les prêtres de Baal.

Nous avions pensé que si Stone se trouvait encore en Afrique, il n'était pas dans nos parages. Or, nous apprenions soudain qu'il nous précédait et que sa mission devançait la nôtre.

## II

Le nom de Stone, prononcé par Etcham, nous remémora sa passionnante histoire, ses extraordinaires parents, leur mort tragique, ses brillantes années d'étude, le prestige de ses millions, les promesses de son adolescence, sa renommée qui frisait la gloire, sa fuite romanesque avec une jeune romancière célèbre par ses nombreux ouvrages et dont on vantait partout le charme et la beauté, l'énorme scandale causé par le procès en rupture de fiançailles, le dévouement témoigné par sa femme à ce moment, leur querelle soudaine après cette tragédie, leur divorce, l'annonce de son prochain mariage avec l'ancienne plaignante, son remariage précipité avec sa première femme, leur seconde dispute et leur second divorce, son départ, puis son arrivée dans le continent noir. Toutes ces pensées tourbillonnaient dans ma tête et probablement dans celle de Rieten, car il restait silencieux. Enfin il demanda :

« Où est Werner?

— Il est mort, dit Etcham. Il est mort avant que je ne fasse partie de l'expédition Stone.

— Vous n'étiez pas avec Stone à Luebo?

— Non, répondit Etcham, je l'ai rejoint aux Chutes de Stanley.

— Qui est avec lui? demanda Van Rieten.

— Seulement ses serviteurs du Zanzibar et les porteurs.

— Quelle sorte de porteurs?

— Des Mang-Battus », répliqua simplement Etcham.

Cette réponse nous fit grosse impression. Elle confirmait la réputation dont jouissait Stone. C'était un remarquable meneur d'hommes car, jusqu'à présent, personne n'avait pu employer, en dehors de leur pays, des Mang-Battus comme porteurs, ni les garder pendant des expéditions longues et difficiles.

« Etes-vous resté longtemps chez les Mang-Battus? poursuivit Van Rieten.

— Quelques semaines, fit Etcham. Stone s'intéressait à eux. Il a établi un vocabulaire détaillé de leur langue. Selon sa théorie, les Mang-Battus descendraient des Balundas et cette théorie est confirmée par nombre de leurs coutumes.

— De quoi viviez-vous? s'enquit Van Rieten.

— De gibier surtout.

— Depuis combien de temps Stone est-il couché?

— Depuis plus d'un mois.

— Et c'est vous, s'exclama Van Rieten, qui chassiez pour tout le monde? »

Le visage d'Etcham rougit sous le hâle.

« J'ai manqué quelques coups faciles, admit-il avec tristesse. Je ne me sentais pas très bien moi-même.

— Quelle est la maladie de votre chef?

— Ça ressemble à de la furonculose.

— Ce n'est pas grave. On se débarrasse facilement de deux ou trois furoncles. »

Etcham expliqua :

« Ce ne sont pas des furoncles. Il n'en a pas eu deux ou trois, mais des douzaines et parfois cinq en même temps. Si ç'avaient été des furoncles, il serait mort depuis longtemps. Je ne sais comment vous l'expliquer : c'est à la fois moins grave et pire.

— Que voulez-vous dire? »

Etcham hésita, puis :

« Voyez-vous, ça n'a pas l'air d'évoluer comme des furoncles. Stone souffre peu et n'a presque pas de fièvre, mais on a l'impression que cette maladie affecte son esprit. Il m'a laissé panser le premier furoncle, mais les autres, il nous les a cachés, à moi et aux serviteurs. Il reste dans sa tente et quand ils percent, il ne me laisse ni changer les pansements ni demeurer auprès de lui.

— Avez-vous beaucoup de pansements en réserve?

— Quelques-uns, mais il ne veut pas les utiliser. Il se sert toujours des mêmes après les avoir lavés.

— Comment traite-t-il ses abcès?

— Il les ouvre avec son rasoir et les coupe au niveau de la chair...

— Quoi? » s'écria Van Rieten.

L'Anglais ne répliqua pas mais le regarda bien en face.

« Excusez-moi, se hâta d'ajouter Van Rieten, mais je suis stupéfait. Il ne peut s'agir de furoncles car il serait mort depuis longtemps.

— Je croyais vous avoir dit que ce n'étaient pas des furoncles, murmura Etcham.

— Mais cet homme doit être fou.

— C'est bien mon avis. Je ne puis plus ni le conseiller ni le contrôler.

— Combien d'abcès a-t-il traités de cette façon?

— Deux à ma connaissance.

— Deux? »

Etcham rougit de nouveau.

« Je l'ai vu, confessa-t-il, à travers une déchirure de la tente. Je me sentais obligé de le surveiller comme s'il était irresponsable.

— C'est bien mon avis, approuva Van Rieten. Et vous l'avez vu faire ça deux fois?

— Je suppose qu'il a fait la même chose avec les autres.

— Combien en a-t-il eu?

— Des douzaines.

— Mange-t-il?

— Comme un ogre. Plus que deux porteurs réunis.

— Peut-il marcher?

— Il rampe un peu, en gémissant.

— Il a de la fièvre, m'avez-vous dit?

— Assez et même trop, déclara Etcham.

— A-t-il eu le délire?

— Deux fois seulement. Une fois quand le premier abcès s'est ouvert, et puis une autre fois. A ces moments-là, il veut que personne ne s'approche de lui. Mais nous l'entendons parler et cela effraie les indigènes.

— Parlait-il leur dialecte dans son délire?

— Non, mais il parlait un dialecte qui s'en approchait. Hamed Burgash dit qu'il parlait balunda. Je ne connais pas assez le balunda. Je n'apprends pas les langues très facilement. Stone a appris plus de mang-battu en une semaine que je ne l'aurais fait en une année. Mais il m'a semblé entendre des mots mang-battus. En tout cas, les porteurs mang-battus avaient très peur.

— Peur? répéta Van Rieten sur un ton interrogatif.

— Les hommes de Zanzibar également, même Hamed Burgash. Et moi aussi, fit Etcham. Mais moi pour une raison toute différente. Il parlait avec deux voix.

— Avec deux voix?

— Oui, poursuivit Etcham sur un ton plus ému qu'auparavant. Avec deux voix, comme dans une conversation. Une voix était la sienne, l'autre était une petite voix, mince, chevrotante, une voix comme je n'en ai jamais entendu. J'ai cru comprendre, au milieu des sons émis par la voix grave, des mots qui ressemblaient à du mang-battu et que je connais, tels que *Nedru, Metababa* et *Nedo* qui signifient : tête, épaule, hanche, et peut-être *Kudra* et *Nekere* (parler et siffler). Et parmi ceux de la voix aiguë : *Matomipa, Angunzi* et *Kamomami* (tuer, mort et *haine*). Hamed Burgash a dit qu'il avait également entendu ces mots. Il connaît le mang-battu beaucoup mieux que moi.

— Qu'ont dit les porteurs? demanda Van Rieten.

— Ils ont dit : *Lukundoo, Lukundoo.* Je ne connaissais pas ce mot; Hamed Burgash a dit que ça signifiait léopard en mang-battu.

— C'est le mot mang-battu pour magie, répondit Van Rieten.

— Je n'en suis pas surpris. Rien que d'entendre ces deux voix suffisait à faire croire à la magie.

— Est-ce qu'une voix répond à l'autre? » interrogea Van Rieten sur un ton qu'il voulait désinvolte.

Sous le hâle, le visage d'Etcham devint gris : « Parfois, elles parlent en même temps.

— Les deux en même temps? s'écria Van Rieten.

— C'est ce qu'il a semblé aussi aux hommes. Et il y a encore autre chose... »

Il s'arrêta et nous regarda tous les deux, avec l'espoir que nous pourrions l'aider.

« Un homme peut-il parler et siffler à la fois?

— Que voulez-vous dire?

— Nous avons entendu Stone parler avec sa voix profonde de baryton et, en même temps, nous entendions un sifflet haut et aigu : c'était le bruit le plus extraordinaire qu'on pût imaginer. Vous savez, même si un homme siffle sur un mode aigu, la note qu'il émet a une qualité toute différente du coup de sifflet lancé par une fillette ou par une femme. Eh bien, tâchez d'imaginer la plus petite fille du monde sifflant sans arrêt et toujours sur le même ton. Ce sifflet était comme cela, seulement plus perçant, et on l'entendait nettement à travers la voix de basse de Stone.

— Et vous ne vous êtes pas approché de lui?

— La menace n'est pas dans sa nature, déclara Etcham, et pourtant, il nous a menacés, non comme un exalté ni comme un homme malade, mais sur un ton tranquille et ferme. Il nous a dit que si l'un d'entre nous (et j'étais compris dans le groupe) s'approchait de lui quand il était en crise, celui-là mourrait. On eût dit d'un monarque qui exigeait qu'on le laissât seul sur son lit de mort. On ne pouvait pas lui désobéir.

— Je vois, conclut brièvement Van Rieten.

— Il est très mal en point, répéta Etcham découragé. J'ai pensé que, peut-être... »

Son affection pour Stone, la véritable tendresse qu'il éprouvait pour lui transparaissaient malgré son impassibilité voulue.

L'adoration qu'il éprouvait à l'égard de Stone était sa passion dominante.

Comme beaucoup d'hommes compétents, Van Rieten avait un fond de dur égoïsme qui se manifesta en cet instant. Il dit que nous vivions au jour le jour, exactement comme Stone; qu'il n'oubliait pas les liens qui existent entre deux explorateurs, mais qu'il n'y avait aucune raison que nous mettions notre expédition en danger en essayant de sauver un homme pour lequel nous ne pouvions probablement rien; qu'il était déjà assez compliqué de chasser pour nourrir une seule expédition; que si ces deux expéditions étaient réunies, la question de l'approvisionnement s'en trouverait doublement compromise; que le risque de famine était trop grand. Faire un détour de sept jours (à ce propos, il complimenta Etcham pour ses qualités de bon marcheur) risquait de faire échouer l'entreprise.

## III

Van Rieten avait la logique pour lui, et, en outre, il savait se tirer habilement des situations difficiles. Etcham, plein de déférence, s'excusait à la manière d'un élève de sixième en présence de son directeur. Van Rieten conclut :

« Je cherche des Pygmées au risque de ma vie. Ce sont des Pygmées que je poursuis.

— Dans ce cas, voilà qui vous intéressera », remarqua Etcham très calmement.

Il sortit deux objets de la poche de sa blouse et les passa à Van Rieten. Ils étaient ronds, plus grands qu'une prune et plus petits que des pêches. On pouvait les tenir facilement dans le creux d'une main moyenne. Ils étaient noirs et, tout d'abord, je ne vis pas ce que c'était.

« Des Pygmées! s'exclama Van Rieten. Des Pygmées, en vérité. Dans ce cas, ils mesureraient à peine soixante centimètres. Vous voulez prétendre que ce sont des têtes d'adultes?

— Je ne prétends rien. C'est à vous de tirer vos propres conclusions. »

Van Rieten me passa une des têtes. Le soleil se couchait et j'examinai attentivement l'objet. C'était une tête séchée, parfaitement conservée, et la chair en était aussi dure que la pierre. Un morceau de vertèbre sortait à l'endroit où les muscles du cou disparu se ratatinaient en plis. Le menton était menu, la mâchoire proéminente, les dents miniature étaient blanches et égales entre les lèvres rétractées, le petit nez était plat, le front étroit et oblique. Il y avait d'innombrables touffes de laine rabougrie sur le crâne du Lilliputien. Cette tête n'avait rien de puéril, d'enfantin ou de jeune. Elle évoquait plutôt la maturité ou la vieillesse.

« D'où viennent ces têtes? s'enquit Van Rieten.

— Je ne sais pas, répliqua Etcham. Je les ai trouvées parmi les affaires de Stone, lorsque je cherchais des médicaments ou des drogues, quelque chose enfin qui pût m'aider à le soulager. Je ne sais pas où il les a eues. Mais je jurerais qu'il ne les avait pas en sa possession lorsque nous sommes arrivés ici.

— En êtes-vous sûr?

— Tout à fait.

— Mais comment aurait-il pu les avoir sans que vous le sachiez?

— Parfois, il nous arrivait d'être séparés pendant dix jours, lorsque nous chassions, répliqua Etcham. Stone n'est pas bavard. Il ne racontait pas ce qu'il faisait. Quant à Hamed Burgash, il tenait sa langue et obligeait ses hommes à se taire.

— Vous avez examiné ces têtes? demanda Van Rieten.

— Minutieusement. »

Van Rieten sortit son carnet de notes. C'était un garçon méthodique. Il en arracha une page, la plia et la divisa en trois parties égales. Il m'en donna une à moi, une autre à Etcham et garda la troisième.

« Je voudrais avoir confirmation de mes impressions. Je désire que chacun de vous écrive séparément ce que lui rappellent ces têtes. Ensuite, je comparerai vos notes. »

Je passai un crayon à Etcham et il écrivit. Ensuite, il me tendit le crayon et j'écrivis à mon tour.

« Lisez les trois », me dit Van Rieten en me tendant sa feuille.

Van Rieten avait écrit : *Un vieux docteur sorcier balunda.*

Etcham avait écrit : *Un vieil homme-fétiche mang-battu.*

Et moi : *Un vieux magicien katongo.*

« Là, vous voyez! s'exclama Van Rieten. Ces têtes n'ont rien de Wagabi, de Batwa, de Wambuttu ou de Wabotu. Elles n'ont rien de Pygmée non plus.

— C'est bien ce que je pensais, fit Etcham.

— Et vous dites qu'il ne les avait pas auparavant?

— Il ne les avait pas, j'en suis absolument certain.

— Cette affaire vaut la peine d'être suivie, déclara Van Rieten. J'irai avec vous. Et, tout d'abord, je ferai l'impossible pour sauver Stone. »

Il tendit la main à Etcham qui la serra silencieusement. Il était tout envahi de gratitude.

## IV

Dans sa fièvre d'arriver, Etcham avait accompli le voyage en cinq jours. Pour retourner auprès de Stone, bien qu'il connût le chemin et que nous fûmes là pour l'aider, il nous fallut huit jours. Nous n'aurions pas pu faire le trajet en moins de temps. Pourtant Etcham nous pressait sans arrêt, dévoré par une anxiété qu'il essayait de réprimer. Il ne s'agissait plus d'un simple sentiment du devoir envers son chef, mais d'un grand dévouement qui transparaissait malgré lui sous la froideur britannique.

Stone était bien soigné. Etcham avait veillé à ce qu'une haie d'épines soit construite autour du camp. Les huttes étaient bien bâties et couvertes de chaume. Celle de Stone était aussi confortable que les ressources de l'endroit le permettaient. Burgash ne s'appelait pas Arhem pour rien. Il avait en lui l'étoffe d'un sultan. Grâce à sa présence aucun homme n'avait disparu et l'ordre régnait dans le camp. En outre, c'était un infirmier habile et un serviteur fidèle.

Les deux autres Zanzibars avaient fait des chasses honorables. Tous avaient faim, certes, mais le camp était loin d'être ravagé par la famine.

Stone était sur un lit de camp et, près de lui, se trouvait un tabouret-table pliant, style guéridon turc, sur lequel étaient posés une bouteille d'eau, des fioles, la montre de Stone et son rasoir dans un étui.

Stone était propre et nullement amaigri. Mais il était très loin de nous. Il n'était pas tout à fait inconscient : il était perdu dans un brouillard car il avait perdu le goût de commander ou de résister à qui que ce soit. Il ne sembla ni nous voir entrer ni se rendre compte de notre présence. Moi, je l'aurais reconnu n'importe où. Bien sûr, sa fougue et sa grâce juvéniles avaient complètement disparu. Mais son profil rappelait davantage encore celui du lion, ses cheveux étaient toujours abondants, blonds et ondulés. La barbe frisée, qu'il avait laissée pousser pendant sa maladie, n'altérait pas ses traits. Il était grand et sa poitrine était toujours aussi musclée. Ses yeux étaient mornes et il murmurait ou grommelait des syllables incompréhensibles qui ne formaient pas de mots.

Etcham aida Van Rieten à le découvrir et à l'examiner. Il était encore très fort pour un homme alité depuis si longtemps. Il n'avait pas de cicatrices sauf au genou, aux épaules et sur la poitrine. Sur chaque genou, et au-dessus, apparaissaient un grand nombre de marques arrondies. Et, sur chaque épaule, il y en avait plus d'une douzaine, toutes sur la même ligne. Deux ou trois étaient ouvertes, quatre ou cinq à peine guéries. Pas de nouveaux abcès, sinon un de chaque côté de ses muscles pectoraux, celui sur la gauche étant plus haut et plus sur le côté que l'autre. Ça ne ressemblait pas à des furoncles, mais on eût cru plutôt quelque chose de dur et de brutal qui essayait de se frayer un passage à travers la chair et la peau relativement saines dont l'inflammation n'était pas très vive.

« Il ne faut pas. Je ne devrais pas ouvrir ceux-là », dit Van Rieten, et Etcham acquiesça.

Ils installèrent Stone aussi confortablement que possible et nous allâmes le revoir seulement avant le coucher du soleil. Il était étendu sur son dos et son torse paraissait toujours large et massif. Pourtant, il gisait inconscient. Nous laissâmes Etcham avec lui, et nous nous rendîmes dans la hutte voisine qui nous avait été assignée. Les bruits de la jungle n'étaient pas différents de ceux que nous avions entendus ailleurs, au cours des mois précédents, et je m'endormis rapidement.

## V

Soudain, au milieu de l'obscurité profonde, je m'éveillai et écoutai; j'entendis deux voix : celle de Stone et une autre, sifflante et poussive. Je reconnus la voix de Stone, malgré les nombreuses années qui s'étaient écoulées depuis la dernière fois où je l'avais entendue. L'autre ne ressemblait à rien que je puisse me rappeler. Elle avait moins de volume que le vagissement d'un nouveau-né et, pourtant, elle reflétait une telle insistance qu'elle évoquait le bourdonnement d'un insecte. Tandis que j'écoutais, j'entendis Van Rieten qui respirait près de moi dans la nuit. Puis, à son tour, il m'entendit et comprit que j'écoutais moi aussi. Comme Etcham, je connaissais peu de balunda mais je pouvais en comprendre un ou deux mots. Les voix alternaient avec des intervalles de silence entre elles.

Puis, brusquement, les deux voix résonnèrent en même temps et très vite. La basse profonde de

Stone, qui était celle d'un homme en parfaite santé, et celle de fausset incroyablement stridente: toutes les deux jacassaient à la fois, de sorte qu'on eût cru deux personnes qui se querellaient et dont l'une essayait de dominer l'autre.

« Je ne peux supporter ça, fit Van Rieten. Allons le voir. »

Il avait emporté une torche électrique. Il la trouva en tâtonnant, poussa le bouton et me fit signe de le suivre. Lorsque nous fûmes dehors, un geste de lui m'obligea à m'immobiliser. Instinctivement, il éteignit la lampe, comme si le fait de voir empêchait d'entendre.

Excepté la faible lueur provenant des braises du feu des porteurs, nous étions dans l'obscurité la plus complète. La pâle lumière des étoiles essayait de traverser les arbres et la rivière murmurait à peine. Nous pouvions entendre les deux voix qui parlaient ensemble et, tout à coup, la voix stridente se transforma en un sifflet coupant comme le fil d'un rasoir, qui poursuivait au milieu du torrent de mots marmonnés par Stone :

« Mon Dieu! » s'exclama Van Rieten.

Il ralluma la lampe brutalement.

Nous trouvâmes Etcham profondément endormi. Sa terrible anxiété et sa longue marche l'avaient épuisé. A présent, il pouvait enfin se reposer comme s'il s'était en quelque sorte déchargé de son fardeau sur les épaules de Van Rieten. Même la lumière braquée sur son visage ne le réveilla point.

Le sifflet avait cessé et les deux voix retentissaient de nouveau ensemble. Elles venaient du lit de Stone où le rayon de lumière blanche le montrait dans l'état où nous l'avions laissé. Mais, maintenant, il avait les deux bras au-dessus de la tête et il avait arraché les pansements et les bandes qu'il avait sur sa poitrine.

L'abcès sur son sein droit avait crevé. Nous le voyions clairement car Van Rieten avait dirigé le faisceau de sa lampe à cet endroit... De l'excroissance née de la chair, sortait une tête, une tête semblable aux spécimens qu'Etcham nous avait montrés, une tête qui pouvait être celle en miniature de l'homme-fétiche balunda. Elle était noire, d'un noir brillant comme la plus noire des peaux africaines. Elle roulait le blanc de ses yeux méchants et petits et montrait ses dents microscopiques entre ses lèvres épaisses et rouges, effroyablement négroïdes, même pour un visage aussi petit. Elle avait une sorte de laine crêpelée sur son crâne minuscule. Elle se tournait malignement d'un côté et de l'autre, en jacassant inlassablement de cette incroyable voix de fausset. Stone répondait d'une voix hâchée aux boniments de l'autre.

Van Rieten s'éloigna de Stone et éveilla Etcham, non sans difficulté. Quand ce dernier vit ce qu'il se passait, il ne dit pas un mot.

« Vous l'avez vu ouvrir deux abcès? »

Etcham secoua affirmativement la tête, en suffoquant.

« A-t-il beaucoup saigné? poursuivit Van Rieten.

— Très peu.

— Tenez ses bras », dit Van Rieten à Etcham.

Il s'empara du rasoir de Stone et me passa la lampe. Stone ne parut s'apercevoir ni de la lumière ni de notre présence. Mais la petite tête poussa des cris perçants qui s'adressaient évidemment à nous.

La main de Van Rieten était ferme et le rasoir coupait bien et proprement. Stone, à notre grand étonnement, saigna à peine et Van Rieten pansa la blessure comme si c'était une égratignure.

Stone s'était arrêté de parler au moment précis où la tête excroissante avait été coupée. Van Rieten fit tout ce qu'il put pour Stone et puis, gentiment, il me reprit la lampe. Saisissant un fusil, il explora le sol près du lit et porta plusieurs coups vicieux à la petite tête.

Nous retournâmes nous coucher, mais je crois que je ne dormis guère.

## VI

Le lendemain, vers midi, en plein jour, nous entendîmes les deux voix venir de la hutte de Stone. Nous trouvâmes Etcham endormi, épuisé par la charge qui lui incombait. L'abcès de gauche avait crevé et une autre tête apparaissait, miaulante et crachotante. Etcham s'éveilla et nous restâmes là, tous les trois, les yeux fixes. Stone lançait des vocables rauques au milieu des borborygmes que poussait le prodige.

Van Rieten s'avança, prit le rasoir de Stone et s'agenouilla auprès de lui. La monstrueuse tête lui adressa un ricanement grinçant et sifflant.

Et alors, subitement, Stone se mit à parler en anglais :

« Qui êtes-vous, qui avez pris mon rasoir? »

Van Rieten le regarda à son tour et se redressa.

Les yeux de Stone étaient lucides à présent; ils erraient autour de la hutte.

« La fin, dit-il, je reconnais la fin. Il me semble

voir Etcham, comme dans la vie. Mais, Singleton! Ah! Singleton! Les fantômes de mon enfance viennent me voir mourir! Et vous, spectre étrange, avec cette barbe noire et mon rasoir!

— Je ne suis pas un fantôme, Stone, pus-je dire. Je suis vivant. Etcham et Van Rieten vivent aussi. Nous sommes ici pour vous aider.

— Van Rieten! s'exclama-t-il. Mon œuvre est transmise à un homme meilleur. Que la chance vous accompagne, Van Rieten! »

Van Rieten s'approcha de lui.

« Restez tranquille un instant, mon vieux, dit-il d'une voix apaisante. Ce sera une petite douleur vite passée.

— J'ai déjà éprouvé tant de douleurs de ce genre, répliqua Stone assez distinctement. Laissez-moi. Laissez-moi mourir à ma façon. L'Hydre n'y est pour rien. Vous pouvez couper, dix, cent, mille têtes mais, ce que vous ne pouvez enlever ni couper, c'est la malédiction. Ce qui imprègne les os ne peut pas sortir. Ne me tailladez pas davantage. Promettez-le-moi. »

Sa voix avait retrouvé le ton de commandement de sa jeunesse et elle convainquit Van Rieten comme elle avait toujours convaincu les autres.

« Je vous le promets. »

A peine eut-il prononcé cette phrase, que les yeux de Stone se voilèrent de nouveau.

Alors, nous restâmes assis tous les trois à observer le hideux prodige baragouinant sortir de la chair de Stone, jusqu'à ce que deux horribles petits bras fuselés se dégagent à leur tour. Les ongles minuscules étaient parfaitement constitués jusqu'à la lunule. La tache rose de la paume était affreusement naturelle. Ses bras gesticulaient et la main droite s'approcha de la barbe blonde de Stone pour la tirer.

« Je ne puis supporter ça », s'exclama Van Rieten en reprenant le rasoir.

Au même instant, les yeux de Stone se rouvrirent, durs et brillants.

« Van Rieten ne respecterait-il pas sa promesse? énonça-t-il lentement, c'est impensable!

— Mais nous devons vous aider, murmura Van Rieten.

— J'ai passé le stade de la souffrance et je n'ai plus besoin d'aide, dit Stone. Mon heure est venue. Cette malédiction n'a pas été jetée sur moi : elle est née de moi, comme cette horreur que vous voyez. Même à présent que je m'en vais. »

Ses yeux se fermèrent et nous demeurâmes là, impuissants, tandis que de la bouche du monstre sortaient des phrases sur un mode strident.

Stone se remit à parler au bout d'un instant :

« Tu parles toutes les langues? » demanda-t-il rapidement.

Et l'être minuscule, qui émergeait, répondit soudain en anglais :

« Oui, c'est vrai, toutes les langues que tu parles. »

Il sortit sa langue microscopique, crispa ses lèvres et balança sa tête à droite et à gauche. Nous voyions ses côtes filiformes qui soulevaient ses flancs lilliputiens, comme si cette créature respirait.

« M'a-t-elle pardonné? demanda Stone d'une voix étranglée.

— Pas aussi longtemps que la mousse pendra des cyprès, répondit la tête avec un grincement. Tant que les étoiles brilleront sur le lac de Ponchartrain, elle ne pardonnera pas. »

Et alors Stone, d'un seul geste, se coucha sur le côté. L'instant d'après il était mort.

Lorsque la voix de Singleton se tut, la pièce resta quelques minutes silencieuse. Nous pouvions nous entendre respirer. Twombly, sans tact, rompit le silence :

« Je suppose, dit-il, que vous avez extirpé le petit être et que vous l'avez plongé dans l'alcool pour le ramener chez vous. »

Singleton se tourna vers lui et lui jeta un regard dur :

« Nous avons enterré Stone, dit-il, sans le mutiler, comme il est mort.

— Mais, continua l'inconscient Twombly, toute l'histoire est incroyable. »

Singleton se raidit :

« Je n'espérais pas que vous la croiriez. J'ai commencé en vous disant que, bien que je l'aie entendue et vue moi-même, lorsque j'y repense maintenant, je ne peux plus y croire. »

# Le travail bien fait

par

MARGARET ST. CLAIR
*Traduit par Odette Ferry*

J'EUS longtemps des cauchemars pendant les années qui suivirent. De ces cauchemars où l'on a l'impression d'être pourchassé et où l'on fait des efforts désespérés et toujours plus inutiles pour y échapper. Chaque fois que je m'éveillais, j'avais peur et je n'arrivais pas à savoir si ces cauchemars étaient justifiés.

Tout a commencé en 1933 quand j'allai vivre avec tante Muriel. Je n'avais pas de travail depuis six mois lorsque je reçus sa lettre d'invitation et, en vérité, je n'avais guère mangé au cours des deux dernières semaines.

Tante Muriel n'était pas tout à fait ma tante. Elle était une sorte de grand-tante, assez éloignée, du côté de ma mère, et que je n'avais pas revue depuis que j'étais un petit garçon en culottes courtes.

L'invitation aurait pu me surprendre, bien qu'elle expliquât dans sa lettre qu'elle était vieille, solitaire et qu'elle éprouvait le besoin d'avoir quel qu'un de sa famille pour lui tenir compagnie. Mais je ne fus pas étonné : j'avais trop faim.

Il y avait un mandat dans la lettre et un billet pour Downie où elle habitait. Lorsque j'eus payé mes loyers en retard avec le mandat et que je me fus offert un repas avec des doubles portions de tous les plats, il me restait deux dollars et treize cents. J'attrapai le train de l'après-midi pour Downie et, le lendemain, un peu avant midi, je montais les marches de la maison de tante Muriel.

Tante Muriel vint elle-même m'ouvrir la porte. Elle sembla heureuse de me voir. Ses lèvres se plissèrent en un sourire de bienvenue.

« *Que c'est gentil* à toi d'être venu, dit-elle. Je ne pourrais jamais te remercier assez. C'est tellement *gentil!* » répétait-elle, soulignant certains mots.

Je commençais à m'attendrir sur le compte de la vieille fille. Elle ne me paraissait pas plus vieille que quinze ans auparavant. A l'époque, elle se tenait droite grâce à des baleines et à des cols, et c'était la même chose aujourd'hui. Je traduisais en paroles la partie la plus aimable de ma pensée.

« Oh! Charles, minauda-t-elle, grand flatteur! »

Elle m'adressa un autre sourire et me conduisit dans l'entrée.

Je montai à sa suite l'escalier qui allait à ma chambre, au second étage. La pièce avait un haut plafond et un lit à colonnes qui aurait dû être entouré de rideaux pour couper le courant d'air. Après son départ, je posai ma valise en imitation cuir dans le grand placard et allai dans la salle de bain voisine pour me laver.

Le déjeuner était servi sur la table de la salle à manger quand je descendis et une servante, qui avait l'air beaucoup plus âgée que tante Muriel, allait et venait en apportant toujours de nouveaux plats.

Avec l'encouragement de ma tante, je mangeai suffisamment pour être somnolent pendant le reste de l'après-midi. Puis, je m'adossai contre ma chaise, allumai une cigarette et l'écoutai parler.

Elle commença par se répandre en plaintes sur elle-même, son âge, sa solitude. Puis elle se félicita chaleureusement d'avoir fait venir un jeune parent auprès d'elle.

La suite me révéla qu'on s'attendait à ce que je me rende utile. Promener le chien, par exemple — c'était un horrible loulou de Poméranie appelé Teddy — et aller porter les lettres à la boîte. Cela me paraissait normal et je le lui dis.

Puis, il y eut un court hiatus dans la conversation. Alors, elle prit sur ses genoux Teddy, qui était resté par terre pendant tout le repas, et elle se lança dans la description de ce qu'elle appelait son « violon d'Ingres ». Depuis un an environ, elle avait commencé à dessiner et cela était devenu presque une obsession, à ce qu'elle disait.

Tenant Teddy sous son bras, elle se leva, se dirigea vers la table en noyer et revint vers moi avec un carton à dessiner qu'elle me montra.

« Je dessine toujours dans la salle à manger, me dit-elle, parce que la lumière est très bonne. Dis-moi, qu'est-ce que tu penses de ces choses? »

Elle me tendit cinquante à soixante petites feuilles de papier à dessin.

J'étendis les dessins sur la table de la salle à manger, au milieu des plats sales, et les examinai attentivement. C'étaient tous des crayons, et seuls un ou deux dessins comportaient des touches d'aquarelle. Ils représentaient tous la même chose : quatre pommes dans un bol de porcelaine.

Ils avaient été faits et refaits : Tante Muriel avait gommé et regommé jusqu'à ce que la surface du papier devienne grise et sale. Je me torturais l'esprit pour lui dire quelque chose d'agréable!

« Vous... euh... vous avez vraiment attrapé... euh... l'essence même de ces pommes. »

Je me forçai encore un peu et ajoutai au bout d'un moment :

« C'est très honorable. »

Ma tante sourit :

« Je suis contente que cela te plaise, répliqua-t-elle. Amy, la bonne, tu sais, m'a dit que j'étais stupide de travailler si longtemps à ces objets. Mais, je ne pouvais m'arrêter. Je ne pouvais *supporter* l'idée de m'arrêter avant que ces pommes soient parfaites. »

Elle s'arrêta puis poursuivit :

« Tu sais, Charles, que j'ai eu une très grande difficulté à surmonter.

— Laquelle?

— Les pommes se desséchaient! C'était terrible! Je les remettais dans le réfrigérateur à la fin de mon travail, mais cependant elles s'abîmaient au bout de deux ou trois semaines. Ce ne fut que lorsque Amy eut l'idée de les *tremper* dans la cire fondue qu'elles durèrent assez longtemps.

— Bonne idée.

— Oh! oui, n'est-ce pas? Mais, tu vois, Charles, je commence à me fatiguer des pommes. J'aimerais essayer quelque chose d'autre... J'y ai pensé et je crois que le petit arbre sur la pelouse, dehors, ferait un bon sujet. »

Elle marcha vers la fenêtre pour me montrer

l'arbre dont elle parlait. Je la suivis. C'était un jeune arbrisseau qui commençait à avoir des feuilles. Ma tante me dit que c'était un pêcher.

« Ne *penses-tu* pas que cela ferait un bon sujet, Charles? Je crois que je vais m'y mettre cet après-midi pendant que tu iras promener Teddy. »

Amy aida ma tante à s'enrouler dans plusieurs couches de couvertures et à s'emmitoufler dans des cache-nez. Je portai le tabouret, le chevalet, la boîte de crayons et le papier dans le jardin.

Elle était assez maniaque quant à l'endroit où devaient être disposés les différents objets dont elle avait besoin. Pourtant, finalement, je parvins à les arranger en lui donnant satisfaction. Ensuite, bien que j'eusse de beaucoup préféré aller faire une petite sieste dans ma chambre, j'attachai la laisse au petit collier de Teddy, qui n'était pas content du tout, et je partis à la découverte de la ville de Downie.

Je me rendis vite compte que Downie était ce genre de ville où toute la vie sociale se concentre autour du drugstore, mais je parvins à tuer les deux heures suivantes en laissant Teddy examiner à sa fantaisie les pieds des lampadaires.

Lorsque je revins, je pensais trouver tante Muriel en train de travailler à son dessin, mais elle était partie, en emmenant son chevalet et son tabouret. Je regardai alentour mais ne la vis pas. Alors, je laissai Teddy grimper dans sa caisse dans la salle à manger et montai pour essayer de dormir, quoique avec un peu de retard.

Finalement, je ne pus m'endormir. Pour quelque raison inexplicable, je ne pouvais m'empêcher de penser à tous ces dessins de pommes sur lesquels ma tante s'était tellement appliquée. Je restais donc étendu sur mon lit, comptant les taches sur les murs, jusqu'à l'heure du dîner.

Le repas était bon et plantureux. Cependant, ma tante était hargneuse. Lorsque Amy eut débarrassé la table et que ma tante eut remis Teddy à sa place accoutumée, sur ses genoux, je découvris la raison de sa mauvaise humeur.

« J'ai eu des *ennuis* avec mon dessin, se plaignit-elle. Le vent soufflait sans arrêt et déplaçait les feuilles. Je n'ai *rien* pu faire.

— Je n'ai pas remarqué qu'il y eût du vent, tante Muriel, dis-je assez stupidement.

— Tu ne remarques pas grand-chose, éclata-t-elle. Les feuilles, vois-tu, ne sont pas restées immobiles un seul instant. »

Je me hâtai de faire amende honorable.

« Je comprends qu'un artisan aussi minutieux que vous puisse être dérangé dans son travail par des choses qui paraissent insignifiantes au profane, lui dis-je en matière d'apaisement. Je suis désolé, mais, voyez-vous, je n'ai pas beaucoup fréquenté les artistes. »

Le fait que j'eusse parlé d'elle comme d'une artiste fit plaisir à ma tante.

« Oh! je suis sûre que tu n'as pas voulu m'offenser, dit-elle. Seulement, je ne peux travailler que si mon modèle est *absolument* immobile. C'est pourquoi j'ai utilisé mes pommes pendant si longtemps. Mais *je voudrais* dessiner cet arbre. Je me demande... »

Elle but deux tasses de café tout en songeant tristement. Puis, elle parla :

« Charles, j'ai réfléchi. Je veux que tu coupes cet arbre demain et que tu l'apportes dans la maison. Je le mettrai dans un de ces bidons de lait et, de cette manière, je pourrai le dessiner sans être dérangée par le vent.

— Mais c'est un si gentil petit arbre, protestai-je. En outre, il ne tiendra pas longtemps lorsqu'on l'aura coupé.

— Bah, ce n'est qu'un arbre, dit-elle. J'en achèterai un autre chez le pépiniériste. Et pour l'empêcher de se faner, Amy s'en occupera : elle est merveilleuse avec les fleurs. Elle met de l'aspirine et du sucre dans l'eau et elles durent éternellement. Naturellement, il faudra que je travaille vite. Mais si je m'y mets deux ou trois heures le matin et quatre ou cinq heures après le déjeuner, j'arriverai bien à un résultat. »

En ce qui la concernait, la question était réglée.

Le lendemain matin, immédiatement après le petit déjeuner, tante Muriel me conduisit dans la resserre aux outils derrière la maison et elle me donna une cognée rouillée. Elle me regarda avec des yeux de goule pendant que j'affilais la cognée. Puis elle m'accompagna jusqu'au lieu de l'exécution. J'eus l'impression d'être un meurtrier en abattant l'arbrisseau à coups de hache dans le tronc. Ensuite je l'emportai dans la maison.

Je passai cette journée et les trois ou quatre journées suivantes à travailler dans le jardin. J'ai toujours aimé jardiner et le jardin de tante Muriel était joli bien qu'un peu négligé. J'arrachai et replantai quelques plantes vivaces et fertilisai la terre autour d'elles avec de la poudre d'os. Quelqu'un avait emmagasiné du sulfate de nicotine dans la resserre et je m'amusai à le vaporiser pour détruire les scarabées et les pucerons.

Le vendredi matin, je trouvai un billet de cinq dollars plié sur ma serviette. Je levai les yeux en direction de tante Muriel. Elle fit un petit geste de la tête pour me faire comprendre que c'était elle et une légère rougeur envahit ses joues flasques.

Je le rangeai minutieusement dans ma poche, le cœur plein d'une chaude gratitude à l'égard de la vieille fille. C'était vraiment extraordinairement gentil de sa part de me fournir l'argent de mes cigarettes. Je résolus d'aller cet après-midi lui acheter un petit cadeau.

Je m'aperçus que les ressources de Downie étaient fort limitées. Après avoir hésité entre un faon en porcelaine et un bocal avec deux poissons rouges, je décidai que les poissons avaient plus de verve et de personnalité. J'entrai donc pour les acheter et, tout en parlant, j'appris que Drake, le vendeur, avait été en Californie aussi et était un de mes amis pour ainsi dire.

Je pris un rendez-vous avec lui pour le lendemain soir.

Le bocal de poissons parut causer un véritable plaisir à tante Muriel. Elle s'extasia avec des « oh! » et des « ah! » sur la mobilité et la souplesse de leurs queues, puis, finalement, installa le bocal sur un petit support à côté de son chevalet.

Peu à peu, nous prîmes nos habitudes. Le matin et au début de l'après-midi, tante Muriel dessinait dans la salle à manger tandis que je travaillais dans le jardin. Plus tard, dans la soirée, je faisais des courses, allais promener Teddy et entreprenais quelques menues réparations.

Vers le milieu de ma deuxième semaine chez tante Muriel, le pêcher était désespérément fané. Pendant le dîner, elle me dit sur le ton qu'on prend pour annoncer les grandes catastrophes, qu'elle avait été obligée de le jeter. Nous tînmes une conférence *post mortem* sur les trente-deux dessins qu'elle avait pu terminer avant le désastre. J'en sortis un qui, à mon avis, avait plus de valeur plastique que les autres. Elle admit que c'était son croquis favori à elle aussi et tout alla bien. Je me rendis compte cependant qu'elle réfléchissait à ce qu'elle allait dessiner la prochaine fois.

Le lendemain, elle tourbillonna à travers la maison à la recherche d'un modèle. A chaque instant, elle passait sa tête à travers la porte qui donnait dans la cour où j'étais en train de planter des mufliers et me demandait mon avis sur ce qu'elle devait choisir comme sujet. Je remarquai, lorsque j'allai déjeuner, qu'elle observait avec beaucoup d'attention le bocal de poissons rouges mais à ce moment-là je n'en tirai aucune conclusion.

Le soir où je revins de chez Drake, elle m'attendait à la porte et me conduisit à la cuisine avec un air de mystérieux triomphe.

« Cela m'a un peu énervée, dit-elle en posant sa main sur la poignée du réfrigérateur, mais le résultat est extraordinaire. »

Elle ouvrit la porte du réfrigérateur, tâtonna dans ses profondeurs pendant quelques instants et en sortit le bocal aux poissons rouges. L'humidité commençait à se condenser sur ses parois. Je la fixais stupidement.

« Je *savais* que les poissons ne resteraient jamais immobiles et je mourais d'envie de les dessiner, poursuivit-elle. Alors, j'ai réfléchi et réfléchi... et réellement, je *trouve* que j'ai eu une idée lumineuse, quoique ce soit la mienne! J'ai tourné le thermostat, j'ai mis le bocal à l'intérieur et, quand je suis revenue quelques heures plus tard, c'était complètement gelé. J'avais peur que le bocal ne se brise quand l'eau a commencé à geler. Mais non, il est resté intact. Regarde, la glace est absolument claire. »

Elle saisit un torchon et essuya la buée afin que je puisse voir les deux poissons rouges enveloppés dans la glace transparente.

« Et maintenant, continua-t-elle, je vais pouvoir les dessiner sans difficulté. C'est formidable, n'est-ce pas? »

Je dis oui, que c'était formidable, et montai dans ma chambre dès qu'il me fut décemment possible de le faire. L'incident avait laissé un goût déplaisant dans ma bouche. Non pas que j'eusse attaché de l'importance à la vie de poissons rouges, mais cependant...

Il m'avait semblé qu'elle s'amusait tellement à les voir nager; et puis je les lui avais donnés, et... Allons, au diable, cette histoire!

Quand je m'éveillai le lendemain matin, je me sentais légèrement malheureux sans savoir pourquoi. Quand je me souvins, je me dis que j'étais un imbécile. Se laisser bouleverser par la mort de deux poissons rouges aux yeux pédonculés, voilà qui était complètement idiot! En sifflant, je descendis déjeuner.

Lorsque le repas fut terminé, tante Muriel sortit le bocal du réfrigérateur et se mit au travail. J'allai dans la resserre et jouai pendant un moment avec le vaporisateur.

Je m'aperçus que la peinture s'écaillait sur un des côtés de la maison et alors j'eus une idée. Pourquoi ne pas la repeindre? J'en parlai à ma tante qui me donna l'autorisation. En conséquence, j'apportai à la maison un seau de peinture que j'avais acheté au magasin et commençai à l'étaler.

Le travail avançait lentement. Les journées passaient et je devins bientôt un habitué du marchand de couleurs. Tante Muriel avait fini sa quatre-vingt-unième étude de ses poissons rouges congelés avant que j'eusse donné la première couche à la grande maison. Et la surface était dans un si mauvais état qu'il en faudrait au moins deux.

Le printemps se transforma imperceptiblement en un précoce été et je continuais à peindre la maison et tante Muriel continuait à dessiner les poissons rouges. Nous étions tous deux de plus en plus absorbés par nos tâches respectives.

Je m'amusais bien. Drake m'avait présenté à sa sœur, une ravissante brune à la fois douce et acide, combinaison qui m'a toujours attiré chez les femmes. Il s'était trouvé une autre amie et nous sortions ensemble plusieurs soirées par semaine.

Ma chambre en ville, dont le loyer n'était pas payé, la course sans espoir aux emplois, et la faim : tout cela me paraissait perdu dans le passé.

Je terminai de repeindre la maison la veille du jour où tante Muriel décida qu'elle avait épuisé la joie de peindre les poissons rouges. J'eus envie de fêter cet événement. Aussi fis-je un mélange d'eau de savon et de sulfate de nicotine et j'en arrosai à cœur joie les plantes que j'avais négligées.

Tante Muriel me tendit le lendemain soir pendant le dîner sa dernière étude de poissons rouges et je regardai avec elle tout ce qu'elle avait fait. Je commençais à détester ces enquêtes sur l'anatomie de ses dessins, mais je les supportais aussi bien que je le pouvais.

Lorsque nous eûmes terminé, elle dit :

« Charles, voici la question que je me pose depuis quelque temps : est-ce que tu crois que Teddy serait un bon modèle pour mon prochain dessin? »

Je baissai les yeux vers le petit animal qui était installé sur ses genoux et je répondis par l'affirmative.

« Mais, ajoutai-je, est-ce qu'il sera capable de rester suffisamment tranquille? »

Ma tante prit l'air pensif :

« Je ne sais pas. Il faut que je tâche de trouver quelque chose. Peut-être pourrais-je lui donner son dîner tout de suite après son petit déjeuner. Ou... »

Elle entra dans une de ces périodes de méditation qui lui étaient propres et, après un moment, je m'en allai pour aller retrouver Virginie, la sœur de Drake, avec qui j'avais rendez-vous.

Nous nous assîmes sous la véranda, dans l'obscurité, et nous nous tînmes la main tandis que la brise nous amenait l'odeur du lilas. C'était un rendez-vous doux et sentimental.

Le lendemain était un samedi. Après le petit déjeuner, ma tante me dit d'emmener Teddy se promener et de le faire beaucoup marcher pour qu'il soit épuisé. Elle lui donnerait à manger quand je le ramènerais et elle espérait que l'exercice ajouté à la nourriture l'assoupirait suffisamment pour qu'il pût lui servir de modèle.

Nous obéîmes et nous nous mîmes en route. Teddy et moi évaluâmes au moins deux fois tous les lampadaires de Downie et s'il n'était pas épuisé quand je le ramenai, ce n'était pas ma faute. Ma tante détacha la laisse de son collier et le conduisit dans l'office où l'attendait son repas, composé de plusieurs hamburgers.

Teddy mangea comme un petit porc. Quand il eut fini, il se coucha sur le sol de l'office avec un air résolu. Il fallut que ma tante le portât jusqu'à la salle à manger et le déposât dans un coin ensoleillé, auprès de son chevalet. Il dormait et ronflait avant même que je ne quitte la pièce.

Nous déjeunâmes tard ce jour-là (il était presque deux heures et demie), de sorte que tante Muriel put profiter pleinement de la léthargie de Teddy. J'avais faim et Amy avait préparé un repas de choix dont le plat principal était du poulet frit à la mode sudiste. C'est pourquoi je ne fis attention à ma tante qu'après avoir avalé la mousse de pêche fraîche. Alors, je vis qu'elle était distraite et maussade.

« Le dessin n'a pas bien marché ce matin, tante Muriel? » demandai-je.

Elle secoua la tête et ses pendants d'oreilles se mirent à cliqueter avec violence.

« Non, Charles, ça n'a pas marché. Teddy... »

Elle s'arrêta, l'air profondément affligé.

« Qu'a-t-il fait? Il n'a pas dormi? »

Si ma tante avait été une femme différente, elle aurait eu un rire sardonique. Telle qu'elle était, elle renifla légèrement et avec délicatesse.

« Oh! si, *il a dormi,* répliqua-t-elle. Oui, *il a dormi*. Mais, dans son sommeil, il s'agitait, haletait sans arrêt jusqu'à ce que... Vois-tu, Charles, c'était *absolument* impossible... Comme si j'avais voulu dessiner un peuplier par grand vent.

— C'est vraiment dommage. Je pense donc qu'il vous faudra choisir un autre modèle. »

Pendant quelques instants, ma tante demeura silencieuse et, en l'observant, il me sembla voir des larmes qui brillaient dans ses yeux.

« Oui, fit-elle lentement, je crois que ce sera nécessaire... Je pense, Charles, que j'irai en ville cet après-midi pour acheter quelques petites choses pour Teddy. »

Des sueurs froides coulèrent le long de ma colonne vertébrale. Mais ça ne dura pas et, connaissant le prix qu'elle attachait au dessin, je pensai que c'était gentil de sa part de ne pas en vouloir à son petit chien de ne pas être un modèle idéal...

Elle vint dans ma chambre juste avant de dîner et me montra ce qu'elle avait acheté pour Teddy. C'était un collier rouge avec une petite cloche, un os en caoutchouc qui sentait le chocolat, et une boîte de curieux bonbons appelés « Le Régal canin » qui, d'après l'étiquette, constituait un repas salutaire pour les chiens.

Elle mit le collier à Teddy tandis que je l'observais. Puis elle lui donna deux losanges marron qu'elle avait sortis de la boîte de « Régal canin ». Il les avala en poussant des grognements et sembla les savourer...

Le dimanche matin, je flânais, lorsque soudain, en regardant ma montre, je me souvins qu'il fallait que je me dépêche si je ne voulais pas arriver en retard pour la promenade que Drake et moi avions projeté de faire avec les filles.

Nous nous amusâmes bien à la campagne. Drake vagabonda dans un fourré de chênes et Virginie, en gloussant, laissa tomber une chenille dans mon cou.

Il faisait nuit quand je rentrai à la maison. Même avant de pénétrer à l'intérieur, je remarquai que toutes les lampes étaient allumées et qu'il régnait partout une grande confusion.

Lorsque j'ouvris la porte, je trouvai tante Muriel debout dans le hall, en proie à une sorte de crise de nerfs. Amy était auprès d'elle, tenant une bouteille de sels à la main.

« C'est Teddy, parvint à articuler ma tante lorsqu'elle me vit. Oh! Charles, il est... »

Je passai un bras autour d'elle, pour la réconforter, et ma tante fondit en larmes, qui dégoulinèrent sur la couche de talc qui couvrait ses joues et atteignirent le col blanc et haut qui entourait son cou.

« C'est Teddy, gémit-elle. Oh! Charles, il est mort. »

Inconsciemment, je m'étais attendu à cette nouvelle. Pourtant, je sursautai :

« Qu'est-il arrivé? demandai-je.

— Je l'ai laissé sortir dans la cour il y a trois heures environ. Il est resté dehors très longtemps et finalement je suis allée le chercher. Je l'ai appelé et appelé. Enfin, je l'ai trouvé sous les rhododendrons. Il était *extrêmement* malade. Alors, j'ai immédiatement fait appeler le docteur, mais quand il est arrivé, le pauvre petit Teddy... était... était mort. Quelqu'un a dû l'empoisonner. »

Elle recommença à pleurer.

Je caressai l'épaule de ma tante et lui murmurai des mots affectueux, mais mon esprit était occupé. Qui pouvait avoir fait ça? L'un des voisins? Teddy était une petite bête tranquille, mais il aboyait de temps en temps et il y a des gens qui n'aiment pas les chiens.

« Le docteur Jones a été si gentil et si compatissant! Il a emmené Teddy dans un sac. Il connaît un type qui va *l'empailler.* »

L'empailler? Je sentis la sueur couler contre mes

omoplates et le long de mes bras. Machinalement, je sortis mon mouchoir de ma poche et le tendis à ma tante.

Elle le prit et se mit à s'essuyer les yeux.

« C'est une telle consolation pour moi, dit-elle en se mouchant, de penser que la dernière... journée... qu'il a passée sur terre... a été si agréable pour lui. »

Je la conduisis dans sa chambre et lui préparai un soporifique. Je restai auprès d'elle pendant qu'elle buvait et lui parlai doucement en caressant sa main. Au bout d'un moment, elle fut plus calme et je pus aller dans ma chambre.

Je restai étendu sur mon lit, fixant les taches du plafond. Mon cœur battait fort et vite. Bientôt, je fouillai dans ma poche, en tirai une cigarette et commençai à fumer.

Je vidai le paquet tandis que je demeurais sans bouger, regardant le plafond et ne pensant à rien. Je m'efforçais, presque inconsciemment, d'empêcher mon esprit d'explorer un terrain que je lui interdisais. Vers minuit, je me déshabillai et me couchai.

Le lendemain, je me sentis légèrement abruti. J'avais dormi, mais ça ne m'avait fait aucun bien. Tante Muriel arriva dans la salle à manger un peu plus tard. Ses yeux étaient rouges. Je lui dis bonjour et allai dans le jardin.

Le temps était lourd et couvert et je n'avais pas envie de faire quoi que ce soit. J'enlevai quelques boutons aux pivoines, coupai quelques branches ici et là, et me décidai à tailler les cerisiers du Japon. Il y avait longtemps que j'aurais dû le faire. Lorsque j'eus fini, j'allai dans la resserre pour prendre de l'huile de lin et fabriquer un cataplasme pour mettre sur les blessures des arbres.

Essayant d'atteindre l'huile, je fus frappé par la vue d'un objet que je ne connaissais pas et qui était rangé dans le coin. C'était un bidon d'arséniate de plomb. L'étiquette portait le crâne et les tibias croisés qu'on met toujours sur les poisons mortels. J'ouvris le bidon. Un centimètre de hauteur du liquide avait disparu.

Naturellement, cet arséniate de plomb avait pu être dans la resserre auparavant. Je n'étais pas sûr qu'il n'y eût point été et je m'agrippais à cette idée : je n'en étais pas sûr!

Je ne me rappelle plus ce que je fis le reste de la journée. Probablement, bricolai-je dans le jardin, m'appliquant à ne pas penser jusqu'à l'heure du déjeuner. Tante Muriel m'appela une fois par la fenêtre et me demanda si je ne voulais pas manger; je lui dis que je n'avais pas faim.

Je suppose qu'elle passa toute la journée à regarder la caisse de Teddy dans le salon.

Enfin, je me ressaisis. Deux ou trois jours plus tard, quand on rapporta Teddy de chez le naturaliste, j'avais rejeté toute l'histoire si loin de moi que mes réactions passées commencèrent par me paraître aussi comiques qu'inexplicables.

Même lorsque tante Muriel prit ses crayons et fit une interminable série de croquis du petit animal empaillé, je n'en fus pas gêné. Si quelqu'un m'avait posé une question, j'aurais répondu qu'il me paraissait normal qu'elle veuille dessiner ce chien qu'elle avait tellement aimé.

Tandis qu'elle recommençait inlassablement à faire le portrait de Teddy, je me mis à recouvrir la maison. C'était un travail très dur parce que la demeure de tante Muriel avait des tourelles démodées et des coupoles, et que l'été était déjà bien avancé.

Tante Muriel me pressait de me reposer, mais je ne pouvais pas rester tranquille.

Après le toit, je décidai de construire une cabane en lattes pour y ranger les plants. Virginie et moi avions rendez-vous ensemble presque toutes les nuits et je me disais à moi-même que tout allait très bien.

Je remarquai que je maigrissais légèrement, mais régulièrement. Et j'attribuai cette perte de poids au trop grand nombre de cigarettes que je fumais.

Par une nuit très chaude, vers la fin du mois d'août, ma tante sortit le paquet de dessins qu'elle avait faits de Teddy et je les regardai avec elle.

« Je crois que je vais essayer encore pendant quelques jours, dit-elle, lorsque j'eus mis de côté le dernier croquis. Et ensuite, il me faudra trouver quelque chose d'autre. »

Elle avait l'air triste.

« Oui », répondis-je sans m'engager.

J'avais si bien réussi à chasser mes préventions que je ne comprenais pas pourquoi ce sujet me mettait mal à l'aise.

« Charles, continua-t-elle au bout d'une minute. (Elle avait l'air plus déprimé que jamais.) Tu as rendu une vieille femme très heureuse. Cette Virginie avec qui tu sors, est-ce que tu *l'aimes?*

— Euh... euh... euh... Oui, je l'aime.

— Eh bien, j'ai réfléchi. Cela te plairait-il, Charles, si... si... je t'avançais l'argent nécessaire pour monter une affaire de pépiniériste, ici, à Downie? Tu sembles avoir un véritable *talent* pour ce métier. Naturellement, tu me manqueras, mais, si tu le *désirais vraiment,* je suis sûre que tu pourrais être heureux avec Virginie et... »

Elle étouffa et ne put continuer.

La chère femme! Je me levai, fis le tour de la table pour aller l'embrasser. Je pus lui dire combien cet arrangement me rendrait heureux et combien j'avais désiré faire justement ce qu'elle suggérait. Une affaire à moi, et Virginie comme épouse! Elle était meilleure qu'une fée!

Nous restâmes à discuter les plans de la pépinière : l'endroit, le stock, la politique publicitaire, tous projets que je trouvais passionnants, et tante Muriel paraissait éprouver du plaisir à écouter ce que je disais.

Lorsque je montai me coucher, je me sentais si exalté que je crus ne jamais me mettre au lit. Je sifflais en me déshabillant. Et je m'endormis dès que j'eus la tête posée sur l'oreiller.

Je m'éveillai vers trois heures du matin, l'esprit rempli d'une conviction inaltérable. C'était comme si ce que j'avais seulement soupçonné, ce que je m'étais efforcé d'oublier, avait pris forme et était devenu, tandis que je dormais, une certitude incontestable.

Je m'assis sur le bord de mon lit, tremblant, dans mon pyjama.

Tante Muriel allait me tuer.

Tendrement, à regret, elle allait mettre du poison dans ma nourriture ou dans ma boisson. Tendrement, à regret, elle allait suivre mon agonie en redressant mon oreiller.

Avec des larmes dans les yeux, elle attendrait qu'il soit trop tard pour appeler le docteur. Elle serait terriblement malheureuse. Lorsque je serais mort, elle donnerait mon corps au meilleur embaumeur de Downie pour me faire embaumer.

Une semaine plus tard, après m'avoir dessiné tous les jours pendant dix-huit heures, elle m'ensevelirait dans la terre, toujours avec regret, mais son regret serait un peu allégé par la certitude que mes derniers jours passés sur terre avaient été des jours heureux. L'histoire de la pépinière et celle de mon mariage avec Virginie Drake équivaudraient pour moi au collier rouge et à l'os parfumé au chocolat de Teddy.

Je réfléchis encore à la logique de mon raisonnement. Il me parut sans faille. Mais il me restait une chose à faire : me rendre compte par moi-même.

J'enfilai mon peignoir de bain, suivis le couloir sur la pointe des pieds et descendis au rez-de-chaussée... Quand j'arrivai à la resserre, j'allumai des allumettes et cherchai jusqu'à ce que je trouve l'endroit sur la planche où aurait dû se trouver l'arséniate de plomb... Il n'était pas là.

De retour dans ma chambre, je m'habillai, jetai mes affaires dans ma valise et m'enfuis selon la manière classique. C'est-à-dire que je nouai mes draps ensemble, les attachai à une colonne du lit et me laissai glisser jusqu'au sol. J'attrapai à la gare le train de cinq heures et demie pour la ville.

Je n'ai jamais plus entendu parler de tante Muriel. Lorsque je fus à Los Angeles, j'écrivis quelques cartes à Virginie, sans donner l'adresse, juste pour lui dire que je ne l'avais pas oubliée... Au bout de quelque temps, je trouvai un emploi, rencontrai une fille charmante. De fil en aiguille, nous nous mariâmes.

Mais je donnerais beaucoup pour savoir une chose : qu'est-ce que tante Muriel a dessiné ensuite?

# L'amour qui saigne

par

PHILIP MAC DONALD

*Traduit par Odette Ferry*

CYPRIAN n'aimait pas se dépêcher pour dîner, aussi avaient-ils mangé de bonne heure. Et, à huit heures, il était seul avec sa tasse de café dans le salon d'Astrid, tandis que cette dernière était dans sa chambre à coucher, d'où il ne pouvait ni la voir ni l'entendre. Elle était en train de passer une robe qui convenait mieux à la réception ennuyeuse à laquelle ils se rendaient tous les deux.

L'appartement d'Astrid était très calme, très confortable. La bonne était partie, le dîner terminé, de sorte qu'aucun bruit ne venait ni de la salle à manger ni de la cuisine, qui pût détruire la paix. Et ils avaient beaucoup de temps devant eux. Oui, beaucoup de temps, car ils n'avaient pas besoin d'être chez les Ballard avant neuf heures et demie au plus tôt.

Cyprian s'étendit voluptueusement. Il prit sa tasse de café sur la cheminée, la vida et la remit à sa place. Pendant quelques instants, ses doigts caressèrent la délicate porcelaine.

Il arpenta la pièce. Il pensait qu'Astrid l'avait arrangée avec beaucoup de goût. Il prit du plaisir à apprécier le mélange des couleurs mises en valeur par les lumières douces, l'harmonie des meubles, le choix et les sujets des peintures.

Il retourna vers la cheminée et prit le fragile verre à liqueur en forme de chardon qui était à côté de la tasse vide. Il ne pouvait se rappeler ce qu'il avait contenu et le renifla : ses fines et sensibles narines frémirent lorsqu'il sentit l'arôme amer de l'orange. Il sourit : il aurait dû savoir qu'Astrid ne commettait jamais d'erreurs.

Il but lentement et le chaud alcool râpa agréablement sa langue. Il se retourna et se regarda dans le grand miroir suspendu au-dessus de la cheminée, et fut satisfait de ce qu'il y vit. Ce soir-là, son image se refléta telle qu'il souhaitait qu'elle fût. Avec beaucoup d'intérêt, il s'étudia dans la glace; la délicate pâleur de son visage aux pommettes saillantes, aux paupières lourdes, la bouche bien dessinée dont un coin semblait toujours se relever en signe de moquerie — moquerie qui, du reste, n'était jamais exagérée —, les longs doigts fuselés, la main qui arrangeait avec une dextérité langoureuse le nœud de cravate qui rehaussait si bien la richesse neigeuse et soyeuse de la chemise et du col.

L'éclat bleu du lapis-lazuli de sa bague le fit penser à Charles et à l'époque où Charles la lui avait donnée. Il se détourna du miroir, prit une nouvelle gorgée d'alcool et se mit à souhaiter que Charles fût là. Quand reviendrait-il du Venezuela? Il attendait avec beaucoup d'impatience la rencontre de Charles et d'Astrid, bien qu'il ne fût pas très sûr de la première réaction de Charles.

Astrid serait parfaite, naturellement et, après tout, Charles se rendrait rapidement compte de ce qu'elle était, c'est-à-dire une fille absolument charmante en même temps qu'une grande dessinatrice. Il se mit à jouer en imagination avec l'idée de faire travailler Charles également. Astrid ferait les maquettes, Charles se laisserait aller à son goût des décors macabres et bizarres et *Abanazar,* la pièce de Cyprian Morse, serait la production la plus sensationnelle qu'on aurait jamais montée au théâtre.

Cyprian finit sa liqueur et reposa le verre. Il méditait encore sur les possibilités d'*Abanazar* et il se laissa tomber dans un fauteuil profond. Il s'aperçut alors qu'il avait les yeux exactement au niveau de la table à café sur laquelle se trouvait un portrait d'Astrid qu'il n'avait jamais vu auparavant. C'était une excellente photo, éclairée d'une façon curieuse et intéressante, et la caméra avait saisi et enregistré ce petit sourire désabusé, dont certains disaient qu'il gâchait son visage mais qui, pour Cyprian, résumait en quelque sorte tout ce qu'il aimait en elle. Il continua à contempler le portrait et il pensa, comme il l'avait pensé souvent en la regardant vraiment, combien un sourire était nécessaire. Sans cela, il eût été impossible de savoir que la féminité éclatante et presque agressive d'Astrid était uniquement un accident. Impossible de se rendre compte qu'elle n'avait aucune folle vanité, mais qu'elle était simplement la meilleure des dessinatrices, et — c'est ce qu'il croyait de plus en plus au fur et à mesure que leur association devenait plus stable — la meilleure des amies.

Il s'étira de nouveau et s'installa plus confortablement dans son fauteuil. Il avait son humeur de l'après-dîner, celle qu'il préférait, et qu'il ne trouvait que lorsqu'il avait bu un tout petit peu trop. La béatitude enveloppait ses sens, comme une gaine cache le fil affûté d'une lame. Il y avait sur la table, près de la photographie, un magazine vers lequel il tendit un bras paresseux. C'était le numéro du mois dernier de *Manhattan* : il l'ouvrit à la page des théâtres, sur le début d'une longue et brillante critique de Burn Heyward consacrée au *Triangle carré*. Il connaissait l'article presque par cœur. Néanmoins, il se remit à le lire en le savourant. Cela commençait ainsi : *Cyprian Morse triomphe de nouveau,* et continuait sur le même mode, jusqu'au tout dernier paragraphe : *Il n'y a aucun doute qu'en dépit de sa jeunesse et (dans ce cas du moins) du choix douteux de ses sujets, Morse soit l'un des auteurs dramatiques les plus importants d'aujourd'hui. Et, en tout cas, le plus important d'Amérique...*

Il entendit la porte s'ouvrir derrière lui, laissa le magazine retomber fermé sur ses genoux, et dit sans se retourner :

« Vous êtes prête?

— Cyprian », répondit la voix d'Astrid.

Il y avait quelque chose d'étrange dans cette voix, un son qui, inexplicablement — comme s'il se fût agi d'une horrible hallucination — sembla modifier la forme même de chacune de ses pensées et de ses sensations. Sa béatitude de tout à l'heure s'était changée en une appréhension vague qui le faisait frissonner.

« Cyprian », répéta la voix.

Et, d'un seul bond spasmodique, il fut sur ses pieds. Une fois debout, il se trouva face à face avec Astrid.

Il la fixa avec une stupéfaction épouvantée et l'inutile espoir de s'être trompé. Il se mit à trembler et il eut l'impression que ses cheveux se dressaient tout droits sur sa tête.

Elle s'avança vers lui, lentement, et il se recula. Il ne fallait pas qu'elle le touchât. Non, il ne fallait absolument pas!

Elle s'approchait inexorablement. Elle lui tendait ses bras. Il ne savait pas qu'il continuait à reculer, jusqu'au moment où le bord de la cheminée heurta durement ses épaules. Il sentit une sueur froide et collante glisser le long de son cou, sur son front, sur sa lèvre supérieure. Son esprit luttait désespérément pour dominer son corps. Son esprit savait, qu'en réalité, il s'agissait uniquement d'un incident embarrassant, qui faisait partie de la vie courante. Son esprit savait que quelques mots, un mouvement de la lèvre, un haussement d'épaule le libéreraient non seulement à cet instant mais pour toujours. Mais ces mots, il fallait les prononcer, ces gestes, il fallait les faire et son corps s'y refusait.

Elle était tout près maintenant. Elle allait le toucher.

Elle dit de la même voix rauque :

« Cyprian, ne me regardez pas ainsi. »

Et elle ajouta :

« Je vous aime, Cyprian, vous devez le savoir... »

Les oreilles du jeune homme se mirent à tinter et il éprouva une forte nausée. Sa langue remua, comme s'il voulait parler, mais aucun mot ne sortit de sa bouche.

Elle le touchait. Elle était contre lui. Le corps de Cyprian sentait l'horrible chaleur qui se dégageait de celui de la jeune femme. Un brouillard recouvrait ses yeux et il la voyait à peine.

Puis les bras d'Astrid entourèrent son cou, doucement, mais implacablement. Il aurait voulu crier, mais les bras l'enserraient toujours plus étroitement. Elle disait quelque chose, mais les paroles ne parvenaient pas à son esprit. Finalement, il put se dégager. Oublieux de l'endroit où il se trouvait, il voulut encore faire quelques pas en arrière mais, de nouveau, les pierres de la cheminée l'arrêtèrent. Il se jeta de côté et tomba presque.

Il essaya de saisir quelque chose et sa main attrapa le bord de la cheminée. Cet appui l'empêcha de faire une chute. Sa main droite, qui se balançait, toucha un objet métallique et l'enferma entre ses doigts.

« Cyprian! disait la voix... Cyprian. »

Elle allait de nouveau le toucher. A travers un brouillard, il put la voir qui tendait ses bras vers lui.

Il y eut un bruit de métal, tandis que le reste de la garniture du foyer retombait. Il leva la main droite, qui tenait toujours le pique-feu, au-dessus de sa tête, et elle alla se rabattre, vers le bas, avec plus de force qu'il ne pensait en posséder. A travers le bourdonnement de ses oreilles, à travers le brouillard rouge qui voilait ses yeux, il entendit le bruit sourd du premier coup, il vit la forme élégante se courber, puis s'écrouler...

Le brouillard et le bourdonnement s'évanouirent et il se retrouva, à demi couché, par-dessus la chose étendue sur le plancher... Il continuait à frapper et à frapper... On eût dit qu'une puissance extérieure avait pris possession de lui, et que les coups continuaient à pleuvoir, en dehors de sa volonté.

Tantôt il tapait avec le flanc de la lourde barre, tantôt il tailladait, fouillait et coupait avec la pointe...

Puis, perçant le brouillard et le ramenant à la réalité, une douleur aiguë lui traversa l'épaule, comme s'il avait eu un muscle foulé.

Le tisonnier tomba de sa main et déchira l'épais tapis. Il baissa les yeux vers le sol et vit ce qu'il avait fait. Alors, il se couvrit les yeux avec la main et se mit à courir vers la porte extérieure de l'appartement en trébuchant et en vacillant.

Il heurta le battant, chercha la serrure en tâtonnant de ses mains tremblantes, ouvrit la porte toute grande. Il se précipita vers le couloir et, éperdu, inconscient, entra en collision avec un homme et une femme qui sortaient.

La femme alla se cogner contre le mur opposé. L'homme injuria Cyprian, le saisit par l'épaule, l'obligea à redresser son corps plié en deux et l'envoya heurter le montant de la porte. La femme jeta un coup d'œil horrifié sur Cyprian et hurla. A son tour, l'homme regarda et dit :

« Bon sang, qu'est-ce que... »

Cyprian oscilla sur ses jambes. Tout ce qui était autour de lui : les gens, les murs, les portes, les lumières, les dessins du tapis qui recouvrait le couloir, tout se mit à danser follement devant ses yeux. Pris dans cet irrémédiable tangage, il chercha un support et glissa contre le montant de la porte pour tomber, accroupi, sur le sol, tenant entre ses mains sa tête qui tournait.

La femme disait :

« Regarde-le. *Regarde-le,* d'une voix tremblante. C'est du *sang!* »

Et l'homme dit gravement :

« Qu'est-ce qui se passe ici? »

Cyprian gémit et commença à vomir. Au-dessus de lui, l'homme continuait :

« Je vais jeter un coup d'œil à l'intérieur. »

Et il pénétra par la porte restée ouverte.

La femme le suivit et alors apparut dans l'esprit de Cyprian la première et soudaine conscience du danger suspendu au-dessus de lui. Bien qu'il fût secoué par un nouveau spasme, l'instinct de préservation naquit en lui et, lorsque la femme se mit à crier dans l'appartement, déjà il se murmurait à lui-même : « ... il y avait un homme... il est sorti par la fenêtre... »

Le long cauchemar commençait.

Sortie précipitée de l'homme et de la femme. Cris. Portes qui s'ouvrent. Des gens. D'autres cris. Tentative pour se relever suivie d'une chute. Encore d'autres hommes; l'un en manches de chemise, l'autre en veston debout devant lui, comme des gardiens. Sirènes qui hurlent. Sifflets. Bruit. Voix. Portes d'ascenseurs qui claquent. Pas qui courent dans les corridors. Voix nouvelles, dures et différentes. Hommes en uniforme. Visages qui s'en vont. Autres visages qui s'approchent pour le regarder, surgissant derrière les voix dures. Main aussi impitoyable que celle de Dieu qui l'oblige à se tenir debout...

Il voulait de l'aide. Il cherchait du secours... « Il y avait un homme... il est sorti par la fenêtre... »

Il avait besoin d'un ami. Il avait besoin de Charles. Charles saurait ce qu'il fallait faire. Charles parviendrait à une transaction avec ces rustres lourdauds.

« ... Il y avait un homme... il est sorti par la fenêtre... »

Et Charles se trouvait à des milliers de kilomètres.

Le cauchemar continuait. Les questions. D'abord dans la pièce où des hommes — qui n'étaient pas en uniforme cette fois — examinaient l'horreur gisant sur le sol. Ils se murmuraient des paroles les uns aux autres, ils prenaient des mesures, ils allumaient des flashes, faisaient des photos et gribouillaient des notes dans leurs carnets.

Puis, dans une autre pièce, après un voyage infernal accompagné par le cri des sirènes, dans une voiture pleine de monde. Des questions. Encore des questions. Toutes posées avec la certitude, la *connaissance* qu'il avait fait ce qu'il ne devait pas admettre avoir fait.

Des questions. Et la lumière blanche qui blessait ses yeux. Sa gorge serrée et ses lèvres qui ne pouvaient rien articuler. Tout son corps qui tremblait. L'intérieur de sa tête qui tremblait aussi.

« Pourquoi l'avez-vous tuée?

— A quelle heure l'avez-vous tuée?

— Dans quel but l'avez-vous tuée? Qu'avait-elle fait?

— Depuis combien de temps l'aviez-vous tuée, lorsque vous vous êtes sauvé?

— Ce n'est pas moi... ce n'est pas moi... Il y avait un homme... Il est sorti par la fenêtre...

— Très bien : il y avait un homme. Et il est sorti par la fenêtre. Qu'est-ce qu'il a fait. Il a sauté? Il s'est envolé?

— Vous ne pensez pas qu'on va avaler ça, hein?

— Ouais. Comment croyez-vous vous en sortir avec cette histoire?

— Je vous le dis : il y avait un homme... Il est

sorti par la fenêtre... Par l'escalier de secours...

— Vraiment? Et il a laissé toutes vos empreintes sur le tisonnier?

— Ouais. Et il a fait gicler tout le sang de la femme sur vous?

— Allons, écoutez, monsieur Morse. C'est absolument certain que vous avez tué cette femme. Les preuves sont accablantes. Ne comprenez-vous pas que votre attitude vous nuit?

— Je dis la vérité. Il y avait un homme. Je... je... j'étais dans la salle de bain. J'ai entendu un bruit. J'ai couru dans la pièce. J'ai vu Astrid. Il y avait un homme. Il enjambait la fenêtre. Je vous dis la vérité.

— Bon. Alors vous dites la vérité. Par quelle fenêtre cet homme est-il parti?

— Ouais. Et comment a-t-il pu la fermer derrière lui?

— Euh... je... je ne sais pas... La fenêtre au... au bout... du mur. Près de l'escalier de secours...

— Quelle fenêtre? A droite vers la rue? Ou à gauche?

— Ouais. Laquelle? L'une d'elles était fermée, mon gars. Laquelle? »

Des questions. Et la lumière. Des questions tout autour de lui. Des questions posées par des visages. Des visages rudes et brutaux. Des visages de renard. Ils commençaient à s'associer aux voix.

Et un autre visage, avec de sages yeux gris qui l'observaient constamment. Un visage sans voix. Un visage dans le coin. Un visage plus effrayant que tous les autres visages qui avaient des voix.

La fatigue. D'abord un cœur mort d'épuisement. Puis l'épuisement qui gagne tout le corps, dominant peu à peu les autres sentiments.

Jusqu'à ce que la peur commence à disparaître... disparaître... presque disparue...

« Pourquoi n'en finirions-nous pas avec cette histoire, Morse?

— Oui. Nous savons que c'est vous qui l'avez tuée et vous savez très bien que nous le savons. Pourquoi ne pas l'avouer?

— Ouais. Qu'en diriez-vous, mon vieux? Pourquoi ne pas faire une bonne petite confession pour vous en débarrasser? »

La peur tremblota, à nouveau réveillée.

« Ce n'est pas moi... Ce n'est pas moi... Ce n'est pas moi... Il y avait un homme, quand j'ai couru dans la pièce, il enjambait la fenêtre... »

Pendant quelques instants, une image se forma derrière ses yeux. Une image de Charles, grand, rude, élégant, dangereux, une épaule un peu plus haute que l'autre, une cigarette pendant au coin de sa grande bouche, son visage ridé, que crispait davantage encore un sourire dominateur. Charles qui entrait par la porte, qui s'encadrait souvent sur le seuil, debout, et qui abaissait son regard vers les visages, ces stupides visages d'animaux rusés...

Puis il ferma les yeux et sa tête s'inclina en avant. Puis plus rien. Plus rien, sinon la sensation du dessus de table, râpeux, qui touchait sa joue. Et un parfum fantomatique de savon, de crayons et d'agonie.

Une main dure étreignant son épaule. On le secouait. Sa tête se balançait d'avant en arrière, comme celle d'une marionnette...

Une nouvelle voix, calme, aiguë, chargée d'autorité :

« Ça suffit. Laissez-le tranquille. Schraff, allez

chercher le docteur Innes. Ce n'est pas un clochard que vous êtes en train d'interroger! »

Sa tête était de nouveau appuyée sur la table. Des voix murmuraient tout autour de lui, mais ne s'adressaient plus à lui maintenant.

Conscience de quelqu'un, debout, près de lui. On ne le touchait pas. On était debout près de lui.

Il ouvre les yeux. Il a obligé ses muscles à soulever ses paupières alourdies. Il voit les sages yeux gris qui le regardent, l'observent, comprenant tout. Il fixe les yeux gris avec ennui et se pose d'ennuyeuses questions. Puis il laisse retomber ses lourdes paupières sur ses pupilles.

La porte s'ouvre. Des pas rapides. Des mains impersonnelles se posent sur lui. Des mains de médecin. Il tâte ses tempes, son poignet. Il incline la tête insupportablement lourde et relève les paupières d'un doigt habile.

Murmures au-dessus de sa tête. On lui enlève délicatement son veston. On lui relève les manches de sa chemise.

Pause indéfinie... puis les doigts sur son bras et la piqûre d'une aiguille...

Lorsqu'il se réveilla, il ne vit que du gris. Une couverture grise sur lui, des murs gris, une porte avec des barreaux gris, de la lumière grise filtrant au travers d'une petite fenêtre grillagée.

Pendant un temps, qu'il ne put évaluer, la drogue arrêta la montée des souvenirs. Mais, finalement, avec une impression de vide gris et désagréable dans son estomac, la mémoire lui revint. Et la peur aussi. Une peur encore pire parce qu'elle s'était émoussée un peu et ne l'envahissait plus tout entier. Il y avait maintenant place pour la honte et l'horreur qui se mêlaient à la crainte et l'augmentaient.

Il rejeta sa couverture, posa ses pieds sur le sol, mit ses coudes sur ses genoux et laissa tomber son visage entre ses mains.

Un bruit résonna. Il leva convulsivement la tête et vit un garde en uniforme qui se dirigeait vers la cellule. Il portait une grande valise qu'il posa à terre, tandis qu'il verrouillait la porte. Sur le côté de la valise, il y avait ses initiales C. M. et Cyprian s'aperçut, avec une triste surprise, qu'elle lui appartenait. Charles la lui avait donnée à Londres. Il s'entendit demander :

« Comment avez-vous eu ça? »

Le garde le regarda et répondit :

« Ça vient de votre appartement. Il y a des vêtements, de quoi vous raser, etc. »

Il avait des manières étranges, à la fois précises et évasives, officielles et légèrement flagorneuses.

Il vint plus près de Cyprian, le regarda et dit :

« C'est Mr. Friar qui a arrangé tout ça. Il vous enverra tout ce que vous voudrez. »

Un petit rayon de chaleur s'alluma quelque part et ranima un peu Cyprian. « Ce doit être John Friar », pensa-t-il.

Le gardien demanda :

« Vous voulez quelque chose maintenant? Petit déjeuner? Ou seulement du café? »

Cyprian continuait à le regarder fixement. Son esprit était si occupé qu'il ne comprenait les mots que longtemps après qu'ils avaient été prononcés.

« Café, dit-il enfin, seulement du café. »

L'homme acquiesça, alla vers la porte, la rouvrit et s'arrêta :

« Voulez-vous voir les journaux? » dit-il par-dessus son épaule.

Cette fois, les mots pénétrèrent rapidement. Cyprian se recula, comme s'il avait reçu des coups.

« Non, fit-il, non, non. »

Il ferma les yeux et les garda hermétiquement clos jusqu'à ce qu'il eût entendu le claquement de la porte qu'on referme et le bruit des pas qui s'éloignent. Un tremblement le secoua à l'idée des journaux et, de nouveau, il se cacha le visage entre les mains. Des manchettes, qui se déroulaient indéfiniment, passaient devant ses yeux avec toute la gamme des adjectifs :

*UN FAMEUX AUTEUR DRAMATIQUE ACCUSÉ DU MEURTRE D'UNE DESSINATRICE...*

*CYPRIAN MORSE MIS EN ÉTAT D'ARRESTATION POUR LE MEURTRE DE SON ASSOCIÉE, BRUTALEMENT ET MORTELLEMENT FRAPPÉE...*

*PARK AVENUE, CRIME PASSIONNEL ET DIABOLIQUE. UNE CÉLÈBRE BEAUTÉ DU MONDE DU THÉATRE AFFREUSEMENT TAILLADÉE. MORSE, PERSONNALITÉ DE BROADWAY, EMPRISONNÉ...*

Il grogna et se retourna de tous les côtés. Il pressait désespérément les paumes de ses mains contre ses yeux, jusqu'à ce qu'un brouillard rouge s'insinuât sous ses paupières, mais le déroulement, en un flot inépuisable de mots, continuait inlassablement.

Il sauta à terre et se mit à arpenter sa cellule. Heureusement, il entendit un nouveau bruit de pas dans le couloir et il se domina. Il était assis sur le bord de son lit lorsque le gardien revint avec un plateau.

Il grommela des remerciements et tendit la main vers la cafetière. Mais il tremblait si fort que, sans parler, l'homme remplit la tasse pour lui.

Il but avidement et sentit la force lui revenir. Il leva les yeux et dit :

« Est-ce que je pourrais... euh... serait-il permis d'envoyer un télégramme?

— Peut-être. Avec l'autorisation du directeur de la prison. »

Le gars fouilla dans sa poche, sortit un petit calepin et un bout de crayon :

« Voulez-vous l'écrire? »

Cyprian prit ce qu'on lui donnait. Une nouvelle fois, il murmura un remerciement. Il ne regardait pas l'homme; il n'aimait pas ses yeux. Il commença à écrire. Il n'avait pas besoin de réfléchir : il n'avait qu'à laisser le crayon courir sur le papier :

CHARLES DE LASTRO. HOTEL CASTILLA VENEZUELA. AI DE GRAVES ENNUIS. AI DÉSESPÉRÉMENT BESOIN DE TOI. TE SUPPLIE DE VENIR. RÉPONDS AUX BONS SOINS DE JOHN FRIAR. CYPRIAN.

Il rendit le calepin et le crayon. Il observa l'homme qui lisait ce qu'il avait écrit. Il interrogea :

« Alors? » et il rencontra les yeux dans lesquels une lueur s'était allumée en l'observant.

« I' m'semble que ce sera approuvé. »

Le gardien se tourna et alla vers la porte.

« J' m'en occupe. »

De nouveau, le bruit des pas décrut et Cyprian se retrouva seul. Sa main était plus ferme à présent et il se servit une autre tasse de café. Il fallait faire n'importe quel geste; n'importe quel acte pour ne pas penser.

Il vida sa tasse. Il prit sa valise, la posa sur son lit et l'ouvrit. Pour se contraindre à l'activité, il se lava, se rasa et mit des vêtements qu'il avait trouvé emballés : un costume de flanelle bleu marine, une chemise en soie blanche, une simple cravate marron.

Il se sentit un peu mieux. Il lui était plus facile de croire qu'il était Cyprian Morse et il adressa des remerciements silencieux à l'intention de John Friar.

Mais il n'avait plus rien à faire à présent et, s'il n'y prenait garde, il allait peut-être être obligé de recommencer à penser. Il alluma une cigarette, qu'il sortit de la boîte placée dans la valise, et se remit à arpenter la cellule. Il y avait cinq pas dans un sens et six dans l'autre...

Ainsi, il était Cyprian Morse. Peut-être se sentait-il mieux après tout. Peut-être...

Encore des pas dans le corridor. Une, deux, trois personnes différentes.

John Friar, lui-même, avec un autre homme et le gardien, qui ouvrit la porte, se rangea pour laisser entrer les visiteurs, puis referma la porte derrière lui et resta debout à l'extérieur, le dos tourné contre le battant.

John Friar prit la main de Cyprian entre les siennes et la serra très fort. Il était pâle et avait l'air tendu. Il avait moins que jamais l'air d'un producteur à succès. Il ressemblait bien davantage à quelque Abe Lincoln rongé de soucis. L'homme qui l'accompagnait était beaucoup plus grand que lui; c'était une sorte de géant dégingandé et courbé, dont la tête était couverte d'un chaume blanc et dont le visage, invraisemblablement couturé, n'était ni celui d'un saint ni celui d'une gargouille, mais, pourtant, avait un peu des deux.

John Friar dit :

« Cyprian! »

Sa voix n'était pas tout à fait ferme. Il fit un geste vers le troisième homme et dit :

« Julius, je vous présente Cyprian Morse... Cyprian, voici Julius Magnussen. »

Une vaste paire de mains reprit la main de Cyprian et l'enveloppa avec une surprenante gentillesse. Et Cyprian se retrouva, levant la tête, bien qu'il fût grand. vers deux yeux sombres et indéchiffrables qui ressemblaient à deux perles de jais sous des sourcils blancs et broussailleux.

John Friar dit :

« Julius prend votre déf... votre affaire en main, Cyprian, et vous savez ce que ça signifie.

— Je le sais parfaitement, fit Cyprian, qui espéra qu'ils n'entendraient pas le tremblement de sa gorge. Existe-t-il quelqu'un en Amérique qui l'ignore? »

Magnussen grommela. Il se détourna, se plia en deux et s'assit sur le bord du lit gris. Il regarda Cyprian et dit :

« Racontez-moi ce que vous savez. » Puis il se recula et ajouta : « Asseyez-vous ici. »

Cyprian obéit machinalement mais il ne put continuer à rencontrer le regard sombre et il y renonça. Il jeta un coup d'œil à John Friar et essaya un sourire. Il dit, s'adressant à Magnussen :

« Naturellement. »

Et puis, faiblement, car toute la peur et toute l'horreur des souvenirs venaient, encore une fois, d'envahir son esprit, il continua :

« ... Euh... euh... où... où voulez-vous que je commence?

— Par le commencement, monsieur Morse », répliqua Magnussen.

Et Cyprian poussa un profond soupir, comme pour calmer le tremblement qui naissait en lui. Mais ce tremblement ne s'arrêtait pas. De son corps, il gagnait sa tête. De nouveau, Cyprian était jeté dans un cauchemar...

« Je... je ne peux pas... je ne peux pas...

— Cela serait-il plus facile si je vous posais des questions? »

Des questions? L'antienne reprenait. Frayeur... questions... frayeur, frayeur, fatigue. Mais c'était pire maintenant : il fallait se cacher de ses amis et non plus de ses ennemis.

« Il faut que je vous le demande : avez-vous tué cette femme, Astrid Halmar?

— Non... non... non... Il y avait un homme... il est passé par la fenêtre...

— Vous ne connaissez aucun ennemi que Miss Halmar aurait pu avoir?

— Non, comment le pourrais-je? Je...

— Alors, vous pensez que le meurtrier était un étranger, un rôdeur?

— Comment... comment saurais-je ce qu'il était? ou qui il était? Je ne sais rien... »

Questions. Questions. Frayeur. Réfléchir furieusement avant chaque réponse, sans que la pause ne puisse paraître évidente. Essayer de dissimuler prudemment le tourbillonnement de son esprit. Le temps s'est de nouveau arrêté. Cyprian avait toujours été ici. Il serait toujours ici.

« Ainsi, vous êtes resté dans la salle de bain, pendant plus d'une heure?

— Oui... oui... j'y suis allé immédiatement après le dîner. Juste lorsque... juste quand la bonne a quitté l'appartement.

— Vous sentiez-vous indisposé? Est-ce pour cela que vous y êtes resté si longtemps? Aviez-vous mangé quelque chose que vous n'aviez pas digéré? »

Une perche. Une perche solide. Il fallait l'attraper.

« Oui. C'est exact. J'étais malade... C'étaient les huîtres... »

De nouvelles questions. Une nouvelle frayeur. Sentir les yeux noirs fixés sur son visage, mais ne pas les rencontrer.

« Et vous étiez sur le point de sortir de la salle de bain lorsque vous avez entendu un cri? Ai-je raison? »

Une autre perche. L'attraper aussi.

« Oui. Oui. Astrid a crié...

— Et vous vous êtes précipité vers le salon en courant, en passant par le couloir?

— Oui.

— Lorsque vous avez traversé le couloir, avez-vous remarqué, par hasard, la tunique de Miss Halmar qui gisait sur le sol?

— Sa tunique? Quoi... non, je ne crois pas...

— On a trouvé sa tunique près de la porte du salon. Le meurtrier — quelle que soit la manière par laquelle il a pénétré dans l'appartement — a certainement lutté avec elle, l'a empoignée là, dans le couloir, lui arrachant sa tunique tandis qu'elle fuyait vers le salon. Je me demande si vous l'avez remarquée? »

Encore une perche?

« Je crois que oui. Il y avait quelque chose de souple... sur le sol, dans lequel mon soulier s'est pris...

— A présent, monsieur Morse, lorsque vous êtes entré dans le salon, vous avez vu la silhouette d'un homme qui disparaissait juste par la fenêtre?

— Oui, oui.

— Et vous avez vu le corps de Miss Halmar sur le sol et vous vous êtes précipité dessus?

— Oui? Bien sûr, c'est... euh... c'est ce que j'ai fait. Il fallait que j'essaie de la secourir...

— Naturellement. Maintenant, comme vos empreintes sont sur le tisonnier, vous avez dû le prendre? Peut-être l'avez-vous touché? Peut-être l'avez-vous ramassé, lorsque vous vous êtes dirigé vers elle? Il vous gênait, n'est-ce pas? »

Un soudain éclair. Comme si quelque effroyable étreinte se desserrait. La frayeur perdait effectivement du terrain. On ne lui avait pas tendu des perches accidentelles, mais, au contraire, on lui avait fourni des planches pour construire un radeau. Un radeau de sauvetage.

« Oui, c'est ça. Je m'en souviens maintenant. Le tisonnier... était posé au milieu de son corps... je... je l'ai ramassé et l'ai jeté loin d'elle...

— Et, lorsque vous avez découvert qu'elle était morte, bouleversé et horrifié, vous avez oublié le téléphone et avez couru, comme un fou, pour chercher du secours, puis, vous vous êtes évanoui?

— Oui. Oui. C'est ça, exactement. »

Questions. Questions. Mais ne plus les craindre à présent. Au contraire, les attendre. Et, aussi, être capable de rencontrer les yeux noirs et pouvoir les regarder bien en face.

La situation avait changé. La frayeur était toujours là, telle un arrière-plan permanent. Mais, devant, il y avait l'espoir...

L'espoir persista, même lorsqu'il se retrouva seul.

Et cet espoir semblait élargir la cellule, élever le plafond. Grâce à lui, le sang s'était remis à couler dans sa tête. Son cerveau travaillait à nouveau, vite et clairement, et il commença à élaborer sa défense sur la construction même dont Julius Magnussen avait posé la première pierre.

Ce travail — car c'était du travail — lui permit de vivre pendant les pénibles semaines, avec un surprenant minimum d'angoisse. Il put ainsi supporter le choc que lui causa le câble de Charles, en réponse au sien, et qui n'arriva que plusieurs jours après la date à laquelle il l'attendait.

Le télégramme disait :

*Hospitalisé par crise de malaria. Reviendrai par avion aussitôt guéri peut-être dans deux semaines. Tiens bon. Charles.*

Et ça, c'était une mauvaise nouvelle. Mauvaise à deux points de vue : d'abord, parce qu'il fallait attendre deux semaines avant que Charles vienne le retrouver; ensuite, parce que le pauvre Charles était malade.

Mais alors que Cyprian eût été complètement effondré, si ces deux malheurs l'avaient frappé avant sa première rencontre avec Julius Magnussen, à présent, il les considérait comme des adjuvants pour soutenir son espoir et son courage. Donc, il serrait les dents et redoublait d'efforts pour trouver des « souvenirs » adéquats, jusqu'au moment où il fut presque persuadé qu'au moins Friar et Magnussen le croyaient.

Cependant, il était heureux qu'il n'eût pas assisté aux réunions entre Julius Magnussen et John Friar seuls, car, alors, il eût entendu des paroles qui eussent changé son purgatoire, éclairé d'espoir, en un enfer sans rémission.

« Une sale histoire, John. N'essayez pas de vous jouer la comédie. Nous aurions besoin d'un miracle.

— Mon Dieu, Julius, voulez-vous dire que vous-même ne croyez...

— Arrêtez-vous. C'est une question que je refuse de me poser. Ou, tout au moins, à laquelle je ne veuille répondre. Contentez-vous de ce que je vous ai dit. C'est une sale histoire.

— Mais les témoignages contre lui sont indirects.

— Et c'est pourquoi ils ont de la valeur, quoi qu'on en dise dans les romans.

— Mais ils peuvent être interprétés de deux façons! Comme ces empreintes sur le tisonnier.

— Et les éclaboussures de sang sur lui et sur ses vêtements? Avez-vous pensé à cela, John? Des éclaboussures. Pas de taches, ce qui devrait être, s'il l'avait soulevée, examinée, essayé de l'aider...

— Mais ce garçon est la douceur même, Julius! Il n'a aucune méchanceté en lui. Il ne pourrait même pas tuer une mouche qui l'ennuierait!

— Peut-être. Et ne croyez pas que cet argument ne sera pas utilisé! Et même pour plus qu'il ne vaut! Pour l'amour de Dieu, c'est à peu près tout ce que nous avons. Vous connaissez Cyprian Morse, John, dites-moi comment il réagirait si on lui proposait un autre moyen de défense?

— Vous voulez dire, s'il invoquait la folie pour expliquer son geste? Mon Dieu, Julius, il n'accepterait jamais cela même si on le torturait.

— Hmmm... J'avais bien peur de cette réponse.

— Voyons, qu'est-ce que tout ça veut dire?

Qu'essayez-vous de faire? Vous n'allez pas m'annoncer que vous refusez de le défendre, n'est-ce pas?

— Calmez-vous, John. J'essaie de sauver la vie de votre prodige. C'est tout.

— Je ne comprends pas! Julius Magnussen qui a peur... Rappelez-vous les photos de la police que vous m'avez montrées. Oui, pensez-y. Pas aux blessures de la tête, mais aux autres. Pensez-y. Cyprian Morse ne peut pas être responsable d'une telle sauvagerie, d'une telle brutalité. Pensez à ce qu'on a fait à cette jeune femme, mon Dieu!... Ne comprenez-vous pas? Non?

— Oh! si, John, je comprends. Je comprends même des tas de choses! »

Mais Cyprian ne savait rien de ces conversations et, chaque fois qu'il voyait son avocat, il avait l'impression qu'une confiance toujours plus grande émanait de cet homme puissant et dégingandé, et que ses yeux noirs et pénétrants étaient de plus en plus gais.

Ainsi, les longues journées s'écoulèrent pour lui et il arriva en assez bonne forme au matin où le procès devait s'ouvrir. C'était un jeudi, et il en était content car, depuis un certain épisode de son enfance, il s'imaginait que Jupiter lui portait bonheur. En outre, un soleil brillant d'automne éclairait New York et même — ce qui était rarement arrivé, depuis qu'il était enfermé — des rais de lumière passaient à travers les barreaux de la fenêtre et se reflétaient sur le mur de la cellule.

Il s'habilla avec beaucoup de soin. Il but un grand bol de café et fit chercher un supplément; il mangea même un peu.

Il était prêt depuis une demi-heure lorsqu'on

vint le chercher. En attendant, il arpentait sa cellule, fumait trop et trop vite. Il jetait un coup d'œil, de temps en temps, sur la pile de lettres qu'il n'avait même pas lues et qu'il n'avait pas plus l'intention de lire que de regarder les visages des reporters qui se trouveraient dans la salle du tribunal. Il ne pensait pas à ce qui l'attendait. Il n'osait pas y penser, de la même manière — seulement multipliée à l'infini — qu'il ne pensait jamais à ce qui allait arriver le soir d'une première.

Aussi réfléchissait-il, avec une violence intense, à tout et à rien, excepté à ce qui allait venir. L'espoir tenace, caché à l'arrière-plan de son cerveau, devait demeurer intact.

Il en vint, naturellement, à penser à Charles. Tous les matins, il avait cru que ce jour serait celui où il aurait, enfin, de ses nouvelles. Et tous les jours, il avait été déçu. Il avait de nouveau télégraphié et écrit un petit mot que John Friar avait envoyé pour lui par avion. Mais pas de réponse. Charles devait être bien malade. Ou — et il n'osait évoquer plus d'un court et délicieux instant cette merveilleuse idée — Charles était guéri et revenu à New York : il était en route pour venir le voir. A la troisième hypothèse, en tremblant, il refusait de s'arrêter. La pensée que Charles était mort était si sombre, si terrible, si épouvantable que, pour y échapper, il aurait préféré réfléchir à son avenir immédiat s'il n'en avait été empêché par l'arrivée de son gardien.

Pour une fois, il fut content de le voir et il lui dit :

« Partons-nous tout de suite? » puis il se dirigea vers la porte.

Mais l'homme secoua la tête.

« Ils ne sont pas encore là, répondit-il. Ne vous faites pas de bile. »

Il tira de sa poche une enveloppe jaune pliée qu'il tendit à Cyprian :

« Ça vient de chez M. Friar. Il a pensé que vous seriez content de l'avoir maintenant. »

Cyprian arracha la lettre de la main tendue. Son cœur battait à tout rompre et une soudaine rougeur envahit son visage pâle. Avec des doigts dont il ignorait le tremblement, il parvint enfin à déchirer l'enveloppe et déplia la feuille qu'elle contenait. Il lut :

*Vais mieux. Sortirai de la clinique mercredi. Prendrai l'avion et arriverai jeudi. Charles.*

La rougeur s'accentua sur le visage de Cyprian. Il relut le télégramme plusieurs fois. C'était le meilleur des présages. Presque aussi merveilleux que le rêve qu'il avait fait, tout éveillé, quelques instants auparavant, voir Charles en personne. Plus merveilleux, peut-être, lorsqu'il y pensait davantage. Parce que, maintenant, sa confiance était entière et il préférait de beaucoup que toutes ces choses sordides soient finies lorsque Charles reviendrait. Peut-être les évoquerait-il quelquefois, plus tard, et seulement pour des raisons historiques et personnelles.

Il agitait ses épaules inconsciemment, comme s'il venait d'en chasser un poids insupportable. Il plia minutieusement la feuille de papier et la dissimula dans sa poche de veston. Puis il regarda le gardien et lui sourit en disant doucement :

« Merci. Merci beaucoup. »

Finalement il y eut un bruit de pas dans le couloir. Deux hommes en uniforme, qu'il ne connaissait pas, apparurent : l'un d'eux ouvrit la porte de la cellule, toute grande, le considéra sans aucune expression et dit :

« Vous êtes prêt? »

Cyprian sourit également à cet homme et sortit rapidement dans le couloir. Il se sentait léger et presque désinvolte.

Mais il n'était plus léger du tout, lorsqu'il revint huit heures plus tard dans sa cellule, où le soleil ne brillait plus à travers les barreaux. Il n'y avait que la nuit à l'extérieur et, à l'intérieur, la dure lumière froide de l'unique ampoule électrique.

Son visage tiré était blanc comme un linge. Ses épaules étaient voûtées et son corps semblait flotter dans son costume. Il titubait quand on ouvrit la porte et l'un des hommes le saisit par le bras et lui dit : « Ne vous en faites pas. »

Il se laissa tomber sur le bord de son lit et resta assis, les jambes pendantes, la tête vide, ses yeux grands ouverts fixant le plancher sans le voir.

L'escorte s'en alla et son gardien vint, suivi par le docteur, quelques instants plus tard. Il ne pouvait avaler aucune nourriture. On le mit au lit et on lui administra un sédatif. Il s'endormit presque immédiatement et on le laissa seul.

Il demeura immobile pendant trois heures, puis son engourdissement et l'effet de la drogue se dissipèrent. Alors, il se mit à gémir et à s'agiter sur son lit. Au bout d'un moment, il poussa un cri rauque, se redressa : il était réveillé.

Il se rappelait. Il essayait de ne pas se souvenir, il luttait, mais il ne pouvait empêcher sa mémoire de travailler. Il se souvenait de tout : des images brouillées apparurent d'abord devant ses yeux, suivies de lambeaux de phrases. Enfin, il ne vit plus que les cheveux gris, les yeux gris du procureur. Il entendit la lecture de l'acte d'accusation qui ouvrait le procès. Cet acte qui, point par point, période par période, avait non seulement mis Cyprian Morse à nu, mais avait détruit tout ce qui pouvait subsister d'espoir en lui.

Ce qui s'était passé après cette lecture importait peu. La conviction de la culpabilité de Cyprian Morse — dommage irréparable qu'on lui causait — avait été établie. Les témoignages, la stupide et interminable procession des témoins, qui répondaient à de stupides et interminables questions, avaient été quelques autres fers rouges dont on avait marqué sa chair. Après l'acte d'accusation, qui montrait une telle connaissance et une telle compréhension des faits, qu'on eût cru que le procureur avait vu non seulement tout ce qui s'était passé, mais l'avait vu avec les yeux et l'esprit de Cyprian — tout lui parut inutile et désespéré...

Il ne bougea pas. Il resta immobile, les yeux fixant l'abîme.

Le matin vint et, avec la lumière du jour, il entendit les gens et les vit comme s'ils étaient très éloignés. Il remua, mais il remuait inconsciemment. C'était comme si son corps était un automate et son esprit une entité séparée, indépendante des mouvements du robot.

L'automate s'habilla, mangea, but, sortit avec son esprit et avec les hommes en uniforme, pour aller s'asseoir à la même place que la veille, au milieu de la salle du tribunal bourrée de monde.

L'automate fit les gestes qu'on attendait de lui : il écouta ses amis et son avocat, répondit quand c'était nécessaire, regarda attentivement les témoins, suivit pensivement le discours de l'avocat général et entendit le président du tribunal, grincheux, décider que, puisqu'on était vendredi, la Cour se séparait jusqu'au lundi matin...

Mais son esprit, son vrai moi, était en enfer. Pendant soixante-deux heures, l'automate accomplit les vains gestes de l'existence; pendant un temps qu'il n'aurait pu mesurer, son esprit se trouva dans la fosse aux serpents.

Le lundi vint et l'automate agit en conséquence. Mais, lorsqu'il quitta la cellule, la ségrégation entre son corps et son esprit commença à perdre un peu de netteté; comme si quelque chose était survenu qui exigeait la réunion du temporel et du spirituel. Et son esprit se mit à en chercher la cause. Etait-ce son refus de voir John Friar ou Magnussen, pendant la vacance du tribunal? La manière curieuse avec laquelle son gardien lui avait apporté un journal dans sa cellule, en insistant pour qu'il le lût? Les regards que lui jetaient ses gardes dans la voiture qui l'amenait au tribunal?

Il voulait maintenir le schisme. Il s'effondrerait, pensait-il, dans le cas contraire. Mais la tentation se fit plus grande au fur et à mesure qu'il avançait et elle devint presque irrésistible lorsqu'il pénétra dans la salle du tribunal. Et alors, son esprit éprouva une différence; une étrange et troublante transformation s'était opérée dans l'esprit des gens dont les yeux le fixaient.

Il eut une nausée, il trembla et sa résistance disparut. Son esprit réintégra son corps et il se trouva, de nouveau, debout devant le monde sans une armure pour le protéger.

Ce fut le visage du secrétaire de Magnussen qui

en fut la cause. Jusqu'à présent ce visage avait toujours été maussade, grave et chargé de mauvais pressentiments. Or, soudain, il était devenu gai, amical, grâce au sourire qui l'irradiait. Tandis que Cyprian allait s'asseoir, ce sourire l'atteignit en plein visage et il sentit qu'on lui prenait subrepticement la main pour la serrer. A travers le sourire, une voix s'éleva qui murmura quelque chose qu'on ne pouvait distinguer, mais qu'on sentait chargé d'un message de la plus haute importance.

Cyprian s'assit. Il était très faible. Il se sentait sans force. Il leva les yeux vers le petit secrétaire et lui chuchota quelque chose, sans être sûr même de ce qu'il disait. Une expression de surprise se répandit sur le visage ridé. La voix tremblait d'étonnement :

« Vous ne prétendez pas, pourtant, ne pas avoir entendu! »

Sans comprendre, Cyprian hocha la tête, ce qui suffit à l'épuiser.

« Vous n'avez pas entendu parler des autres... des autres meurtres, monsieur Morse! Deux autres filles ont également été assassinées? Exactement de la même façon que Mlle Halmar... Mêmes blessures... On a trouvé, samedi, la première victime et l'autre a été découverte ce matin de bonne heure. »

Cyprian continuait de fixer son interlocuteur, de plus en plus excité.

« Mais... Mais alors, vous ne comprenez pas ce que ça signifie? » (Sa voix en tremblait.) « Un rapprochement entre les trois meurtres s'impose. Ce n'est pas vous qui avez pu tuer les deux autres... C'est l'œuvre d'un fou. Une sorte de Jack l'Eventreur. »

Des mains palpitantes tendirent un journal déplié :

« Lisez, monsieur Morse! »

D'énormes manchettes imprimées en caractères gras tremblèrent devant les yeux de Cyprian. Il les fixa enfin et retrouva sa respiration.

*LA POLICE EST INCAPABLE DE DÉCOUVRIR LE MEURTRIER DES DEUX NOUVEAUX CRIMES. LE PUBLIC RÉCLAME LA MISE EN LIBERTÉ DE MORSE!*

« Oh! fit Cyprian, dont les lèvres remuaient à peine, oh!... oh! je comprends. »

Il éprouva des picotements dans tout le corps, comme si son sang, arrêté depuis plusieurs jours, se remettait à circuler. Il dit, un peu plus fort :

« Alors... alors... que va-t-il se passer? »

Le secrétaire s'assit à côté de lui. Bien que parlant à voix basse, Cyprian eut l'impression qu'il criait dans ses oreilles :

« Ce qui va se passer? Mais, monsieur Morse, je vais vous le dire, je vais même vous le dire exactement. L'avocat général va abandonner l'accusation, aussitôt après la plaidoirie de M. Magnussen. Soyez-en certain, monsieur Morse, il va abandonner! »

Un huissier annonça la Cour d'une voix de stentor. Puis, tandis que l'assistance se levait, on entendit un froissement de robe : c'était le président du tribunal qui allait prendre place dans son fauteuil.

Et Cyprian, dont la vie se ranimait, se retrouva au milieu d'un tourbillon intemporel de faits, de sensations, d'émotions, au centre d'un véritable maelström, dont la violence contrastait effectivement avec le long cauchemar qu'il avait vécu depuis son arrestation...

Julius Magnussen se redressa de toute sa haute taille, parla de l'innocence de Cyprian avec une assurance presque dédaigneuse. Julius Magnussen interrogea les inspecteurs de police, qui comparaissaient à la barre, et les obligea à reconnaître que les trois assassinats étaient bien identiques. Julius Magnussen appela d'autres témoins, puis toisa avec hauteur l'avocat général, tandis que le procureur demandait que fût prononcé un non-lieu en faveur de Cyprian Morse. Dans ses yeux gris se lisaient une incompréhension totale et une grande confusion. Le président du tribunal prit la parole, accorda une grande commisération à Cyprian Morse, des louanges à Julius Magnussen et blâma ses adversaires...

Alors la folie atteignit son comble : Cyprian en était le centre. Des amis, des étrangers, des relations, des reporters : tous l'entouraient, jacassant, riant. Il y avait même des femmes qui pleuraient. Des flashes explosaient. John Friar s'empara de ses deux mains. Magnussen lui tapota l'épaule. Il était entouré d'une marée d'agents de police qui jouaient des coudes pour lui frayer un passage. Il y eut un court instant de tranquillité relative dans le hall et il entendit Magnussen dire à John Friar, derrière lui :

« Excusez-moi, John, vous aviez raison. »

Il monta dans la voiture de John et s'effondra sur les coussins moelleux. Puis ce fut le calme, souligné par les pneus qui crissaient sur la chaussée. Il respira et goûta la joie.

Son épouvante appartenait au passé. C'était mercredi soir et Charles devait arriver. Il était dans la voiture de John Friar, conduite par le chauffeur de John Friar.

Il faisait déjà très sombre lorsqu'ils arrivèrent dans le garage, derrière l'immeuble. Cyprian scruta l'obscurité et fut content de ne pas voir signe de vie. Il sortit de la voiture, sourit au chauffeur et lui dit avec chaleur :

« Merci, Maurice, merci infiniment. »

Il mit dans la main gantée un substantiel pourboire, lui fit un salut amical et se dirigea vers l'entrée de service de la maison. Ses pas crissèrent sur le béton. Un brouillard léger d'automne dansait devant sa bouche. Il ne voulut ni s'arrêter ni lever la tête pour regarder son atelier et voir les lumières réconfortantes qui devaient y briller. Il savait qu'ils étaient là, car John Friar avait téléphoné à ses domestiques pour annoncer le retour de Mr. Morse.

« Ce brave John, pensa-t-il, toujours plein d'attention! »

Puis aussitôt il oublia John et entra par la porte de service. Il ne rencontra personne et prit l'un des ascenseurs vides.

Il avait oublié John, comme il avait oublié tout et tout le monde, excepté Charles.

Charles serait ici demain. Et c'est pourquoi Cyprian avait voulu rentrer chez lui, le jour même, pour jeter un coup d'œil aux préparatifs.

Il aurait voulu que l'ascenseur montât plus vite et quand il atteignit la porte de service de son atelier, il ouvrit celle-ci toute grande et se trouva nez à nez, non pas avec le sourire éclatant de son domestique noir, mais avec des ténèbres froides et hostiles.

Il sortit de l'ascenseur, alluma l'électricité à tâtons, cligna des yeux sous la brutalité de la lumière. Le front plissé. il essaya d'ouvrir la porte de la cuisine. Elle n'était pas verrouillée, mais la pièce était plongée dans l'ombre. Pas un bruit. Pas un souffle.

Il frissonna de peur. Tout le chaud optimisme qui était né en lui disparut avec une soudaineté exaspérante. Il alluma d'autres lumières, traversa rapidement la cuisine claire et nette, ouvrit nerveusement une seconde porte et appela :

« Walter! Walter! Où êtes-vous? »

Bien qu'il ne fût plus dans l'obscurité, son énervement allait croissant. Les rideaux des baies vitrées n'étaient pas complètement tirés et l'on apercevait le ciel où traînait encore une pâle lumière.

Cyprian fit deux ou trois pas. Il appela à nouveau : « Walter! » et se rendit compte que sa voix montait trop haut en prononçant la dernière syllabe.

Et, derrière lui, il entendit une voix. Une voix inattendue :

« J'ai renvoyé ton domestique pour une heure ou deux. J'espère que tu ne m'en veux pas? »

Cyprian sursauta violemment. Il hoqueta : « Charles », se retourna et vit une haute silhouette, qui se détachait sur un fond de grisaille. Le sang battait à ses tempes et sa tête se mit à vaciller.

Aucune réponse ne vint et il répéta : « Charles. » Il se dirigea vers une table pour allumer une lampe qui s'y trouvait.

Une main lui enserra l'épaule, le contraignant à l'immobilité. De longs doigts, durs comme l'acier, s'enfoncèrent dans sa chair et Charles lui dit :

« Du calme. Nous n'avons pas besoin de lumière. »

Le sang de Cyprian se glaça dans ses veines. Sa

tête lui faisait mal. Il ne comprenait rien. Sa peur était plus grande maintenant qu'elle ne l'avait jamais été.

Il dit :

« Charles, je ne comprends pas... je... »

Il ne put dire un mot de plus. Il essayait de se dégager dans le vain espoir de regarder Charles en face.

« Tu vas comprendre, fit Charles. Tu te rappelles m'avoir promis de ne jamais plus me mentir?

— Oui, murmura Cyprian, la bouche sèche de peur. Laisse-moi. Tu me fais mal.

— Ah! oui? » La main ne relâcha pas son étreinte.

« Je te le jure... et je ne t'ai jamais menti depuis! Je ne comprends pas...

— Tu vas comprendre. » (L'étreinte se resserra et Cyprian eut de la peine à respirer.) « Il faut que tu répondes franchement encore à une question. Répondras-tu?

— Oui, oui, bien sûr... je répondrai.

— As-tu tué cette fille?

— Non, non... Je l'ai dit... Il y avait un homme qui est passé par la fenêtre...

— Je croyais que tu ne me mentirais plus. Est-ce que tu l'as tuée?

— Non... je... »

Les doigts de fer s'enfoncèrent encore davantage et Cyprian hoqueta...

« L'as-tu tuée? Ne mens pas.

— Oui, oui... » (Le visage de Cyprian se plissa. Ses yeux se brouillèrent de larmes et ses lèvres se mirent à trembler.) « Oui, je l'ai tuée, je l'ai tuée, je l'ai tuée... »

L'étreinte se relâcha. La main abandonna

l'épaule de Cyprian qui vacilla. La lumière de la lampe jaillit subitement dans la pièce et, comme dans un brouillard, enfin, il aperçut Charles. Puis il entendit la voix de ce dernier, calme et douce, teintée de l'ironie de jadis :

« Enfin, nous y voilà. Ce que je voulais, c'était savoir. J'aimerais bien boire un verre. »

Il s'éloigna de Cyprian et se dirigea vers le bar, de ce pas feutré qui faisait toujours penser à celui d'un chat. Et tout à coup Cyprian comprit.

Il comprit et, au même instant, il pensa à ces deux autres morts qui l'avaient, lui, sauvé de la mort.

Un cri monta à sa gorge et s'y arrêta. Il se recroquevilla sur lui-même. Charles s'avançait, le verre à la main, et le regardait en plein visage.

Les yeux de Cyprian lui faisaient mal. Il ne pouvait s'empêcher de fixer son ami. Il lui dit :

« Alors, c'était toi. C'est toi qui as tué ces deux femmes. Tu n'étais pas malade. Tu as fait envoyer les deux télégrammes par quelqu'un. Tu as su qu'Astrid était morte et tu es revenu par avion, sans que personne ne le sache. C'est bien ce que tu as fait, hein? Tu les as tuées comme des bêtes! »

Sa voix mourut dans sa gorge. Epuisé, il s'avança vers une chaise en titubant et s'y replia.

« Ne te tourmente pas, mon cher Cyprian. »

Charles avala une gorgée, le regarda par-dessus son verre et ajouta :

« Nous voilà liés pour la vie et... nous vivrons toujours heureux... »

Cyprian laissa tomber sa tête dans ses mains et gémit :

« Oh! Mon Dieu! Mon Dieu! »

# Le parfait meurtrier

par

ARTHUR WILLIAMS

*Traduit par Odette Ferry*

COMME je suis moi-même un parfait meurtrier, j'ai lu avec beaucoup d'intérêt la déclaration faite récemment par un célèbre critique de romans policiers. Celui-ci affirme que les meilleures histoires policières sont celles où l'on insiste au moins autant sur les « pourquoi » que sur les « qui » et les « comment ». Il est réconfortant de constater que, même dans le domaine de la fiction, le caractère d'un meurtrier est jugé digne d'une analyse approfondie. Jadis, on attachait trop d'importance à la découverte de l'identité du meurtrier et des moyens utilisés pour l'appréhender. D'autre part, je ne pense pas que l'on perde son temps en recherchant les « comment » puisque, en somme, c'est la méthode employée qui révèle l'individu. De plus, cela permet de savoir si le tueur deviendra célèbre en se faisant prendre ou s'il saura conserver l'incognito.

J'aimerais ajouter également que nous, meurtriers, ne commettons pas toujours de faute. Cette croyance est née du fait que seuls sont découverts par la police les meurtriers ayant commis une faute. Pour la plupart, nous sommes très compétents. Pensez, en effet, au nombre de cas effectivement découverts et au nombre de crimes qui restent impunis en dépit des multiples organisations qui nous recherchent.

Presque tous les gens s'imaginent à tort qu'un assassin est différent d'un homme ordinaire. On le décrit trop souvent en termes excessifs, tels que « monstre anormal » ou « brute insensée ». Des idées aussi mélodramatiques sont bien loin de la vérité. En fait, un assassin est un être normal, qui possède simplement le courage nécessaire pour mettre en pratique ce vieil adage : « Chacun pour soi. »

C'est donc pour rendre service aux auteurs de romans policiers que j'ai décidé de publier le récit de mon expérience de meurtrier. Et comme j'ai la chance d'être assez intelligent, je puis raconter cette histoire sans craindre des conséquences désagréables.

Je dois avouer que quand j'ai tué Susan Braithwaite, je n'éprouvais aucune animosité contre elle. Et pourtant, certains auraient pu croire que j'avais de bonnes raisons de la haïr. Je l'avais beaucoup aimée autrefois et l'aurais certainement épousée si elle n'avait pas eu la stupidité de me préférer Stanley Braithwaite. Me considérant comme un être évolué, je savais d'avance qu'elle préparait ses propres funérailles puisqu'elle épousait le gros sac. Probablement était-ce sa féminité qui m'avait attiré, or, par malheur, cette féminité subissait l'attirance de la virilité de Braithwaite, un gros rustre qui possédait cette sorte d'intelligence qui vous fait réussir. Il avait hérité une petite somme d'argent et, grâce aux gens d'affaires qu'il fréquentait, il avait pu la faire fructifier. Il s'assurait de jolis revenus en jouant à la Bourse : il n'employait pas les méthodes hasardeuses du spéculateur, mais celles moins spectaculaires du capitaliste. Il prouva bien quel homme il était lors du boum sensationnel de la Bourse de Johannesburg, quand on découvrit de l'or dans l'Etat libre d'Orange. En effet, il se contenta flegmatiquement de petits bénéfices, en dépit de la fièvre d'optimisme qui faisait rage sur le marché. Il put ainsi amasser et consolider une jolie fortune et quand vint l'inévitable récession, son argent était presque entièrement en liquide. Alors que nombre de gens étaient affectés par la crise, il acheta tranquillement des actions tombées à zéro. Et lorsque reparut l'inévitable période des vaches grasses, il avait doublé son capital. Quel homme remarquable!

Lorsque je le présentai à Susan, elle se montra très sensible à l'impression de succès qui se dégageait de lui. En vérité, il l'avait si parfaitement séduite qu'ils partirent ensemble en avion pour l'Europe, mettant ainsi un point final à nos fiançailles.

J'avais espéré ne jamais la revoir.

Dix-huit mois plus tard, on frappa à ma porte de service, j'allai ouvrir et trouvai Susan sur le seuil, une valise à la main. Elle s'installa confortablement sur le divan de mon studio et me raconta son histoire. Je ne fus pas surpris par ses révélations. La mâle assurance de Braithwaite, qu'elle avait préférée à mes modestes qualités intellectuelles, avait rapidement dégénéré en un égoïsme sordide. Il s'était montré tyrannique et, lorsqu'il lui fut impossible de supporter plus longtemps son manque de sensibilité, elle le quitta et revint vers moi : elle était certaine que je lui viendrais en aide en souvenir du passé.

Susan ne remarqua point mon manque d'enthousiasme. J'avoue que j'étais très ennuyé. Depuis son départ, elle ne comptait plus dans ma vie, et je m'étais entièrement consacré à l'amélioration de mon élevage de volailles. La ferme pouvait fonctionner sans aide extérieure car, grâce à des machines, je faisais marcher l'affaire tout seul. J'aime les volailles et j'ai toujours préféré m'en occuper moi-même.

La venue de Susan allait bouleverser ma façon de vivre. Je savais qu'il faudrait la distraire; en d'autres termes, abandonner une partie de mon travail, qui, sans être la plus importante, restait essentielle tout de même. Mes habitudes allaient être bousculées et mes trois mille poussins risqueraient de prendre froid ou de contracter une maladie quelconque.

Malheureusement, je ne pus trouver aucune excuse valable pour refuser de lui venir en aide. En outre, elle avait bien calculé l'heure de son arrivée : j'étais obligé de l'héberger pour la nuit car il n'y avait pas d'endroit au village où elle pût coucher et le premier train pour Johannesburg ne partait que le lendemain matin. Je savais qu'une nuit passée sous le même toit briserait définitivement la glace entre nous et qu'il me serait pratiquement impossible de la renvoyer ensuite. Je reconnais que j'avais été très amoureux d'elle autrefois et pendant cette crise de folie, j'avais été jusqu'à lui dire qu'elle pourrait toujours compter sur mon aide quoi qu'il advînt. Je me targue d'être un homme de parole. Et je ne pouvais supporter la pensée qu'elle irait conter à nos amis que j'étais une planche pourrie.

Je ne pouvais penser à rien d'autre tandis qu'elle me ressassait les cruautés dont son mari l'avait abreuvée. Soudain, je me rendis compte avec effroi que, dans son esprit, ma sympathie lui était acquise. D'après les bribes de phrases qui me parvenaient, je compris de quelle manière elle voulait que je l'aide et mon effroi augmenta.

Mes quelques économies fondraient entre les mains des avocats; ma vie confortable et plaisante serait troublée; la paix de mon avenir menacée par des complications. Bref, toute mon existence si parfaitement ordonnée serait complètement bouleversée. La colère montait en moi et je me dis : « Je lui tordrais volontiers le cou. »

Or, au moment de l'étrangler, je m'aperçus que c'était fichtrement difficile. Je n'osais pas l'affronter de face et c'est pourquoi je passai derrière le divan pour lui serrer le cou. Ce fut ma chance car, ainsi, je pus maintenir solidement sa tête et son cou contre le meuble, ce qui m'évita de lâcher prise lorsqu'elle se mit à se débattre, à me frapper et à essayer de respirer. Aussi, quand elle fut à bout de résistance, avais-je une position si confortable que je n'eus nul besoin de me reposer et me contentai d'attendre tranquillement sa mort.

Son visage violacé, sa langue pendante offraient un spectacle assez dégoûtant qui contrastait avec son expression animée encore récente. Sa chevelure tout à l'heure brillante avait perdu ses reflets bleus pour prendre une couleur terne et sans vie. Autrement, la vue du corps de Susan ne m'affectait pas beaucoup.

Après m'être assuré que Susan était bien morte,

je rentrai sa langue dans sa bouche et commençai à m'occuper de son cadavre selon la manière suggérée par la lecture des difficultés éprouvées par les meurtriers en pareil cas. Je me mis au travail la même nuit. Bien sûr, il n'y avait aucune urgence — il se passerait des jours et des semaines avant qu'une enquête sérieuse ne fût ouverte — mais je désirais mettre séance tenante mes théories en pratique. Le lendemain matin, j'étais levé de bonne heure, comme d'habitude, et occupé aux travaux de la ferme.

Trois semaines plus tard, John Theron, l'inspecteur de la police locale, vint me voir. Il voulait savoir ce que je savais au sujet d'une certaine Mme Braithwaite.

John Theron, inspecteur de police, n'a rien de commun avec le Johnny Theron, qu'on rencontre en dehors du service. Ce dernier, lorsqu'il est convenablement chambré, fait, pour la plus grande joie de son auditoire, un numéro de tir du meilleur style Far West, dans la cour du bistrot. Un vrai champion! Il s'accroupit à demi, tire avec une précision étonnante, le revolver posé sur chaque hanche, et regarde, sombrement belliqueux, à droite et à gauche. Puis, après les salves, il crache sur les canons des pistolets pour les refroidir, dit-il, tel un cow-boy héroïque, entouré de misérables poltrons.

Mais l'inspecteur de la police sud-africaine, John Theron, est un policier adroit et intelligent qui prend son métier au sérieux. Et je compris, à la façon dont il me questionnait, qu'il n'y avait aucun doute dans son esprit : je savais quelque chose sur Mme Braithwaite!

On avait signalé sa disparition et suivi sa trace

jusqu'à ma ferme, j'en étais sûr et c'est pourquoi je décidai de mettre Theron dans la confidence. En quelques mots, je lui racontai mes rapports d'autrefois avec Susan. J'ajoutai qu'elle était venue me voir un soir trois semaines auparavant et qu'elle était repartie la même nuit.

Naturellement, il me demanda d'autres détails : il voulait savoir pourquoi je n'avais pas informé la police de sa visite car, selon les journaux, je l'aurais vue le lendemain de sa disparition.

« Je ne lis jamais les journaux, lui répondis-je, et en admettant que j'eusse pris connaissance de l'article, je n'aurais pas signalé sa visite puisqu'elle s'était enfuie de chez son mari... Elle désirait que je lui vienne en aide mais j'ai refusé. Nous nous sommes disputés et elle s'est mise dans une telle rage qu'elle a quitté la maison en y laissant son chapeau, ses gants et sa valise. J'ignore où elle est allée. Elle est sans valise et je ne sais même pas si elle a emporté son sac à main. »

C'est alors que Theron demanda à examiner la valise de Susan. Je la lui remis. Elle n'était pas fermée à clef, il l'ouvrit. Il y trouva un sac marron contenant un peu d'argent, une paire de boucles d'oreilles, un collier de perles, une bague en diamant; quelques clefs détachées, dont l'une allait sur la valise, et des fards. Il fouilla minutieusement le bagage et me demanda ensuite comment Mme Braithwaite était habillée cette nuit-là.

Cette question était venue plus tôt que je ne l'espérais et ma réponse fut celle que j'avais préparée : je fis une description vague et sans valeur des vêtements que j'avais prudemment placés sous le sac trois semaines plus tôt. Le tout d'un air parfaitement sincère. En réalité, j'avais ouvert le bagage avec une des clefs trouvées dans le sac et, volontairement, je ne l'avais pas refermé pour ne pas avoir à résoudre le problème des serrures. Je portais des gants pour emballer les vêtements, les chaussures, etc., car je n'avais pas l'intention de laisser des empreintes et de commettre ainsi l'erreur traditionnelle.

Theron écouta attentivement ma description de la toilette de Susan, puis sortit de la valise la robe qui visiblement n'était pas neuve. Il me demanda si c'était bien celle que Mme Braithwaite portait ce soir-là. Bien sûr, je répondis : « Non. » Si quelqu'un avait vu Susan lors de sa visite chez moi, il avait certainement décrit cette robe. Ainsi sa description correspondrait plus ou moins à la mienne.

Après m'avoir posé quelques autres questions insignifiantes, l'inspecteur Theron partit en emportant la valise, le chapeau et les gants.

Il se passa quelques jours avant que la police ne revînt. J'allai un soir au village pour boire un verre, pensant rencontrer Johnny au café. Or, on ne le vit pas cette nuit-là.

Mais j'étais certain de le rencontrer avant longtemps. La piste de Susan se terminait chez moi et c'est sur cet endroit que la police concentrerait ses efforts. Tout au moins avant d'avoir une raison de chercher ailleurs. Theron revint une semaine plus tard. Il était accompagné par le constable Barry. Ce jeune homme, prématurément chauve, avait courtisé et conquis Renée Otto, la belle du village, en se montrant à elle toujours coiffé de son casque. C'était du moins l'histoire que le village colportait.

Pour prendre en main Theron, Barry et cette

affaire, on avait délégué du quartier général de la police de Johannesburg, l'inspecteur Ben Liebenberg. Et les seuls mots que Theron prononça ce matin-là furent :

« Monsieur l'inspecteur, je vous présente M. Williams. »

Je pris bonne note de la présentation et demandai à l'inspecteur ce que je pouvais faire pour lui. C'était un homme grand et élégant, qui ressemblait davantage à un acteur qu'à un détective. Je sus par la suite que c'était un excellent préparateur de... cocktails. Pendant ses loisirs, il inventait de nouvelles recettes. Je l'appris par Theron plus tard, lorsqu'il lui fut redevenu possible de prendre un verre en ma compagnie. Il me parla aussi du « Mamba Vert », boisson inventée par Ben Liebenberg, plus dangereuse, à ses dires, que le plus dangereux des serpents.

L'inspecteur Liebenberg s'excusa de me déranger mais il me demanda s'il pouvait regarder un peu la maison. On avait vu Mme Braithwaite venir chez moi et ensuite on avait perdu sa trace. Aussi serait-il satisfait s'il pouvait s'assurer qu'elle ne se cachait pas dans la ferme.

Je comprenais parfaitement et ajoutais que ce serait un plaisir pour moi de lui faire visiter mon domaine.

Tandis que les policiers étudiaient l'aménagement de la maison et de la ferme, je leur expliquai que j'avais installé ces bâtiments avec tout le confort possible afin de pouvoir me passer d'aide extérieure. Je leur montrai la réserve de charbon, qu'on remplissait par l'extérieur, et qui communiquait avec le poêle par une ouverture carrée. Sous la cuisine, se trouvait une citerne. Il y avait une pompe à main et des tuyaux qui alimentaient la salle de bain. Le reste de l'eau prévue pour l'usage domestique m'était fournie par un réservoir incliné, placé sur le toit, approvisionné par une éolienne branchée sur un puits.

Je leur fis visiter la basse-cour, bâtiment de cent mètres de long, divisé en boxes, spécialement aménagé pour l'élevage intensif des volailles. A en juger par le bruit, les milliers de poules Leghorn pondaient à un rythme accéléré. Je montrai aux policiers la poussinière et la couveuse, immenses locaux que j'utilisais également pour mes expériences sur les couvées.

Je les emmenai ensuite dans la grange couverte de tôle ondulée où étaient garées mes machines agricoles : tracteur, batteuse, concasseuse-broyeuse et autres petites machines, telles que faucheuses, etc. Il s'y trouvait également mon matériel de culture : charrues, herses, sécheuse à vapeur, semeuses, etc., ainsi qu'une réserve de produits d'alimentation destinés aux volailles. Le long des murs de la grange étaient construits de vastes bacs contenant du maïs en grain et différentes poudres : maïs, viande, cacahuète, os, luzerne, tous aliments nécessaires à l'élevage rationnel des volailles.

Les policiers évaluaient le volume des bacs tandis qu'ils prenaient de nombreuses notes sur leurs calepins.

Puis, je leur montrai les terres cultivées : les luzernes bien vertes grâce à l'irrigation du barrage; les maïs d'un brun doré par le soleil. Au loin des bœufs, des vaches et des chevaux paissaient.

Lorsque la visite fut terminée, l'inspecteur Liebenberg me remercia chaudement et s'en alla assez déprimé. Je faillis lui dire que vingt filles de ferme armées de vingt balais... mais je jugeai finalement qu'il valait mieux ne pas trop miser sur ma sécurité.

Une semaine s'écoula sans qu'il ne se passe rien, mais néanmoins mon irritation allait croissant parce que je me sentais surveillé. A présent, le constable Barry passait chaque jour devant ma porte : ainsi il pouvait voir les pelouses, la maison, le garage, tout en restant à une certaine distance de chez moi.

Pour que l'affaire atteigne son point culminant, je décidai de commettre l'erreur de m'enfuir. Un beau matin, dès l'aurore, je partis en voiture à toute vitesse et conduisis à tombeau ouvert pendant huit kilomètres. Je ralentis brusquement et, quittant la route, j'allai cacher la voiture dans le veld, derrière un buisson. Je marchai ensuite jusqu'aux cavernes situées près de la fameuse mine d'or de Blyvooruitzischt, qui sont vastes, pas très belles et n'attirent pas beaucoup de visiteurs. A mon avis, la police les avait certainement déjà fouillées, donc, je ne serais pas dérangé. J'avais apporté une lampe, un réchaud, de la nourriture et, avant longtemps, je me trouvais confortablement installé dans une des petites grottes.

Je savais que les volailles ne souffriraient pas de mon absence car leurs mangeoires étaient garnies pour trois jours au moins. Quant aux abreuvoirs, ils se remplissaient automatiquement grâce à leurs valves. Les œufs s'accumuleraient et finiraient par se casser, mais, après tout, on ne peut pas commettre un meurtre sans casser des œufs! Les autres animaux ne mourraient ni de faim ni de soif, car le domaine ne manquait pas d'eau. L'âge de mes poulets leur permettrait de se passer de chaleur artificielle et l'éclairage de nuit maintenait une température suffisante.

L'esprit parfaitement tranquille, je me reposai tout en lisant avec un vif plaisir les deux livres policiers que j'avais emportés. Les histoires étaient excellentes, mais les détectives qui évoluaient dans ces romans avaient un peu trop besoin d'être aidés par l'auteur et je m'en fis la remarque avec une grande satisfaction.

Le matin du troisième jour, je décidai de réapparaître. Par chance, ce fut l'inspecteur Theron que je rencontrai le premier en descendant de voiture. Le visage humain n'est pas fait pour exprimer à la fois la surprise, l'excitation, la satisfaction, la curiosité, l'admiration, le soulagement, la réserve officielle, l'amitié et le regret. Et c'est pourtant ce que Theron essaya de faire.

Après s'être ressaisi, il exigea de savoir où j'étais allé. Je lui dis que je revenais des cavernes, voulant me rendre compte si Mme Braithwaite n'y était pas morte après s'y être perdue. J'ajoutai que je m'étais égaré moi-même et avais retrouvé mon chemin ce matin seulement. Exaspéré, il fit claquer ses doigts. Il avait tendu ses filets trop loin sans penser que je me trouvais aussi près de lui.

Il réfléchissait à ce qu'il allait faire, et moi, je regardais ma maison : c'était une véritable fourmilière où tout était sens dessus dessous. C'était pire que ce que j'avais pu imaginer. La police avait mis plus de vingt manœuvres à la tâche. Il y avait des hommes dans tous les coins : sur le toit, autour de la maison et presque dessous. Certains faisaient les cent pas, la tête baissée, examinant le sol; d'autres creusaient la terre; d'autres encore s'agitaient autour du puits, du barrage, dans les champs, enfin partout. Je ne pouvais voir ce qui se passait dans la grange mais elle devait être pleine de monde à en juger par la collection d'outils éparpillés devant le portail. On aurait dit d'un terrier qu'on vient de creuser!

Mais ce qui me mit le plus en joie, ce fut le spectacle de la basse-cour. On avait stupidement lâché les poules afin d'examiner le sol en béton. Pour y parvenir, il avait fallu retirer une couche de fumier de près de douze centimètres. On avait presque fini quand j'arrivai car le fumier était rangé en petits tas devant la porte.

Le long du mur extérieur, des hommes s'affairaient à en découvrir les fondations. Celui — quel qu'il fût — qu'on avait chargé de l'enquête était décidé à retourner chaque pierre. J'écris « s'affairaient » à dessein parce que les travaux étaient considérablement ralentis par les milliers de poules. Ne sachant où aller, elles s'évertuaient avec un entêtement typiquement volatile à regagner le poulailler. Ces bêtes sont très conservatrices, et, en outre, elles mouraient d'envie de pondre. Elles se posaient tantôt sur l'étroite corniche, tantôt sur le petit mur de soutènement, et c'était justement celui-là que les hommes de la police voulaient examiner. Les malheureux étaient étouffés moitié par les volailles et moitié par la poussière. La Leghorn est un animal susceptible et souvent très nerveux, avec lequel il faut soit bavarder sans arrêt, soit se taire pour toujours. Un policier appela un des hommes qui hurla sa réponse. L'effet ne se fit pas attendre : des milliers de poules s'envolèrent d'un seul coup d'aile dans un vacarme de plumes. Les gars disparurent derrière un nuage de fumier, de paille, de terre et de duvets.

A mon désespoir, je ne pus en voir davantage, car Theron décida de m'emmener au commissariat. Là, on me laissa entre les mains du constable Hurndal qui répondit à mon salut avec une extrême froideur. Puis Theron m'interrogea avec une désinvolture apparente. Je n'avais pas terminé ma troisième cigarette qu'un agent arriva en courant :

« Nous avons trouvé le corps! »

Je me levai d'un bond :

« Comme c'est intéressant! Où donc? »

Cette remarque était d'assez mauvais goût si l'on se rappelle que j'avais bien connu Mme Braithwaite. Mais, d'autre part, elle indiquait que j'avais la conscience tranquille. Je me tournai vers Theron; il ne m'avait pas quitté du regard et j'aperçus un éclair de doute dans ses yeux.

Peu importe que je me trahisse ou non. J'étais parfaitement tranquille et n'avouerais jamais : ils pouvaient bien essayer tous leurs trucs! Mais si j'avais donné prise aux soupçons, Theron en aurait immédiatement conclu que j'étais l'assassin. Voilà ce que je voulais éviter si je désirais continuer à fréquenter en toute quiétude le bistrot du village. Qu'on me crût officiellement coupable me laissait indifférent, mais j'aurais été très peiné si, dans son cœur, Theron avait pensé que j'étais le meurtrier.

La comédie continua et l'inspecteur demanda à l'agent où l'on avait trouvé le corps. Celui-ci décrivit sans enthousiasme et très vaguement un endroit situé dans les terrains en friche. Les deux policiers me regardèrent : ils espéraient encore sans beaucoup y croire que je leur montrerais qu' « ils brûlaient ».

Je dis :

« C'est curieux. Je n'aurais pas pensé à cet

endroit pour y enterrer un cadavre. Car elle a été tuée, bien entendu? »

Naturellement, on ne trouva jamais le corps de Susan ni dans ma ferme ni ailleurs. Pas plus que la moindre trace de son cadavre. On fouilla le poêle, persuadé qu'on y découvrirait des cendres humaines. On ramona la cheminée pour la même raison. On démonta les tuyaux de vidange : j'aurais pu faire dissoudre le corps dans un acide. Bref, on chercha partout et on utilisa tous les trucs connus de la police de Johannesburg. Sans succès.

En fin de compte, les inspecteurs, confondus, abandonnèrent. Ils restaient persuadés que Susan avait été tuée, mais ils n'avaient aucune preuve. Comme il n'y avait aucune raison valable pour moi de l'avoir assassinée, le nuage de soupçon suspendu au-dessus de ma tête se dissipa graduellement.

A Noël, pour montrer à l'inspecteur Theron que je n'avais pas de rancune, je lui envoyai un couple de jeunes coqs.

Les mois qui suivirent s'écoulèrent, paisiblement idylliques. Une seule ombre à mon plaisir : l'inspecteur Theron venait d'être affecté à la police de Rhodésie. Nous lui offrîmes une belle réception d'adieu. Bill Wiggins fournit la boisson et moi la volaille. Pauvre Johnny! Au moment de nous donner une dernière démonstration de ses qualités de tireur, il fut incommodé par l'air frais en sortant dans la cour. Il lui fallut un long moment pour retrouver un équilibre précaire : seules les cordes à linge qui se balançaient lui permirent de se redresser!

La construction d'une nouvelle couveuse m'absorbait entièrement. Ce travail, que je faisais seul, occupait tout mon temps au point de ne plus pouvoir tenir ma maison en état. Après en avoir longuement débattu, j'engageai une gouvernante : une fille grande et blonde, dont le corps avait gardé une sorte de rondeur enfantine. Elle est très efficace. Pourtant son sourire plein de chaleur laisse supposer qu'elle peut être aimable, voire même affectueuse. Et c'est justement parce qu'elle s'occupe si bien de la maison qu'il m'est possible d'écrire, ce soir, le récit détaillé de mon expérience homicide.

J'aurais des heures intéressantes en perspective si, par hasard, ce récit était publié. Quelles seraient surtout les réactions de Theron en lisant cette histoire? Que penserait-il en apprenant comment ont été gavés ces poulets gras qu'il aimait tant? Il serait dégoûté, sans aucun doute, et pourtant il n'y a pas lieu de l'être. Comment aurait-il pu savoir que ces poulets avaient été nourris avec le cadavre de Susan Braithwaite?

Ils ne l'ont pas stupidement picoré, ce n'est pas ce que je veux dire. Ils l'ont rationnellement consommé selon les préceptes de l'équilibre alimentaire. Chaque parcelle de son corps a été passée dans la concasseuse-broyeuse, réduite en poudre d'os, en poudre de viande, tandis que le sang était recueilli suivant un autre procédé.

Cette méthode n'a présenté pour moi aucune difficulté. Je l'avais découverte en lisant un article dans le *Magazine du Fermier* et l'avais expérimentée longtemps auparavant en partant de carcasses d'animaux. En ce qui concerne l'utilisation de la broyeuse, je vous signale que les corps humains n'ont pas besoin d'être dépecés, parce que les os des hommes sont plus petits que ceux des autres animaux.

Il m'avait fallu cependant faire très attention à ce que chaque morceau de Susan soit parfaitement pulvérisé. Les dents, par exemple, j'avais dû les remettre plusieurs fois dans la broyeuse pour qu'on ne puisse pas les distinguer du reste. Quant aux cheveux, je les avais brûlés sur sa tête.

Une fois débarrassé du corps, j'avais tout essuyé avec des poignées de luzerne verte que je hachais ensuite très fin. Puis j'avais broyé dans la même machine des carcasses d'animaux, des tas de luzerne, plusieurs sacs de maïs, afin de faire disparaître toute trace humaine.

J'avais mis en réserve avec les autres rations destinées aux volailles la poudre d'os, de viande et le sang séché. Au bout de quelques jours, je les avais donnés à mes couvées de poussins. Et mieux que personne Theron pourra vous dire quels bons et beaux poulets ces poussins étaient devenus! En vérité, je jouis d'une bonne réputation en tant qu'aviculteur, et de nombreux éleveurs viennent souvent me demander les recettes de mes rations équilibrées.

Voilà qui viendra certainement un jour aux oreilles de l'inspecteur Liebenberg. Alors, sachant à quelle porte frapper, il essaiera sans aucun doute de faire la preuve que jadis un cadavre humain traînait dans ma ferme... Mais il ne pourra rien prouver. Pourquoi tuer les volailles par douzaines? Pour découvrir celles qui ont pris part au festin que Susan leur avait offert? Ce serait peine perdue : toutes celles qui ont participé à ce festin ont elles-mêmes été déjà consommées!

Puisque les hommes ne mangent pas les os de

poulets, j'avais toujours posé une condition en vendant mes volailles : le droit de récupérer les os. Et voici l'explication que je fournissais : j'étais à court d'os pour préparer mes rations. Bel exemple illustrant la célèbre phrase de Lavoisier : « Rien ne se perd, rien ne se crée. » Ainsi, un grand nombre d'inconnus ont, sans le savoir, pris part à ce déplorable cannibalisme : ceux qui ont mangé les œufs pondus par ces poules.

Et si l'inspecteur Liebenberg pensait au fumier? Il aurait grand tort. Il y a belle lurette qu'il a servi au dernier labour. Malheureusement pour lui, les plumes, les têtes, les pattes et les intestins des poulets, vendus ou donnés, n'ont pas échappé non plus à l'implacable broyeuse.

J'espère que le cher inspecteur n'essaiera pas de se servir de cette histoire comme d'une confession officielle. Vous n'imaginez pas un étudiant, épris de fiction policière et désireux de voir publier un de ses romans, arrêté sous le prétexte d'avoir inventé une explication plausible à la disparition d'une femme rencontrée par hasard!

Si cette histoire est lue dans notre village, elle m'attirera probablement quelques désagréments. J'inspirerai certainement de l'horreur à ceux qui ont l'esprit étroit, et une grande peur aux autres. Cela m'évitera des visites importunes et j'en serai ravi!

Un nouvel événement vient de se produire. Ann Lissen, ma gouvernante, est en train de me décevoir. Sous peu, elle sera amoureuse de moi, à moins que ce ne soit déjà chose faite. Elle devient fatigante. Sa sollicitude à mon endroit est envahissante. Je ne peux plus jamais être seul. Elle n'arrête pas de vouloir rendre ma vie plus agréable.

Je ne voudrais pas lui causer de peine en lui disant de me laisser un peu tranquille, car tout ce qu'elle fait, elle le fait par gentillesse. Et comme elle n'a aucune qualification technique, ce serait répugnant de la renvoyer et de l'obliger à chercher un autre emploi.

Je lui ai conseillé de sortir davantage, le soir en particulier. Elle m'a répondu que ce n'était pas drôle de sortir seule. Elle n'a pas d'amis, pas même de relations. Pauvre fille! Il n'y aura personne pour la pleurer et mon élevage de la saison prochaine doit être tout spécialement réussi. Il me faut donc de belles volailles bien nourries grâce à des rations riches et très équilibrées. Le président de la Société Nationale d'Elevage Avicole a exprimé le désir de visiter ma ferme, ces beaux poulets et ces jeunes coqs qui m'ont justement rendu célèbre.

# Recette de meurtre

par

C. P. DONNELL, JR

*Traduit par Odette Ferry*

DE même que la villa, avec ses fleurs éclatantes, ne répondait pas à ce qu'il attendait, de même sa propriétaire introduisait un nouvel élément dans ses calculs. Mme Chalon, à quarante ans, n'entrait dans aucune catégorie de criminels. Elle n'était ni une Cléopâtre ni une mégère. C'était une Minerve, se dit-il sur-le-champ; ses grands yeux limpides étaient à peine plus clairs que le bleu de cobalt de la Méditerranée que l'on voyait étinceler par les grandes fenêtres du salon où ils se tenaient.

Pas exactement une Minerve, décida-t-il après un examen plus approfondi. Le velouté de pêche de ses joues faisait penser à celui d'une jeune fille de dix-huit ans; et la plénitude de ses formes, sa douceur la rendaient désirable, ce qui, pour être moins royal, était infiniment plus intéressant. D'une femme disgracieuse du même poids, on aurait dit qu'elle s'acheminait vers l'embonpoint mais, chez Mme Chalon, il le savait d'instinct, le corps était stable de masse et de ligne, et elle serait à soixante ans ce qu'elle était aujourd'hui, ni plus ni moins.

« Un Dubonnet, inspecteur Miron? »

Tandis qu'il parlait, elle se préparait à le lui verser. Le réflexe qui l'amena à hésiter fit briller dans ses yeux une vague lueur d'amusement que sa bonne éducation empêcha de s'égarer jusqu'à ses lèvres.

« Merci. »

Mécontent de lui-même, il mettait trop d'énergie dans sa voix.

Avec une intention à peine perceptible, Mme Chalon se fit un devoir de boire la première comme pour dire : « Vous voyez, monsieur Miron, vous ne risquez rien. » C'était astucieux. Trop astucieux?

Puis avec un petit sourire :

« Vous êtes venu me voir parce que j'ai empoisonné mes maris, déclara-t-elle sans ambages.

— Madame! » Il hésita de nouveau, interloqué. « Madame, je...

— Vous devez être déjà passé à la préfecture. Tout Villefranche en est convaincu », dit-elle placide.

Il se ressaisit pour faire paraître un calme professionnel.

« Madame, je viens vous demander la permission d'exhumer le corps de M. Charles Wesser, décédé en janvier 1939, et celui de M. Etienne Chalon, décédé en mai 1946, pour que les experts puissent procéder à l'analyse des viscères. Vous avez déjà refusé cette permission au brigadier Luchaire, du commissariat de votre résidence. Pourquoi?

— Luchaire n'a pas de manières. Je l'ai trouvé

répugnant. Contrairement à vous, il n'a aucune finesse. Je récuse l'attitude de l'homme et non la loi. »

Elle porta le petit verre à ses lèvres charnues.

« A vous, je ne la refuserai pas, inspecteur Miron. »

Son regard était presque admirateur.

« Vous me flattez.

— Parce que, continua-t-elle avec douceur, je suis tout à fait certaine, connaissant vos méthodes, à vous, police parisienne, qu'on a déjà procédé en secret à l'exhumation. »

Elle attendit de voir paraître le rouge sur son visage, affectant de ne pas remarquer le changement.

« Et les analyses ont été achevées, continua-t-elle comme s'il n'y avait pas eu d'interruption. Vous êtes perplexe. Vous n'avez rien trouvé. Aussi, vous qui jusqu'ici ne vous êtes pas occupé de cette affaire, vous désirez prendre ma mesure, connaître mon caractère, savoir jusqu'à quel point je peux me dominer et, incidemment, connaître les chances que vous avez de m'entraîner dans une conversation qui vous donnera des indications sur ma culpabilité. »

Ces traits atteignirent leur but avec une telle précision qu'il eût été de la dernière stupidité de ne pas se reconnaître touché. Une franchise désarmante était préférable, décida rapidement Miron.

« Très vrai, madame Chalon, vrai à la lettre. Mais... »

Il la regarda attentivement :

« Quand on perd deux maris d'un certain âge, mais qui ne sont pas des vieillards, par suite d'assez violents troubles digestifs, moins de deux ans après le mariage, alors que chacun possède une fortune substantielle qu'il lègue intégralement à sa veuve... Vous comprenez?...

— Oui, bien sûr. »

Mme Chalon alla à la fenêtre, ce qui permit aux rondeurs de sa silhouette, aux lignes somptueuses de sa poitrine de se détacher sur le bleu de la mer.

« Aimeriez-vous que je vous fasse une confession complète, inspecteur Miron? »

Elle était très femme, très provocante, et sa voix, presque caressante, avertit Miron qu'il fallait se tenir sur ses gardes.

« Si vous désirez en faire une, madame Chalon », dit-il avec toute la désinvolture possible.

C'était une femme dangereuse, extrêmement dangereuse.

« Alors, je vais vous faire ce plaisir. »

Mme Chalon ne souriait pas. Par la fenêtre ouverte, une bouffée d'air vagabond lui apporta son parfum. A moins que ce ne fût le parfum du jardin. Par prudence, il ne se prépara pas à prendre des notes. Il n'était pas possible qu'elle consentît à parler aussi aisément. Et pourtant...

« Vous êtes un peu familier avec l'art culinaire, monsieur Miron?

— Je suis de Paris, vous le savez?

— Et avec l'amour aussi?

— Je vous l'ai dit, je viens de Paris.

— Alors... »

Sa poitrine se souleva dans une longue aspiration.

« Je peux vous dire que moi, Hortense, Eugénie Villerois-Wesser-Chalon, j'ai lentement et intentionnellement, de propos délibéré, tué et assassiné mon premier mari, M. Wesser, âgé de cinquante-sept ans, ainsi que le second, M. Chalon, âgé de soixante-cinq ans.

— Pour quelque raison, sans doute? »

Etait-ce un rêve? Ou de la démence?

« J'ai épousé M. Wesser sur les instances de ma famille. Je n'étais plus une jeune fille. En moins de quinze jours, j'appris que M. Wesser était un cochon, un cochon aux appétits insatiables. La grossièreté même, inspecteur. Il était ordurier, vantard, dépouillait les pauvres, dupait les innocents. Il était glouton. C'était un homme désordonné, aux habitudes répugnantes. Bref, il avait tous les défauts révoltants d'un homme sur le retour, sans la tendresse, ni la dignité de l'âge. Et, à cause de tout cela, il avait l'estomac en mauvais état. »

Comme il avait étudié à fond le cas de M. Wesser à Paris et obtenu un tableau assez semblable, il acquiesça :

« Et M. Chalon?

— Plus âgé, comme j'étais plus âgée quand je l'ai épousé. »

Avec une légère ironie, Miron demanda :

« Et lui aussi avait l'estomac en mauvais état?

— Assurément. Disons plutôt la volonté en mauvais état. Il était peut-être moins bestial que Wesser. Peut-être pire, *au fond*[1], car il connaissait un trop grand nombre d'Allemands ici. Pourquoi se donnaient-ils tant de mal pour veiller à ce que nous ayons les mets et les vins les meilleurs, les plus inaccessibles, alors que chaque jour des enfants s'évanouissaient dans la rue? Criminelle, je le suis peut-être, inspecteur, mais je suis aussi une Fran-

1. Tous les mots en italique sont en français dans le texte.

çaise. Je décidai sans pitié que Chalon mourrait comme Wesser était mort. »

D'une voix très calme pour ne pas la troubler dans sa confession :

« Comment, madame Chalon? »

Elle se retourna, le visage illuminé par un sourire.

« Vous connaissez peut-être des plats tels que *Dindonneau farci aux marrons,* ou *Suprême de Volaille à l'Indienne,* ou *Tournedos Mascotte,* ou *Omelette en Surprise à la Napolitaine,* ou *Potage Bagration Gras,* ou *Aubergines à la Turque,* ou *Chaud-Froid de Cailles en Belle-Vue,* ou?...

— Arrêtez, madame Chalon! Vous éveillez en moi un appétit vorace et en même temps vous m'accablez de nourriture. Une cuisine aussi riche! Aussi...

— Vous m'avez demandé mes méthodes, inspecteur Miron. Je me suis servie de ces plats et de cent autres et, dans chacun d'eux, je cachais un morceau de... »

Sa voix s'arrêta brusquement.

L'inspecteur Miron, par un effort violent, affermit sa main tandis qu'il finissait son Dubonnet.

« Vous avez caché un morceau de quoi, madame Chalon?

— Vous avez mené une enquête sur moi. Vous savez qui était mon père.

— Jean-Marie Villerois, maître-queux, disciple incomparable de l'incomparable Escoffier. Appelé jadis le seul digne successeur d'Escoffier.

— Oui, et je n'avais pas encore vingt-deux ans que mon père, juste avant sa mort, reconnut qu'en dehors d'une certaine faiblesse négligeable pour ce qui était des mets braisés, il n'aurait pas honte de me reconnaître comme son égale.

— Très intéressant. Je m'incline devant vous. »

Les nerfs de Miron se crispèrent en constatant les dons de digression de cette belle femme.

« Mais vous avez dit que vous aviez caché dans chacun de ces plats incomparables un morceau de... »

Mme Chalon lui tourna le dos. Belles épaules, constata-t-il, une taille qu'on ne pouvait pas ne pas remarquer, des hanches qui vous ravissaient. Elle s'adressa à la mer :

« Un morceau de mon art. Et rien d'autre. Cela et rien d'autre, inspecteur. L'art d'Escoffier ou de Villerois. Quel homme du genre de Wesser ou de Chalon aurait pu résister? Trois, quatre fois par jour, je leur présentais ces mets riches parmi les plus riches; je variais irrésistiblement; je les forçais à se gaver jusqu'à éclater, à dormir, à se gaver encore; à boire trop de vin afin de pouvoir se gaver encore un peu plus. Comment à leur âge ont-ils pu même vivre aussi longtemps qu'ils l'ont fait? »

Un silence pareil au tic-tac d'une pendule lointaine.

« Et l'amour, madame Chalon? Excusez-moi, mais c'est vous qui l'avez mentionné.

— Une nourriture riche prédispose à l'amour ou à quelque chose qui y ressemble. Ce qu'ils appelaient l'amour, inspecteur. J'étais à leur disposition et je ne les décourageais pas d'avoir recours aussi à quelques petites amies. C'est ainsi qu'ils moururent : M. Wesser âgé de cinquante-sept ans; M. Chalon de soixante-cinq. C'est tout. »

Un autre silence. Un silence plein d'attente.

L'inspecteur Miron se leva si brusquement qu'elle sursauta et pivota. Elle était plus pâle.

« Vous me suivrez à Nice ce soir, madame Chalon.

— Au commissariat de police, inspecteur Miron?

— Au casino, madame Chalon, pour boire du champagne au son de la musique. Nous continuerons notre conversation.

— Mais, inspecteur Miron!...

— Ecoutez-moi, madame, je suis célibataire. Quarante-quatre ans. Pas trop mal de ma personne, m'a-t-on dit. J'ai mis une certaine somme de côté. Je ne suis pas un parti remarquable, mais pas méprisable non plus. »

Il la regarda droit dans les yeux :

« Je désire mourir. »

Il redressa ses épaules de façon à présenter sa personne sous son jour le plus favorable, tandis que le regard éloquent de Mme Chalon le contemplait avec l'approbation la plus sincère.

« La bonne chair, dit en fin de compte Mme Chalon d'un air pensif, lorsqu'on en fait un usage modéré, n'est pas nécessairement fatale. Vous plairait-il de me baiser la main, inspecteur Miron? »

# Le prix d'une tête

par

JOHN RUSSEL

*Traduit par Odette Ferry*

VOICI ce que possédait Christopher Alexander Pellett : son nom, qu'il s'était toujours efforcé de garder sans tache; un costume de coutil blanc, qui n'était pas sans tache car il le portait jour et nuit; une intarissable soif d'alcool et une paire de favoris roux. Et il avait aussi un ami. Or, aucun homme ne peut gagner l'amitié de son semblable, même parmi l'aimable population des îles de Polynésie, s'il ne possède quelque qualité qui le rende attachant. Force, humour, scélératesse, quelque trait de caractère qui attire et retienne un ami. Dès lors, comment expliquer le tendre dévouement que portait à Christopher Alexander Pellett, Karaki, le garçon de la compagnie de navigation? C'était le mystère de Fufuti.

On n'avait rien à reprocher à Pellett. Il ne se disputait jamais. Il ne levait jamais le poing. Apparemment, il n'avait jamais appris que le pied d'un homme blanc est fait, de toute éternité, pour pousser l'indigène hors de son chemin. Il ne maudissait jamais personne, sauf lui-même et le Chinois qui lui vendait son alcool, ce qui était certainement excusable, car l'alcool était très mauvais.

D'autre part, on ne pouvait lui trouver aucune qualité. Il avait perdu depuis longtemps le goût du travail et, récemment, le talent de mendier. Il ne souriait pas, ne dansait pas, ne se livrait jamais à quelques-unes de ces aimables excentricités qui, parfois, font accepter et tolérer l'ivrogne. Dans n'importe quel autre continent, il serait mort sans lutter. Mais le hasard l'avait amené vers ces rivages où la vie est facile comme une chanson, et le destin lui avait donné un ami. Aussi, continuait-il à vivre. C'était tout. Il continuait à vivre, gros tas de chair conservé dans l'alcool...

Karaki, son ami, était un païen de Bougainville, où les gens sont tantôt mangés, tantôt conservés fumés. Comme il était noir — c'était un Mélanésien —, il était aussi étranger qu'un Blanc à Fufuti où la population est marron et maorie. C'était un petit homme sérieux, efficace, avec des yeux profondément enfoncés, une touffe de cheveux crépus et une totale absence d'expression. Ses goûts étaient simples. Il portait une bande de coton rouge autour de la taille et un anneau de rideau en cuivre à ses narines.

Un puissant chef de son île natale avait vendu Karaki pour trois ans à la Compagnie de Navigation commerciale, empochant à l'avance son salaire de tabac et de perles. Lorsqu'il aurait fini son temps, Karaki serait renvoyé à Bougainville, à quelque douze cents kilomètres de là, où il aborderait aussi pauvre qu'il en était parti, mais plus riche en expérience. Telle était la coutume. Karaki pouvait avoir cependant des projets personnels.

Il est rare qu'un représentant des races noires

du Pacifique montre quelques-unes de ces vertus qu'on admire chez certaines populations vassales. On peut obtenir de la fidélité et de l'humilité de tous ceux dont la couleur varie entre le café au lait et le chocolat. Mais les Noirs demeurent d'impénétrables sauvages. De là l'étonnement suscité à Fufuti par le comportement de Karaki prenant en charge et en amitié l'impénitent écumeur de sable.

« Dis donc, Johnny, appela Moy Jack, le métis chinois, viens chercher ton copain. Il a déjà beaucoup bu. »

Karaki quitta l'ombre de son abri en palmes de cocotier où il attendait depuis plus d'une heure et alla prendre livraison de la masse molle qu'on venait de jeter dehors. Il souleva le corps, par le bras et sous l'aisselle, avec une adresse scientifique, et le traîna vers la plage. Moy Jack, debout sur le seuil de sa boutique, suivait la scène avec un intérêt cynique.

« Je me demande, dit-il, pourquoi tu te donnes tant de mal pour ce gars? Si tu m'apportais toi-même tes perles, je t'en donnerais un bon prix, ma parole! »

Cela ennuyait Moy Jack d'être obligé de laisser l'homme s'enivrer chez lui en échange des petites perles qu'il lui remettait. Il en connaissait la provenance : bien que ce fût défendu, Karaki plongeait dans le lagon pour les pêcher. Moy Jack y trouvait son profit — mais son bénéfice aurait été plus important s'il les avait échangées directement avec Karaki contre du tabac!

« Pourquoi tu donnes toutes ces perles à ce type? reprit-il agressivement. C'est un propre-à-rien. Il va bientôt mourir. »

Karaki ne répondit pas. Il regarda Moy Jack et

le métis rentra chez lui en grommelant. Une lueur étrange s'était allumée fugitivement dans les yeux de Karaki : une lueur verte, comme celle qui brille dans les yeux du requin par dix mètres de fond...

Karaki porta son fardeau sur la plage jusqu'à une hutte couverte de feuilles de pandanus qui était sa maison. Il déposa Pellett sur une paillasse, arrangea tendrement sa tête sur l'oreiller, lui baigna les tempes avec de l'eau fraîche, peigna ses cheveux et ses favoris. De vrais favoris qui avaient une magnifique couleur rouge cuivré, comme celle du soleil couchant. Il utilisait un peigne en bois de santal. Puis il s'assit et, avec un éventail, chassa les mouches qui voulaient se poser sur la face boursouflée de l'ivrogne.

Il était plus de midi quand il sortit de sa hutte. Depuis des semaines, il étudiait minutieusement le ciel. Il savait qu'il y aurait bientôt un changement de temps. Maintenant, les ombres se brouillaient sur le sable et un voile recouvrait le soleil.

Tout Fufuti dormait. Les boys ronflaient sur les vérandas. Sous sa moustiquaire, le négociant rêvait béatement à des exportations importantes de copra et à des bénéfices non moins importants. Moy Jack somnolait au milieu de ses bouteilles. Personne n'aurait été assez fou pour sortir à l'heure de la sieste. Personne, sauf Karaki, le petit homme noir efficace, que ne retenaient ni coutumes ni rêves. Le bruit léger de ses pas se perdit dans celui du ressac. Il allait et venait, furtif et silencieux comme une ombre. Et pendant que tout reposait dans Fufuti, il accomplissait une besogne pour laquelle il n'avait pas été engagé...

Karaki avait depuis longtemps découvert deux faits d'une importance capitale : la cachette où se trouvait la clef du magasin et, dans le magasin, l'endroit où étaient cachés les fusils et les munitions. Il ouvrit la porte, choisit trois pièces de cotonnade rouge, quelques couteaux, deux boîtes de tabac et une petite hache fine. Il y avait bien d'autres objets qu'il aurait pu prendre. Mais Karaki était un homme simple et efficace.

Avec la hache, il força l'armoire et en sortit une Winchester et une grande boîte de cartouches. Toujours avec la hache, il fracassa le fond de la baleinière et de deux canots dont on ne pourrait plus se servir avant de nombreux jours. C'était vraiment une petite hache remarquable, maniable, légère comme un tomahawk. Il éprouvait le plaisir de tout bon ouvrier quand il a en main un excellent outil. Cette hache était pour lui la meilleure des récompenses.

Sur la plage, il y avait un grand proa, canoë solidement équipé comme ceux qu'utilisent les compatriotes de Karaki à Bougainville. La proue et la poupe étaient tellement relevées que le proa avait presque la forme d'un croissant. A la dernière saison, la mousson du nord-ouest l'avait poussé jusqu'à Fufuti et Karaki l'avait réparé, comme l'avait demandé son patron. Il lança le proa sur le lagon et y entassa son butin.

Il choisit méthodiquement les provisions : un sac de riz et un autre de patates douces. Il emporta autant de noix de coco qu'il put en mettre dans un filet en faisant trois voyages. Il prit un baril d'eau et une boîte de biscuits. Et alors, il se passa quelque chose de bizarre.

En cherchant les biscuits, il trouva le stock personnel d'alcool du patron : une douzaine de bouteilles de whisky irlandais. Il les regarda mais n'y toucha pas. Il savait ce que contenaient ces bouteilles mais, comme il était un sauvage noir, il n'y toucha pas. Lorsque Moy Jack l'apprit plus tard, il se rappela la lueur qui s'était allumée dans les yeux de Karaki, et se hasarda à dire que Karaki ne serait jamais repris vivant.

Lorsque tout fut prêt, Karaki retourna à sa hutte et réveilla Christopher Alexander Pellett.

« Eh, maître, toi venir avec moi. »

Pellett se redressa et le regarda. Exactement, il posa ses yeux sur Karaki. Le vit-il ou ne le vit-il pas? La réponse à cette question obscure ne pourrait être donnée que par un psychopathe.

« Trop tard, dit gravement Pellett. La boutique est fermée... Dis bonsoir à tous ces sacrés farceurs... moi... moi... je vais me coucher... »

Et là-dessus, il se laissa retomber sur le dos.

« Réveille-toi, maître, insista Karaki en le secouant... Toi, trop fort pour dormir... Eh, maître, toi aimer le rhum? Moi, donner beaucoup, beaucoup rhum à maître. »

Or, ce mot magique, qui n'avait jamais manqué de faire sortir Pellett de son lit le matin, tomba cette fois dans l'oreille d'un sourd : Pellett était sursaturé d'alcool et il en resterait imprégné pendant vingt-quatre heures d'horloge.

Karaki s'agenouilla auprès de lui, le redressa et glissa son épaule contre l'estomac de l'ivrogne puis le chargea sur son dos comme un sac de viande. Pellett pesait soixante-quinze kilos; Karaki à peine plus de cinquante, mais avec l'adresse d'un coolie, le petit homme noir souleva son fardeau et l'emporta sur la plage. Il parvint même à le hisser dans le proa à demi submergé.

Personne ne les vit partir. Fufuti continuait à

rêver. Bien avant que l'agent de la compagnie ne s'éveille et découvre le larcin et la fuite, l'étrange bateau en forme de croissant avait quitté le lagon et disparu à l'horizon.

Le premier jour, Karaki fit tout ce qu'il fallait pour que le proa courût vent arrière. De hautes vagues écumantes arrivaient du sud-est. Elles auraient englouti le bateau si Karaki les avait laissé faire. Un païen, qui n'aurait pas su reconnaître un degré de latitude sur une boussole! Mais ses ancêtres avaient parcouru les océans sur des coquilles de noix. Et, par comparaison, l'aventure de Christophe Colomb ressemblait à un voyage en ferry-boat. Karaki écopait avec une poêle à frire, naviguait avec un paillasson en guise de voile et gouvernait avec sa pagaie : mais il avançait.

Au lever du soleil, Pellett s'agita au fond du canot et souleva un visage verdâtre. Il jeta un regard étonné par-dessus bord, vit les vagues bouillonnantes et se laissa retomber avec un grognement. Il recommença la manœuvre après un intervalle décent, reconnut les mêmes vagues tourbillonnantes. Alors il se tourna vers Karaki, assis à croupetons à l'arrière du canot et tout luisant d'écume.

« Rhum? » demanda-t-il.

Karaki secoua la tête et les yeux de Pellett prirent la fixité de l'obsédé.

« Enlève... enlève-moi toute cette eau », dit-il d'une voix pathétique en désignant l'océan.

Pendant les deux jours qui suivirent, il fut très, très malade et il apprit comment un petit bateau peut prendre sur la mer quarante-sept positions différentes dans la même minute. Cette science n'est pas une bagatelle et tous ceux qui ont acquis cette connaissance pourront en témoigner. L'expérience fut presque fatale à Pellett.

Le troisième jour, il s'éveilla avec une bouche et un estomac en cuir bouilli et une impression d'extrême faiblesse. Cependant, il avait sa pleine connaissance et toutes ses facultés. Le vent était tombé et Karaki préparait tranquillement des noix de coco fraîches. Pellett en avala une d'un trait avant de s'apercevoir que l'alcool du petit déjeuner y manquait. Mais lorsqu'il s'en aperçut, le lait de coco remonta dans sa gorge.

« Je veux du rhum.

— Y a pas de rhum. »

Pellett regarda en avant et en arrière, à bâbord et à tribord. Il y avait, de tous les côtés, une immense portion d'horizon, mais rien d'autre. Pour la première fois, il se rendit compte de l'étrangeté de sa position.

« Pourquoi es-tu allé si loin? demanda-t-il.

— Parce que nous avoir attrapé grand vent », répondit Karaki.

Pellett n'était pas en état de discuter ni de remarquer que les provisions entassées sur le proa prouvaient qu'ils n'étaient pas partis en mer pour pêcher. D'autres choses le préoccupaient; certaines roses, d'autres pourpres; d'autres encore rayées comme l'arc-en-ciel et enluminées de dessins surprenants. Toutes étaient d'une grande nouveauté et d'un extrême intérêt. Elles arrivaient en foule de profondeurs inconnues pour distraire Christopher Alexander Pellett. Et elles atteignaient leur but.

On ne peut supprimer l'alcool à un homme qui y a mariné deux ans sans obtenir des résultats plus ou moins pittoresques. Il y eut des jours où le proa traversait en hurlant les mers désertes du Sud. Et à ces cris succédaient des madrigaux et des cantiques. Mains et pieds liés, Pellett délirait. De vieux souvenirs enfouis dans l'oubli émergeaient de l'inconscient. C'eût été curieux de l'écouter, mais il n'y avait que Karaki pour l'entendre et Karaki ne se souciait pas des poètes élisabéthains. Des pages entières d'*Atlanta à Calydon* furent ainsi perdues. De temps en temps, il jetait un seau d'eau de mer sur l'homme blanc ou bien il tendait au-dessus de lui une natte pour le protéger du soleil, ou bien il l'obligeait à avaler du lait de coco. S'il n'était pas un bon auditeur, Karaki était un excellent infirmier. En outre, il peignait les favoris de Pellett deux fois par jour.

Ils rencontrèrent le calme plat, puis le vent alizé se mit à souffler régulièrement; Karaki mit le cap sur l'occident et ils filèrent sous des cieux éclatants comme du cuivre poli.

*Mon cœur est en moi*
*Comme cendre dans le feu;*
*Qui m'a vu sans mon luth et sans ma lyre*
*Chantera ma douleur;*
*Et les désirs... Même honteux...*

Ainsi chantait Christopher Alexander Pellett, dont le visage commençait à ressembler un peu plus à de la chair humaine et un peu moins à du varech pourri.

Chaque fois que c'était possible, Karaki abordait sous le vent une des îles minuscules qui parsèment la région de Santa Cruz et il faisait cuire du riz et des patates douces dans un seau d'étain. Un jour, il aborda dans une île qui était habitée. Deux hommes blancs, en canot, vinrent pour les arrêter.

Karaki ne put pas cacher sa ressemblance avec un Noir fugitif et il n'essaya pas. Mais quand le canot fut à une cinquantaine de mètres, il se montra réellement comme un Noir fugitif armé d'un fusil. Il laissa le canot en train de sombrer et un des Blancs mort.

« Il y a un trou près de moi, dit Pellett de dessous le banc. Il vaudrait mieux que tu le bouches. »

Karaki le boucha et délivra son passager qui se leva et s'étira. Il éprouvait une soudaine curiosité pour son propre corps, puis il examina attentivement Karaki :

« Ainsi, tu es réel. Par Georges! tu existes et c'est un drôle de réconfort... »

Il avait raison : Karaki était réel.

« De quel côté tu m'emmènes?

— A Balbi », répondit Karaki en désignant Bougainville par son nom indigène.

Pellett siffla. Une évasion de mille deux cents kilomètres sur un bateau non ponté constituait une remarquable entreprise. Ça justifiait son admiration. De plus, il venait d'avoir une preuve flagrante de l'efficacité du petit homme noir.

« Balbi, c'est ton pays, hein?

— Oui.

— Très bien, commodore, dit Pellett. Continue à nous conduire. Je ne sais pas pourquoi tu m'as emmené comme excédent de bagage, mais je comprends tes intentions. »

Fait curieux — ou peut-être pas si curieux que ça — l'aventure de Fufuti avait disparu de son esprit au fur et à mesure que le poison de l'alcool avait été éliminé de ses cellules. Le nouveau Christopher Alexander Pellett appartenait au temps jadis : c'était toujours une sorte d'épave, une créature indolente et misérable, mais ordinairement humaine et plus qu'ordinairement intelligente.

D'abord, il se sentit très faible, mais le régime de Karaki fait de noix de coco et de patates douces eut sur lui un effet merveilleux. Le moment vint où il put se réjouir de l'exquis goût salé sur ses lèvres et oublier pendant des heures son désir de stimulants. A eux deux, ils formaient un drôle d'équipage : un sauvage tout simple et un ivrogne convalescent, et jamais la question ne se posa de savoir qui commandait. On s'en aperçut au cours de la troisième semaine, quand les vivres commencèrent à manquer et que Pellett remarqua que Karaki restait une journée entière sans manger.

« Ecoute, ça ne peut pas aller comme ça, cria-t-il. Tu m'as donné la dernière noix de coco et tu n'as rien gardé pour toi!

— Moi, aime pas manger », répondit brièvement Karaki.

Christopher Alexander Pellett médita longuement, et sur beaucoup de problèmes, pendant les longues heures oisives où les seuls bruits qu'on entendît étaient ceux de l'écume contre le proa et du gréement entre le ciel et la mer. Quelquefois, ses sourcils se fronçaient sous l'effet de la douleur. Il n'est pas toujours agréable de se remémorer de vieux souvenirs, même s'ils ont été noyés longtemps dans l'oubli. Il avait connu les affres du délire. Maintenant, il devait affronter les démons du passé. Il les avait fuis longtemps mais, ici, il n'était plus possible de leur échapper. Alors, il accepta le combat, lutta longtemps et les réduisit l'un après l'autre.

Après vingt-neuf jours de mer, il ne restait plus rien de leurs provisions, sauf un peu d'eau. Karaki la distribuait parcimonieusement : il humectait un morceau de noix de coco et le donnait à sucer à Pellett. Il n'en prenait pas pour lui malgré les protestations de Pellett. De nouveau, le païen dorlotait l'abandonné. Pour lui éviter les tortures de la soif, il raclait le fond du baril et lui offrait la dernière goutte d'humidité recueillie sur la pointe du couteau.

Le trente-sixième jour, ils furent en vue de Choiseul : un grand mur de verdure qui barrait l'horizon, à l'ouest.

Arrivé si près du but, Karaki aurait pu triompher. Il avait longé dans toute sa longueur l'archipel des Salomon, c'est-à-dire neuf cents kilomètres environ. L'avoir atteint avec un aussi petit bateau que le proa, en dépit des tempêtes et des courants, sans instrument de navigation, sans cartes, représentait une belle performance. Karaki cependant ne triomphait pas. Il regardait par-dessus son épaule dans la direction de l'est.

Le vent était irrégulier depuis le matin. A midi, calme plat et mer d'huile. Karaki n'avait pas de baromètre. Il n'en avait pas besoin pour deviner qu'il se préparait des catastrophes météorologiques. Il gagna en trébuchant l'avant du bateau et démonta le petit mât. Puis il arrima soigneusement sa cargaison sur le plat-bord et concentra toute la force qui lui restait au maniement de la pagaie pour gouverner le proa vers une petite île cernée d'une plage blanche. Jusque-là, ils avaient eu beaucoup de chance, mais ils étaient encore à trois kilomètres de la côte quand ils furent atteints par les premières rafales de l'ouragan.

Karaki ne fut plus qu'un sac de peau desséchée dans lequel cliquetait un paquet d'os et Pellett put à peine lever une main. Mais pour Pellett, Karaki lutta contre les vagues qui dansaient comme des langues de feu autour du récif. Comment ils s'en tirèrent, personne ne le saura. Peut-être parce qu'il était écrit qu'après avoir résisté à la boisson, à la maladie, à la folie et à la faim, une fois de plus l'homme blanc serait sauvé par l'homme noir. Lorsqu'ils échouèrent tous deux sur le rivage, ils étaient mourants mais ils respiraient encore. Et Karaki se cramponnait encore à la chemise de Pellett...

Ils se reposèrent une semaine sur l'îlot et tandis que Pellett s'engraissait en avalant d'innombrables noix de coco, Karaki rafistolait le proa.

« Balbi est là-bas? demanda Pellett.

— Oui, dit Karaki.

— C'est une bonne chose! s'exclama Pellett de tout son cœur. C'est la limite de l'autorité britannique, mon gars. Le pouvoir du grand chef qui gouverne en Beretani doit s'arrêter ici. Peut pas aller de ce côté. »

Cela, Karaki le savait bien. S'il craignait une chose au monde, c'était bien la Haute-Cour des Fidji et son commissaire-résident, qui était le grand chef des Salomon du Sud et qui n'hésitait pas à poursuivre tous ceux qui transgressaient les lois de sa juridiction. Une fois qu'il aurait passé le détroit, il pourrait être poursuivi pour vol et rupture de contrat. Mais jamais il ne pourrait être puni pour un délit commis à Bougainville.

Aussi Karaki était-il satisfait.

Et Christopher Alexander Pellett l'était également. Son corps avait été secoué, retourné, récuré et il avait vaincu les démons. La douceur de l'alizé et du soleil était sur ses lèvres. Il était à l'aise dans sa peau. Comme il avait retrouvé sa force, il nageait dans le lagon ou aidait Karaki à réparer le proa. Il passait des heures étendu sur le sable chaud, à admirer le délicat dessin d'un coquillage en chantonnant à mi-voix, pour lui-même, tandis que la houle venait mourir silencieusement sur la plage. Il dégustait la vie comme il ne l'avait jamais fait auparavant.

« Comme c'est bon, comme c'est bon », répétait-il.

Karaki pourtant l'étonnait. Non pas qu'il s'inquiétât, car il traversait une période où tout lui était motif d'admiration et d'attendrissement. Mais il ne pouvait s'empêcher de penser à ce sauvage taciturne qui, en plus des services qu'il lui avait rendus sans recevoir le moindre remerciement, s'était en définitive sacrifié pour lui. Et maintenant qu'il pouvait réfléchir de sang-froid, la raison du comportement de l'homme noir lui échappait. Pourquoi avait-il agi ainsi? Etait-ce par affection? par amitié? Probablement. Et à cette pensée, une chaude tendresse s'allumait dans son cœur pour ce petit homme silencieux, aux yeux enfoncés, au visage inexpressif dont il ne pouvait tirer aucun signe d'émotion.

« Dis donc, Karaki, pourquoi toi jamais rire comme moi? Quoi? Toi avoir peur parce que toi as volé? N'y pense plus, vieux gredin noir. Si jamais ils t'embêtent, moi, j'arrangerai les choses. Par Georges! je dirai que c'est moi qui ai tout volé. »

Karaki se contenta de grommeler et s'accroupit pour nettoyer sa Winchester avec un morceau de chiffon et quelques gouttes d'huile qu'il avait récupérée dans une noix de coco séchée.

« Non, murmura Pellett déconcerté, cela ne le touche pas non plus. Je voudrais bien savoir ce qui se passe sous cette touffe de cheveux noirs, mon vieux. Tu es comme le chat de Kipling qui s'en va tout seul. Dieu sait que je ne suis pas ingrat. Je voudrais bien te montrer... »

Il se leva d'un bond.

« Karaki, moi, ton grand ami. Toi, mon grand ami, compris? Nous deux, grands amis, ma parole... Quoi?

— Oui », dit Karaki sans réagir autrement, — il regarda Pellett et il regarda du côté de Bougainville. « Oui, dit-il, ma parole. »

Et le Noir insulaire, impénétrable, incompréhensible, énigmatique comme toujours et à jamais, se remit à nettoyer son fusil.

La fin arriva deux jours plus tard à Bougainville.

L'aube était admirable quand ils pénétrèrent dans une baie qui accueillit le proa comme si elle ouvrait des bras chargés de bijoux. L'île les attendait, parée, souriante, rougissante, voluptueuse, secrète et parfumée comme une belle dormeuse qui s'éveille. Telles étaient les phrases extravagantes que Pellett se murmurait à lui-même en sautant à terre. Il grimpa sur un rocher pour embrasser d'un seul regard tout le pays et le garder pour lui.

Pendant ce temps Karaki, cet homme simple et efficace, vaquait méthodiquement à ses propres affaires. Il transporta à terre ses pièces de cotonnade, son tabac, ses couteaux et le reste de son butin. Il transporta aussi sa boîte de cartouches, son fusil et sa belle hache. Les provisions étaient un peu avariées par l'eau de mer, mais les armes avaient été soigneusement nettoyées et polies.

Pellett déclamait à haute voix des vers que lui inspirait la solitude. Soudain, il entendit un pas léger derrière lui, il se retourna surpris de trouver Karaki debout, le fusil contre la hanche et la hache à la main.

« Eh bien, dit gaiement Pellett, qu'est-ce que tu désires, mon vieux? »

Une étrange lueur s'alluma dans les yeux de Karaki, la même que Moy Jack avait surprise à Fufuti — celle qu'on voit dans les yeux d'un requin par dix mètres de fond... Il dit :

« Moi aimer beaucoup... moi, aimer trop la tête à toi.

— Quoi? Quelle tête? La mienne?

— Oui », répondit simplement Karaki.

Ainsi, c'était ça tout le mystère? Le sauvage était tombé amoureux de la tête de l'écumeur de sable et Christopher Alexander Pellett avait été trahi par ses favoris rouges! Dans le pays de Karaki, une tête d'homme blanc, bien fumée, est une chose qu'on désire plus que la richesse, plus que les terres, plus que la gloire d'un chef ou que l'amour des femmes. Et dans tout le pays de Karaki, il n'y avait pas une tête comme celle de Pellett. C'est pourquoi Karaki s'était appliqué à la gagner avec la foi tenace d'un Jacob. Il avait comploté, attendu, volé et tué pour y parvenir. Il avait dépensé de la sueur et de la ruse, souffert de la famine et fait abnégation de soi-même. Il avait soigné, nourri et sauvé cet homme pour pouvoir rapporter, vivante, cette tête, au lieu où il pourrait en disposer à loisir et jouir en toute sécurité des fruits de son labeur.

Pellett vit tout cela en un éclair et le comprit, pour autant qu'un homme blanc puisse comprendre un petit sauvage tout simple, d'une simplicité élémentaire et prodigieuse. Et debout dans toute sa force nouvelle, sous le soleil prometteur du matin, il éclata d'un grand rire qui se répercuta sur les eaux et fit fuir les oiseaux de mer. C'était le rire tranquille et profond d'un homme qui mesure et accepte dans son immensité la dernière plaisanterie.

Car finalement, voici ce que Christopher Alexander Pellett possédait véritablement : son nom demeuré intact, les lambeaux d'un costume de coutil blanc, ses précieux favoris et une âme qui était guérie, fourbie, récurée, restaurée par son bon ami Karaki.

*Tu devrais mourir comme il meurt,*
*Celui pour qui personne ne verse de larmes;*
*Emplissant tes yeux*
*Et réjouissant tes oreilles*
*Avec l'éclat... l'épanouissement*
*Et la beauté...*

Ainsi chanta Christopher Alexander Pellett devant les eaux de la baie. Puis il tourbillonna, ouvrit les bras tout grands :

« Tire, et que Dieu te damne! Ce n'est pas un prix trop élevé! »

# Sredni Vashtar

par

« Saki » (H. H. Munro)
*Traduit par Odette Ferry*

Conradin avait dix ans et le diagnostic du médecin était définitif : le garçonnet avait encore à peine cinq ans à vivre. Ce docteur était un homme très doux, très blasé et on n'attachait pas beaucoup d'importance à son opinion, sauf Mme de Ropp. Et Mme de Ropp, elle, avait beaucoup d'importance.

Mme de Ropp était la cousine de Conradin et, aussi, sa tutrice. Aux yeux de l'enfant, elle représentait à peu près les trois cinquièmes du monde : ce qui était nécessaire, désagréable et bien réel : les deux cinquièmes qui restaient à Conradin et qu'il dérobait à Mme de Ropp étaient la part secrète de son imagination. Conradin pressentait qu'un jour ou l'autre, il finirait par succomber sous le poids écrasant des choses fatigantes et inévitables : maladies, manque de tendresse, méchanceté. Il aurait succombé depuis longtemps si, aiguisée par la solitude, son imagination n'était devenue exubérante.

Même à l'heure de l'examen de conscience le plus scrupuleux, Mme de Ropp ne s'était jamais avoué qu'elle détestait Conradin. Elle n'avait jamais admis davantage que le contrarier « pour son bien » était une de ses secrètes délectations.

Conradin la haïssait avec un secret désespoir qu'il parvenait à dissimuler convenablement. Les petits plaisirs qu'il s'inventait à l'insu de sa tutrice en revêtaient une acuité plus délicieuse. Du royaume de son imagination, Mme de Ropp avait été définitivement exclue, comme une chose choquante qui en aurait détruit l'harmonie.

Dans la maison de Mme de Ropp, il y avait un grand nombre de fenêtres qui ouvraient sur un jardin morne et sans joie. Il s'y trouvait quelques arbres fruitiers malingres auxquels Conradin n'avait pas le droit de toucher. C'était déjà un miracle qu'ils fleurissent sur ce maigre sol inculte; quant aux fruits, on n'aurait certainement pas trouvé un maraîcher qui offrît dix shillings de toute la récolte.

Pourtant, dans un coin oublié, à demi caché derrière un triste bosquet, se trouvait une resserre désaffectée : le royaume de Conradin tenait tout entier entre ses murs. Il avait pour compagnons une légion de fantômes familiers, échappés de récits historiques ou sortis tout armés de son cerveau.

Mais il avait aussi deux compagnons bien vivants : une vieille poule de Houdan à moitié déplumée et à laquelle il avait voué une affection sans limite. Et, tout au fond de la resserre, dans une grande cage munie de barreaux, un grand furet-putois que son ami, le garçon boucher, lui avait apporté un jour en cachette en échange de quelques pièces de monnaie longuement amassées.

Conradin nourrissait pour ce long animal agile

aux dents pointues un sentiment complexe, fait de frayeur et d'adoration : c'était son plus cher trésor. Sa seule présence dans la resserre constituait un mystère et une joie effrayante qu'il devait à tout prix cacher à la Femme, comme il nommait à part soi sa cousine.

Et, un jour, il trouva pour l'animal un nom terrible et magnifique — et ce fut de ce jour que l'animal devint dieu et que Conradin lui rendit un culte.

La Femme, elle aussi, avait une religion, et une fois par semaine, allait à l'église. Elle emmenait Conradin avec elle mais il restait parfaitement insensible au service religieux.

En revanche, chaque jeudi, dans le silence profond de la resserre et l'odeur de moisi, Conradin célébrait avec un cérémonial mystique, le culte de Sredni Vashtar, le Grand Furet. Selon la saison, des fleurs rouges ou des baies écarlates étaient déposées devant la cage qui prenait des allures de reposoir. A l'occasion des grandes fêtes, de la poudre de noix muscade était répandue sur le sol — et pour que l'offrande fût agréable à Sredni Vashtar, il était nécessaire que la muscade fût dérobée à la Femme.

Ces grandes fêtes ne se célébraient pas à jours fixes et avaient lieu à l'occasion d'un événement passager. Une fois, Mme de Ropp souffrit d'un violent mal de dents qui dura trois jours. Conradin prolongea les fêtes pendant ces trois jours et finit par croire qu'il devait au grand Sredni Vashtar cette rage de dents providentielle qui mettait la Femme hors d'état de nuire. Si le mal avait duré un jour de plus, la provision de noix muscade eût été épuisée.

La poule Houdan n'avait jamais participé au culte rendu au Grand Furet. Depuis longtemps, Conradin avait décidé qu'elle était anabaptiste. Non pas qu'il eût la moindre idée sur cette religion mais Mme de Ropp la jugeant respectable, Conradin ne pouvait que vouer au mépris la respectabilité.

Mme de Ropp finit par découvrir l'attirance qu'exerçait la resserre sur son pupille. « Ça ne peut pas être bon pour lui de bricoler dans cette resserre par n'importe quel temps! » Et, un matin, au petit déjeuner, elle annonça à Conradin que la poule de Houdan avait été vendue et enlevée le jour même par son acquéreur.

Avec ses yeux bombés de myope, elle scrutait le visage de l'enfant. Elle s'attendait à le voir éclater de rage ou de désespoir et avait préparé déjà tout son attirail de réprimandes et de médicaments. Mais Conradin ne dit rien; il n'y avait rien à dire. Quelque chose, sur son visage blême, donna peut-être fugitivement à Mme de Ropp un semblant de remords car l'après-midi, pour le thé, elle avait mis des toasts sur la table. Habituellement, cette friandise était bannie parce que Conradin les mangeant avec plaisir, elle avait décidé qu'ils étaient nuisibles à sa santé.

« J'avais pensé que tu aimais les toasts, dit-elle d'un air mortifié quand elle vit que Conradin n'y touchait pas.

— Quelquefois », répondit Conradin.

Ce soir-là, dans la resserre, une innovation fut introduite dans le cérémonial de l'Adoration de Sredni Vashtar. En récitant les litanies devant la cage, Conradin pour la première fois demanda une faveur.

« Fais une chose pour moi, Sredni Vashtar! »

La « chose » n'était pas précisée : un dieu savait mieux que lui en quoi devait consister « la chose ». Retenant un sanglot, il jeta un coup d'œil désolé vers le coin vide qu'avait occupé la poule Houdan et retourna vers le monde qu'il haïssait : celui de Mme de Ropp.

Et chaque nuit, dans l'obscurité amicale de sa chambre, et chaque après-midi dans celle de la resserre, Conradin répétait sa fervente supplication : « Fais quelque chose pour moi, Sredni Vashtar! »

Mme de Ropp avait remarqué que les visites à la resserre n'avaient pas cessé avec le départ de la Houdan et un jour elle décida une nouvelle inspection.

« Que gardes-tu dans cette cage fermée? demanda-t-elle à l'enfant. Je suppose que ce sont des cochons d'Inde. Je vais nettoyer tout ça. »

Conradin serra les lèvres mais la Femme alla fouiller dans sa chambre et trouva la clef soigneusement cachée. Elle se dirigea immédiatement vers la resserre pour mettre ses projets de nettoyage à exécution.

C'était un après-midi très froid; Conradin avait reçu l'ordre de ne pas quitter la maison. De la fenêtre de la salle à manger, il pouvait apercevoir la porte de la resserre, au-delà du bosquet. C'est là qu'il se posta pour observer l'Ennemie. Il la vit qui entrait, il l'imagina ouvrant la porte sacrée et scrutant, de ses yeux myopes, le lit de paille dans lequel se dissimulait le dieu. Peut-être même irait-elle, dans son impatience sacrilège, jusqu'à fouiller dans la paille?

Une dernière fois Conradin murmura sa prière :

mais il ne croyait plus qu'il pourrait être exaucé. Il savait que la Femme allait sortir dans une minute, avec ce sourire pincé qu'il exécrait et que, dans une heure ou deux, le jardinier emporterait le dieu, qui ne serait plus qu'un simple petit furet brun dans une cage.

Et il savait que la Femme triompherait toujours, et qu'il serait de plus en plus malade, de plus en plus écrasé jusqu'au jour où plus rien n'aurait d'importance pour lui et que le docteur aurait enfin raison.

Sous la morsure du chagrin causé par sa défaite, Conradin commença à chanter, très fort, d'une voix pleine d'arrogance, l'hymne à l'idole menacée :

*Sredni Vashtar s'en alla*
*Ses pensées étaient des pensées rouges et ses dents [étaient blanches*
*Ses ennemis demandaient la paix mais il leur [apporta la Mort*
*Sredni Vashtar le Magnifique!*

Puis, brusquement, il s'arrêta de chanter et s'approcha de la fenêtre. La porte de la resserre était toujours grande ouverte, comme elle avait été laissée, et les minutes s'écoulaient. Elles étaient longues mais s'écoulaient quand même.

Il observa les sansonnets qui voletaient sur la pelouse; il les compta, les recompta, mais il avait toujours un œil fixé sur la porte de la resserre.

La bonne au visage morose entra et dressa la table pour le thé et Conradin n'avait pas quitté la fenêtre : silencieux, il surveillait et attendait. L'espoir s'insinuait et grandissait dans son cœur et la flamme du triomphe s'alluma dans ses yeux qui n'avaient connu jusqu'alors que la patiente résignation de la défaite.

Il recommença, mais dans un murmure et avec une croissante exaltation, l'hymne de victoire et de dévastation. Et il fut récompensé : la Justice Immanente se manifesta à ses yeux. Se faufilant par l'embrasure, une bête longue, sinueuse, dont les yeux clignotaient au jour et dont la fourrure jaune et rousse était maculée de taches sombres, quitta la resserre.

Conradin tomba à genoux. Le grand furet-putois descendit vers le ruisseau qui se trouvait au bas du jardin, but un instant puis traversa le petit pont de bois et disparut dans les taillis. Tel fut le passage de Sredni Vashtar.

« Le thé est prêt, dit la bonne au visage morose. Où est madame?

— Elle est allée dans la resserre il y a un moment », dit Conradin.

Et tandis que la bonne allait chercher sa maîtresse pour prendre le thé, Conradin prit la fourchette à toasts dans le tiroir et se mit à les beurrer. Pendant qu'il beurrait ses tartines, copieusement, et qu'il était tout à la joie de les savourer, Conradin entendit des bruits et des silences — puis les cris aigus et effrayés de la bonne, d'autres venant de la cuisine, étonnés, qui leur firent écho, puis des pas précipités venant de l'extérieur et, après un moment de calme, des sanglots et la respiration essoufflée de quelqu'un qui porte un fardeau.

« Qui le dira à ce pauvre enfant? chuchota une voix. Je n'en aurai jamais le courage... »

Tandis qu'on discutait de la question, Conradin se beurra un autre toast.

# La voix dans la nuit

par

WILLIAM HOPE HODGSON

*Traduit par Odette Ferry*

C'ÉTAIT une nuit sombre, sans étoile. Nous étions encalminés quelque part, dans le nord-ouest du Pacifique. Notre exacte position, je ne la connaissais pas, car depuis une semaine épuisante et sans brise, le soleil était caché derrière une fine brume qui flottait autour de nous, à la hauteur des mâts, mais qui, parfois, redescendait et enveloppait la mer d'un linceul.

Comme il n'y avait pas de vent, nous avions fixé la barre et j'étais seul sur le pont. L'équipage, qui comprenait deux hommes et un mousse, dormait à l'avant dans un réduit. Will, mon ami et capitaine de notre petit bateau, était à l'arrière, étendu sur la couchette de sa petite cabine.

Soudain, un appel retentit dans l'obscurité environnante.

« Ohé! du schooner! »

Le cri était si inattendu que, trop surpris, je ne répondis pas immédiatement.

On appela de nouveau : c'était une voix rauque et inhumaine qui montait de quelque part à bâbord dans la nuit obscure.

« Ohé! du schooner!

— Hello! répondis-je, ayant retrouvé mes esprits. Qui êtes-vous? Que voulez-vous?

— Vous n'avez pas besoin d'avoir peur, répliqua la curieuse voix, qui avait probablement décelé quelque confusion dans le ton de ma réponse. Je suis seulement un vieil... homme. »

L'hésitation me parut bizarre, mais ce ne fut que plus tard que j'en compris toute la signification.

« Pourquoi ne venez-vous pas à bord? demandai-je un peu irrité, car il me déplaisait de savoir qu'il avait remarqué mon léger trouble.

— Je... je... je ne peux pas, ce serait dangereux... Je... »

La voix se tut et il y eut un silence.

« Que voulez-vous dire? interrogeai-je, de plus en plus stupéfait. Pourquoi serait-ce dangereux? Où êtes-vous? »

J'écoutai un instant, mais aucune réponse ne vint. Et puis, un soupçon subit et indéfini m'envahit. Je me dirigeai rapidement vers le réduit, et pris la lampe allumée. Au même moment, je donnai un coup de talon contre le pont pour éveiller Will. Quand je revins à bâbord, je braquai le faisceau lumineux de la lampe sur l'immensité silencieuse, au-delà du bastingage. A cet instant, j'entendis un cri étouffé, suivi d'un bruit de clapotis comme si quelqu'un avait plongé, d'un seul coup, ses rames dans l'eau.

Cependant, je ne puis dire avec certitude que je vis quoi que ce soit, sauf qu'il me sembla que la lueur de la lampe avait éclairé quelque chose là où, maintenant, il n'y avait plus rien.

« Hello! là-bas, appelai-je. Que se passe-t-il? »

Mais il n'y eut seulement que le bruit indistinct d'un bateau qui s'éloignait dans la nuit.

Alors, la voix de Will me parvint à travers l'écoutille :

« Qu'y a-t-il, Georges?

— Viens ici, Will, fis-je.

— Qu'y a-t-il? » répéta-t-il, en arrivant sur le pont.

Je lui racontai les choses étranges qui étaient arrivées. Il me posa différentes questions puis, après un moment de silence, il mit ses mains en cornet autour de sa bouche et cria :

« Ohé! du bateau! »

De très loin, nous parvint une faible réponse et mon compagnon répéta son appel. Au bout de quelques minutes, on entendit de nouveau le bruit étouffé des avirons. Alors, Will appela de nouveau.

Cette fois, il y eut une réponse assez distincte :

« Enlevez la lumière.

— Plutôt être maudit que d'obéir! » murmurai-je, mais Will me dit de faire ce qu'on me demandait et je posai la lampe sous le bastingage.

« Approchez-vous », dit-il, et les battements des rames se rapprochèrent. Puis, lorsque la barque se trouva, vraisemblablement, à une dizaine de mètres, ils cessèrent.

« Approchez-vous de nous, s'exclama Will. Il n'y a aucune raison d'avoir peur.

— Promettez-moi de ne pas vous servir de votre lumière. »

J'éclatai, incapable de me retenir davantage :

« Pourquoi diable avez-vous une telle crainte de la lumière?

— Parce que... commença la voix qui s'arrêta presque aussitôt.

— Pourquoi donc? » repris-je très vite.

Will posa la main sur mon épaule.

« Tais-toi un peu, mon vieux, dit-il à voix basse. Laisse-moi m'occuper de lui. »

Il se pencha davantage sur le bastingage.

« Réfléchissez un peu, fit-il : nous voilà dans une drôle d'histoire. Vous surgissez en pleine nuit, au beau milieu du Pacifique! Comment pouvons-nous savoir que vous ne voulez pas nous jouer un sale tour? Vous dites que vous êtes seul? Comment pouvons-nous en être sûrs, si nous ne voyons rien? Pourquoi ne voulez-vous pas que nous nous servions de la lumière? »

Quand il eut fini, j'entendis de nouveau le bruit des rames et la voix revint. Mais elle était beaucoup plus éloignée cette fois et le ton en était désespéré et pathétique.

« Pardonnez-moi... par... Je ne voulais pas vous déranger. Seulement j'ai si faim et... elle aussi. »

La voix mourut et le bruit des avirons, s'enfonçant irrégulièrement dans la mer, parvint jusqu'à nous.

« Arrêtez-vous! cria Will. Je ne veux pas vous chasser. Revenez. Nous voilerons les lumières si elles vous gênent. »

Il se tourna vers moi.

« C'est une drôle d'histoire, mais je ne crois pas que nous ayons quoi que ce soit à craindre? »

Son ton était interrogatif et je répliquai :

« Non, je ne crois pas non plus. Sans doute le pauvre diable a-t-il fait naufrage dans les environs et il est devenu fou. »

Le bruit des avirons se rapprocha.

« Remets la lampe sur l'habitacle », dit Will.

Puis il se pencha sur le bastingage et écouta. Je revins près de lui, après avoir rangé la lampe. Le clapotis des rames s'arrêta à une douzaine de mètres.

« Pourquoi ne vous approchez-vous pas davantage maintenant? demanda Will d'une voix égale. Nous avons replacé la lampe dans l'habitacle.

— Je... je ne peux pas, répondit la voix. Je n'ose pas venir plus près. Je n'ose même pas vous payer les... les provisions.

— Ça n'a pas d'importance », fit Will. Il hésita et continua :

« Prenez autant de provisions que vous pouvez en emporter... »

De nouveau, il s'arrêta.

« Vous êtes très bon, s'exclama la voix. Puisse Dieu, qui comprend tout, vous récompenser...

— Et... la dame? demanda brusquement Will. Est-elle...

— Je l'ai laissée sur l'île, fut la réponse.

— Quelle île? coupai-je.

— J'ignore son nom, fit la voix. Je prierai Dieu... » Il ne termina pas la phrase commencée.

« Ne pourrions-nous pas envoyer un canot pour aller la chercher? interrogea Will.

— Non! s'écria la voix, avec une extraordinaire énergie. Mon Dieu! Non!... »

Il y eut un arrêt, puis la voix ajouta sur un ton qui semblait supplier qu'on pardonnât son audace :

« Si je me suis risqué à venir vous demander de l'aide, c'est parce que nous sommes tellement affamés et parce que ses souffrances me torturaient.

— Je suis une brute sans mémoire! s'exclama Will. Où que vous soyez, attendez une minute et je vais vous apporter quelque chose immédiatement. »

Au bout de quelques instants, il était de retour et ses bras étaient pleins de ravitaillement.

« Ne pouvez-vous aborder pour les prendre? demanda-t-il.

— Non, je n'ose pas », répliqua la voix, et il me sembla déceler, dans le ton, une avidité étouffée, comme si notre interlocuteur essayait de taire un désir lancinant. Je compris, en un éclair, que la malheureuse créature là-bas, au milieu de l'obscurité, éprouvait un atroce besoin physique de ce que Will tenait dans ses bras. Et, cependant, pour quelque affreuse raison, il n'approchait pas de notre schooner afin de venir en prendre possession. Subitement, je me rendis compte que l'Etre Invisible qui nous parlait n'était pas fou, mais qu'au contraire il était victime d'une horreur intolérable.

« Au diable! fis-je à Will, allons chercher une caisse et envoyons-lui les provisions. »

De nombreux sentiments s'agitaient en moi, parmi lesquels prédominait la compassion.

Will fut de mon avis et tous deux nous fîmes descendre dans la mer la caisse pleine de provisions. Au bout d'une minute, un léger cri s'éleva dans la nuit et nous comprîmes que l'Invisible avait reçu la caisse.

Un peu plus tard, il nous lança un adieu, accompagné de tels remerciements que nous nous sentîmes mieux. Puis, nous entendîmes, de nouveau, le bruit des rames.

« Il est parti joliment vite, constata Will un peu déçu.

— Attends, fis-je. Je suis à peu près sûr qu'il va revenir. Il devait avoir terriblement besoin de ces provisions.

— Et la dame donc! » enchaîna Will.

Nous restâmes silencieux pendant un moment. Puis, il reprit :

« C'est la chose la plus bizarre que j'aie jamais rencontrée depuis que je fais de la pêche.

— Oui », répliquai-je, et je me mis à songer.

Une heure, puis une autre s'écoulèrent. Will était toujours auprès de moi, car l'étrange aventure lui avait enlevé toute envie de dormir.

Il s'était passé près de trois heures, lorsque nous entendîmes de nouveau un bruit de rames sur l'océan silencieux.

« Ecoute, fit Will, dont la voix laissait paraître une légère émotion.

— Il revient, tout comme je l'avais pensé », murmurai-je.

Les avirons se rapprochaient et je remarquai que le battement en était plus ferme que tout à l'heure. Décidément, il avait eu bien besoin de la nourriture!

La barque dut s'arrêter à une petite distance de notre bateau et, de nouveau, la voix étrange s'éleva dans la nuit :

« Ohé! du schooner!

— Est-ce vous? demanda Will.

— Oui, je vous ai quittés très brusquement, mais... il y avait urgence!

— La dame? questionna Will.

— La... la dame vous est reconnaissante, dès maintenant ici-bas. Elle vous sera encore plus reconnaissante, bientôt... dans le ciel. »

Will voulut répondre, mais il se mit à bafouiller et s'arrêta. Quant à moi, je ne dis rien. Je me demandais ce que signifiaient ces curieuses hésitations et, en plus de mon étonnement, j'étais plein de compassion.

La voix continua :

« Nous... elle et moi, avons parlé et nous avons partagé cette preuve de la grande tendresse divine et de la vôtre. »

Will intervint, mais sans aucune cohérence.

« Je vous supplie de ne pas minimiser votre acte de charité chrétienne, dit la voix. Soyez certain qu'il n'a pas échappé à Notre Seigneur. »

Il y eut un nouvel arrêt, suivi d'une minute entière de silence. Puis l'Invisible recommença à parler :

« Nous avons devisé ensemble de... de ce qui nous est arrivé. Nous avions décidé de mourir sans jamais dire à personne la chose terrible qui est survenue dans notre existence. Elle croit, avec moi, que ce qui nous est arrivé cette nuit nous a révélé la volonté divine : nous devons vous dire ce que nous avons souffert depuis... depuis...

— Depuis quand? demanda doucement Will.

— Depuis le naufrage de l'*Albatros*.

— Ah! m'exclamai-je involontairement, il a quitté Newcastle pour San Francisco il y a six mois environ et on n'en a plus jamais entendu parler.

— Oui, répondit la voix, car à quelques degrés au nord de l'Equateur, le navire a été pris dans une terrible tempête et a été démâté. Lorsque le jour s'est levé, on s'est aperçu qu'il prenait l'eau. Comme le calme était revenu, les marins ont mis les barques à la mer et sont partis, nous laissant, ma fiancée et moi, sur le bateau naufragé.

« Nous étions en bas, dans les cabines, en train de réunir nos quelques affaires lorsqu'ils s'éloignèrent. La peur leur avait fait perdre tous sentiments humains et, lorsque nous remontâmes sur le pont, ils étaient déjà très loin : on eût dit de petits points sur la ligne d'horizon. Cependant, nous ne désespérâmes pas. Nous nous sommes mis au travail et avons construit un petit radeau. Lorsqu'il a été terminé, nous y avons placé de l'eau et quelques biscuits de marin. Puis, le bateau s'enfonçant rapidement, nous nous sommes installés sur le radeau et éloignés de l'épave.

« Un peu plus tard, je remarquai que nous devions être portés par un courant ou une marée qui nous entraînait loin du navire, de sorte qu'au bout de trois heures, nous n'aperçûmes plus sa coque et seuls les mâts brisés nous apparurent encore pendant quelque temps. Puis, vers le soir, le brouillard tomba et continua toute la nuit. Le matin suivant, nous étions toujours entourés de brume, tandis que le temps restait calme.

« Pendant quatre jours, nous dérivâmes à travers cette brume jusqu'à ce que, le soir du quatrième jour, parvînt à nos oreilles le murmure de vagues qui, dans le lointain, se brisaient sur une côte. Ce bruit devenait, progressivement, plus distinct et, un peu après minuit, il était très proche. Le radeau fut plusieurs fois soulevé par des vagues. Alors, nous nous sommes trouvés au milieu d'une eau calme, les brisants étaient derrière nous.

« Lorsque vint le matin, nous découvrîmes que nous nous trouvions dans une sorte de grand lagon. Mais nous ne remarquâmes pas grand-chose à ce moment, car, juste devant nous, à travers le linceul de brouillard, émergeait la coque d'un grand voilier. Ensemble, nous tombâmes à genoux et nous remerciâmes Dieu, car nous pensions que nos malheurs avaient pris fin. Nous avions beaucoup à apprendre.

« Le radeau était poussé vers le bateau et nous

appelâmes pour qu'on nous prenne à bord. Personne ne répondit. A présent, le radeau touchait le flanc du navire et, comme une corde pendait du bastingage, je la saisis et me mis à grimper. Pourtant, j'eus bien du mal à parvenir jusqu'en haut, à cause d'une sorte de lichen gris qui champignonnait sur la corde et posait une tache livide sur le flanc du voilier.

« J'atteignis enfin le bastingage, l'enjambai et me trouvai à bord. Là je vis que les ponts étaient recouverts, en larges plaques, de ces masses grises, quelques-unes d'entre elles entremêlées de nœuds s'élevaient à plusieurs pieds du sol. Mais, à cette époque, je pensais moins à cela qu'à la possibilité de trouver des gens sur le navire. Je criai, mais personne ne répondit. Alors, je me dirigeai vers la porte en dessous de la plage avant. Je l'ouvris et y passai la tête. Une forte odeur de moisissure me saisit et je compris immédiatement qu'il n'y avait rien de vivant sur le bateau. Je refermai la porte rapidement, car je me sentis, soudain, très solitaire.

« Je retournai vers le côté par lequel j'étais monté. Ma... ma chérie était toujours tranquillement assise sur le radeau. Lorsqu'elle me vit, elle leva la tête et me demanda s'il y avait quelqu'un à bord. Je lui répondis que le bateau avait l'air d'avoir été abandonné depuis longtemps, mais j'ajoutai que, si elle voulait attendre un peu, je tâcherais de trouver une échelle qui lui permît d'accéder au pont. Alors, ensemble, nous fouillerions le navire. Un peu plus tard, de l'autre côté des ponts, je découvris une échelle de corde. Je l'apportai près du radeau et, une minute plus tard, elle m'avait rejoint.

« Côte à côte, nous explorâmes les cabines et

les appartements en poupe, mais nulle part n'existait le moindre signe de vie. Ici et là, dans les cabines elles-mêmes, nous rencontrâmes de bizarres taches formées par cet étrange champignon. Mais, comme le dit ma bien-aimée, ces taches pourraient facilement être nettoyées.

« A la fin, nous étant assurés que l'arrière du bateau était vide, nous nous frayâmes un chemin vers la proue, à travers ces vilaines excroissances de végétation étrange. Là, nous procédâmes à de nouvelles fouilles et finîmes par être persuadés qu'il n'y avait pas âme qui vive à bord.

« Cela ne faisant plus aucun doute, nous retournâmes vers l'arrière et nous commençâmes à nous installer le mieux possible. Ensemble, nous dégageâmes et nettoyâmes deux des cabines. Après quoi, je voulus voir s'il n'y avait rien de comestible sur le bateau. Je trouvai de la nourriture et remerciai Dieu de son immense bonté. En outre, je découvris l'endroit où se trouvait la pompe à eau. Je la réparai et m'aperçus que l'eau était buvable, bien qu'elle fût un peu désagréable au goût.

« Pendant plusieurs jours, nous demeurâmes sur le bateau sans essayer de descendre à terre. Nous étions très occupés à rendre l'endroit habitable. Pourtant, nous comprîmes rapidement que notre position était loin d'être aussi enviable que nous l'avions imaginé. En effet, bien que l'un de nos premiers soins eût consisté à enlever, en les grattant, les bizarres plaques de végétation qui recouvraient le plancher et les murs des cabines et du salon, celles-ci repoussaient en l'espace de vingt-quatre heures, ce qui, non seulement nous décourageait, mais provoquait également en nous une sensation de vague malaise.

« Pourtant, nous ne voulions pas nous avouer vaincus et nous nous remettions, immédiatement, à l'ouvrage. Nous raclâmes minutieusement les murs et les planchers et nous frottâmes les endroits où avaient poussé les champignons, avec du phénol, dont nous avions trouvé un bidon dans l'office. Or, à la fin de la semaine, la végétation avait repris sa taille normale et, en plus, elle avait proliféré comme si les germes s'étaient propagés, parce que nous avions touché à ces bizarres champignons.

« Le matin du septième jour, ma bien-aimée, en s'éveillant, trouva une plaque grise sur son oreiller, tout à côté de son visage. Dès qu'elle fut éveillée, elle vint chez moi. J'étais justement dans la cuisine, en train d'allumer le feu pour faire le petit déjeuner.

« — Venez, John, » dit-elle, et elle me conduisit à l'arrière du bateau.

« Quand je vis la chose sur son oreiller, je me mis à trembler et, d'un commun accord, nous décidâmes de quitter le bateau et d'essayer de nous installer à terre.

« Nous nous hâtâmes de réunir les quelques objets qui nous appartenaient et je vis que les champignons avaient commencé à se fixer même sur eux. Par exemple, j'aperçus une tache grise sur le bord d'un des châles de ma fiancée. Je jetai le tout par-dessus bord et ne lui en soufflai mot.

« Le radeau était toujours contre le flanc du navire mais comme il était difficile à diriger, je descendis une petite barque accrochée à la poupe du bateau et c'est ainsi que nous gagnâmes le rivage. Tandis que nous nous en approchions, je me rendis compte que les horribles champignons qui nous avaient chassés du navire se déchaînaient littéralement sur la terre ferme. A certains endroits, ils formaient d'horribles et fantastiques monticules qui semblaient presque frémir comme si le vent qui soufflait les avait animés. Ici et là, ils prenaient la forme d'énormes doigts tandis que, par ailleurs, ils se répandaient doux et traîtres, sur le sol. Quelquefois encore, ils avaient l'air d'arbres rabougris et grotesques, noués et noueux. Et tout cela, de temps en temps, tremblait de façon abominable.

« Tout d'abord, nous eûmes l'impression qu'il n'y avait pas sur tout le rivage environnant une seule portion qui ne fût pas cachée sous les masses de cet épouvantable lichen. Pourtant, je découvris que nous nous étions trompés, car un peu plus tard, tandis que nous longions la plage, à une petite distance, nous avisâmes une douce tache blanche qui nous parut être du sable fin, et ce fut là que nous abordâmes. Ce n'était pas du sable. Ce que c'était, je l'ignore. Tout ce que j'ai remarqué, c'est que les champignons n'y poussaient pas, tandis que partout ailleurs, sauf à cet endroit où la terre semblable à du sable cheminait à travers la triste désolation du lichen, rien d'autre n'existait que cette répugnante grisaille.

« Il est difficile de vous faire comprendre à quel point nous nous réjouîmes de trouver un endroit où ne proliférait pas cette affreuse végétation. Aussi, fut-ce là que nous déposâmes ce qui nous appartenait. Puis nous retournâmes vers le voilier pour y prendre les choses qui nous étaient nécessaires. Parmi celles-ci, je m'arrangeai à emporter une des voiles avec laquelle je construisis deux petites tentes qui, quoique d'une forme très rustique, remplissaient exactement leurs fonctions. Là, nous vivions et entassions ce dont nous avions besoin. Ainsi, pendant près de quatre semaines, tout alla bien et nous ne fûmes pas malheureux. En vérité, je devrais plutôt dire que nous fûmes heureux... car... nous étions ensemble.

« Ce fut sur le pouce de sa main droite qu'un champignon apparut. C'était seulement une petite tache circulaire, quelque chose comme un grain de beauté gris. Mon Dieu! Mon cœur battit de frayeur quand elle me montra la plaque. Nous la nettoyâmes, en la lavant avec de l'eau et du phénol. Le surlendemain matin, elle remontra sa main : la verrue grise était revenue. Pendant un moment, nous nous regardâmes en silence. Puis, toujours sans parler, nous essayâmes de nouveau de l'enlever. Au milieu de l'opération, elle me dit soudain :

« — Qu'avez-vous sur le côté de la tête, chéri? »

« Sa voix était lourde d'anxiété. Je passai la main sur mon visage.

« — Là, sous les cheveux, à côté de l'oreille. « Plus vers le front. »

« Mon doigt toucha l'endroit et alors je sus.

« — Finissons votre pouce d'abord », dis-je.

« Et elle obéit, uniquement parce qu'elle avait peur de me toucher avant d'être débarrassée du lichen. Lorsque j'eus lavé et désinfecté son doigt, elle s'occupa de mon visage. L'opération terminée, nous restâmes assis, l'un à côté de l'autre, et nous parlâmes car, soudainement, des événements terribles étaient intervenus dans notre vie. Tout d'un coup, quelque chose nous effrayait plus que la mort. Nous pensâmes à charger la barque de provisions et d'eau et à gagner la mer. Mais, nous étions sans défense pour de nombreuses raisons, et, d'ailleurs, la végétation s'était déjà attaquée à nous.

Nous résolûmes de rester. Dieu ferait de nous ce qu'il en avait décidé. Nous resterions.

« Un mois, deux mois, trois mois passèrent. D'autres plaques avaient suivi les premières. Cependant, nous luttions si désespérément contre la peur que son cheminement était relativement lent.

« De temps en temps, nous nous aventurions sur le bateau pour y chercher ce qu'il nous fallait. Là, le lichen poussait avec persistance. L'un des arbustes du pont atteignit bientôt la hauteur de ma tête.

« Nous avions, à présent, abandonné toute pensée ou tout espoir de quitter l'île. Nous avions compris que nous n'avions pas le droit d'aller vivre parmi les humains avec ce mal dont nous souffrions.

« Ayant pris cette décision, il nous fallut penser à économiser l'eau et la nourriture, car nous ignorions à cette époque si nous ne vivrions pas de nombreuses années.

« Cela me rappelle que je vous ai dit que j'étais un vieillard. Si l'on en juge par les années, ce n'est pas vrai mais... mais... »

Il s'arrêta, puis continua sur un ton légèrement saccadé :

« Comme je vous le disais, nous savions qu'il faudrait faire attention à nos provisions, mais nous ne savions pas du tout qu'il nous en restait aussi peu. Ce fut une semaine plus tard que je découvris que tous les bacs à pain — que j'avais cru pleins — étaient vides et que (en dehors de boîtes de légumes, de viande, et quelques autres denrées) nous n'avions rien d'autre pour nous nourrir que le pain du bac que j'avais déjà ouvert.

« Je décidai, alors, de faire ce que je pourrais et me mis à pêcher dans le lagon, sans succès, hélas! Cet échec m'amena au bord du désespoir, jusqu'à ce que j'eusse l'idée d'essayer la haute mer.

« Là, de temps en temps, j'attrapais des poissons bizarres, mais c'était si rare que ces prises ne nous aidaient pas beaucoup à lutter contre la faim qui nous menaçait. Il me sembla, alors, que nous allions être tués par la famine et non par la prolifération des champignons sur notre corps.

« Nous étions dans cet état d'esprit lorsque le quatrième mois prit fin. Alors, je fis une horrible découverte. Un matin, avant midi, je revenais du bateau avec la portion de biscuits qui restaient encore. A l'entrée de sa tente, je vis ma bien-aimée assise, en train de manger quelque chose.

« — Qu'est-ce que c'est? » criai-je en sautant à terre.

« Elle parut gênée en entendant ma voix. Elle se détourna et sournoisement jeta quelque chose vers le bord de la petite clairière. L'objet n'atteignit pas son but et, comme un vague soupçon s'élevait dans mon esprit, j'allai le ramasser : c'était un morceau de lichen gris!

« Comme je m'avançais vers elle, le lichen dans la main, son visage prit une pâleur mortelle, puis devint rouge.

« Je me sentis étrangement étourdi et effrayé.

« — Ma chérie, ma chérie! » dis-je sans pouvoir prononcer un autre mot.

« Cependant elle s'effondra en m'entendant et se mit à pleurer amèrement. Petit à petit, elle se calma. Elle m'avoua qu'elle avait essayé, la veille, et que ça lui avait plu. Je la fis s'agenouiller et promettre qu'elle n'y toucherait plus jamais, quelque grande que fût notre faim. Après avoir promis, elle me dit que son désir de goûter au lichen lui était venu subitement et que, jusqu'alors, elle n'avait éprouvé, à l'égard de cette plante, que la plus extrême répulsion.

« Et un peu plus tard, dans la journée, comme je me sentais étrangement agité, et très troublé par ce que j'avais découvert, je suivis un de ces chemins sinueux en substance blanche et sablonneuse qui conduisaient vers la végétation envahissante. Une fois auparavant, je m'y étais aventuré, mais sans aller très loin. Ce jour-là, plongé comme je l'étais dans mes pensées, je m'enfonçai beaucoup plus avant.

« Soudain, je fus rappelé à la réalité par un étrange bruit rauque venant sur ma gauche. Je me tournai rapidement et vis une masse de lichen de forme extraordinaire, tout contre mon coude, agitée d'un mouvement régulier. Cette masse se balançait avec inquiétude, comme si elle était animée d'une vie qui lui fût propre. A brûle-pourpoint, tandis que je la fixais, je me dis que cette chose avait une grotesque ressemblance avec une créature humaine en proie aux convulsions. Et, comme cette pensée traversait mon esprit, j'entendis un bruit déchirant : un bras, en forme de branche, se détachait des masses grises environnantes et venait vers moi. La tête de la chose — une boule grise et sans forme précise — était inclinée dans ma direction. Je restai debout, stupide, et l'abominable bras effleura mon visage. Je poussai un cri de frayeur et reculai de quelques pas. Je sentis un goût douceâtre sur mes lèvres, à l'endroit où la chose m'avait touché. Je les léchai et fus immédiatement envahi d'un désir surhumain. Je me retournai et saisis une masse de lichens. J'en repris encore et encore... J'étais insatiable. Tandis que je dévorais goulûment, les souvenirs de ma découverte du matin envahirent mon esprit. C'était Dieu qui me les envoyait. Je lançai loin de moi le morceau que je tenais. Puis, malheureux et croulant sous le poids de ma culpabilité, je me dirigeai vers notre petit campement.

« Je pense que, grâce, sans doute, à la merveilleuse intuition que donne l'amour, elle comprit ce qui s'était passé dès qu'elle posa ses yeux sur moi. Sa tendre pitié me rendit plus facile la confession de ma soudaine faiblesse. Cependant, dans mon récit, j'omis volontairement de mentionner la chose extraordinaire qui s'était passée devant moi. Je désirais lui épargner toute frayeur inutile.

« Mais, moi, mon angoisse devenait insupportable, car j'étais sûr que j'avais assisté à la fin d'un de ces hommes qui étaient venus sur l'île avec le bateau ancré dans le lagon. Et cette fin monstrueuse préfigurait la nôtre.

« Après cela, nous ne goûtâmes plus à l'abominable nourriture, bien que nous en ressentîmes le désir jusque dans notre sang. Cependant, le triste châtiment était suspendu au-dessus de nous car, jour après jour, avec une monstrueuse rapidité, les lichens proliféraient sur nos misérables corps. Nous ne pouvions rien faire pour l'arrêter et ainsi... et ainsi... nous qui avions été des êtres humains, devenions... Enfin, cela a moins d'importance chaque jour.

« Et jour après jour, le combat est plus terrible pour résister au désir effréné de manger l'horrible lichen.

« Il y a une semaine, nous avons mangé le dernier biscuit et, depuis lors, j'ai attrapé trois poissons. J'étais sorti pour pêcher cette nuit lorsque j'ai vu apparaître votre schooner, émergeant du brouillard. Je vous ai hélés. Vous savez le reste et puisse Dieu vous bénir pour la bonté que vous avez montrée à un couple de pauvres âmes hors la loi. »

On entendit une première fois les avirons qui plongeaient dans l'eau; puis, une deuxième fois. Alors la voix revint : on eût dit d'un triste fantôme qui parlait.

« Que Dieu vous bénisse! Au revoir!

— Au revoir », criâmes-nous ensemble, d'une voix rauque. Nos cœurs étaient pleins de multiples émotions.

Je lançai un coup d'œil autour de moi. Je me rendis compte que l'aube venait de se lever.

Le soleil posa un rayon sur la mer cachée, transperça tristement le brouillard et éclaira d'une tache lumineuse la barque qui s'éloignait. Instinctivement, j'aperçus quelque chose qui se penchait entre les rames. Je pensai à une éponge : une grande éponge grise et courbée. Les avirons continuaient à battre la mer. Ils étaient gris, comme était grise la barque. Mes yeux cherchèrent vainement le lien entre la main et l'aviron. Mon regard retourna à la... tête. Elle s'inclinait en avant, tandis que les avirons plongeaient en arrière pour creuser l'eau. Puis la barque disparut de la tache de lumière et la... chose continua à avancer, en dodelinant, vers le brouillard.

# Le plus dangereux des gibiers

par

RICHARD CONNELL

*Traduit par Jos Ras*

« LÀ-BAS, quelque part sur notre droite, se trouve une grande île, dit Whitney. Elle est assez mystérieuse...

— Quelle est cette île? demanda Rainsford.

— Sur les vieilles cartes, elle porte le nom de : Piège à Bateaux, répondit Whitney. Un nom qui parle, n'est-ce pas? Les marins ont de ce lieu une appréhension curieuse. Je n'en connais pas la raison. Quelque superstition...

— Je ne peux pas la voir », observa Rainsford, essayant de percer la nuit tropicale, que l'humidité rendait palpable tandis qu'elle emplissait le yacht de son ombre épaisse et tiède.

« Vous avez de bons yeux, dit Whitney, en riant. Je vous ai vu repérer, à plus de trois cents mètres, un orignal qui se déplaçait dans le brun des broussailles d'automne, mais votre vue ne peut pas porter à quelque six kilomètres, par une nuit sans lune des Caraïbes.

— Ni même à six mètres, admit Rainsford. Pouah! on dirait du velours mouillé.

— Il fera assez clair à Rio, promit Whitney. Nous

devrions y être dans quelques jours. J'espère que les fusils pour chasser le jaguar sont arrivés de chez Purdey. Nous devrions avoir quelques bonnes chasses en remontant l'Amazone. Magnifique sport, la chasse.

— Le plus beau sport du monde, opina Rainsford.

— Pour le chasseur, rectifia Whitney. Pas pour le jaguar.

— Ne dites pas de bêtises, Whitney, dit Rainsford. Vous chassez le gros gibier, vous ne faites pas de la philosophie. Qui se soucie des sentiments du jaguar?

— Lui, peut-être, fit remarquer Whitney.

— Bah! il leur manque l'intelligence.

— Je crois qu'ils comprennent au moins une chose : la crainte. La crainte de la douleur et la crainte de la mort.

— Quelles blagues! dit Rainsford en riant. Cette chaleur vous ramollit, Whitney. Soyez réaliste. Le monde se compose de deux catégories de créatures : les chasseurs et les chassés. Heureusement, vous et moi, nous sommes des chasseurs. Croyez-vous que nous ayons déjà dépassé cette île?

— Je n'en sais rien, il fait si noir. Je l'espère.

— Pourquoi? demanda Rainsford.

— Cet endroit a une réputation... une mauvaise réputation.

— Des cannibales? suggéra Rainsford.

— Pas exactement. Même des cannibales n'accepteraient pas de vivre dans un endroit aussi abandonné des dieux. Mais, on ne sait pourquoi, cette île est connue des marins. N'avez-vous pas remarqué que les matelots avaient les nerfs à vif, aujourd'hui?

— Oui, maintenant que vous me le dites, je les ai trouvés un peu bizarres. Le capitaine Nielsen lui-même...

— Oui, ce vieux Suédois endurci, qui irait se présenter au diable en personne, pour lui demander du feu. Ses yeux bleus, sans éclat, avaient un regard que je ne leur avais jamais vu auparavant. Tout ce que j'ai pu tirer de lui, c'était : « Cet « endroit a une mauvaise réputation parmi les « gens de mer, monsieur. » Puis il me dit très gravement : « Vous ne sentez rien? C'est comme si « l'air qui nous entoure était réellement pestilen- « tiel. » Eh bien, ne riez pas si je vous avoue ceci : j'ai senti tout à coup quelque chose qui m'a glacé.

« Il n'y avait pas de brise. La mer était aussi lisse qu'un miroir. Nous approchions alors de l'île. Ce que je ressentais, ce froid de glace, c'était, dans mon esprit, une sorte d'épouvante subite.

— Pure imagination! dit Rainsford. Les craintes d'un marin superstitieux suffisent pour contaminer tous les hommes du bord.

— C'est possible. Mais, parfois, je crois que les marins sont dotés d'un sens spécial, qui les avertit du danger qu'ils courent. Il m'est arrivé de penser que le danger est une chose tangible, qui a ses longueurs d'onde, tout comme le son et la lumière. Un lieu maudit peut, pour ainsi dire, diffuser des vibrations malignes. Quoi qu'il en soit, je me réjouis que nous nous éloignions de ces parages maléfiques. Je crois que je vais rentrer, Rainsford.

— Je n'ai pas sommeil, dit Rainsford. Je vais fumer une pipe sur le pont arrière.

— Alors, bonne nuit, Rainsford. Je vous verrai au déjeuner.

— Bien. Bonne nuit, Whitney. »

Tandis que Rainsford restait là, assis, aucun bruit ne troublait la nuit sauf les sourdes pulsations de la machine qui emportait le yacht à bonne allure, dans les ténèbres, ainsi que le froissement et le clapotement dus au mouvement de l'hélice.

Renversé dans un transatlantique, Rainsford tirait nonchalamment quelques bouffées de sa pipe de bruyère. La torpeur voluptueuse de la nuit pesait sur lui.

« Il fait si noir, pensa-t-il, que je pourrais dormir sans fermer les yeux; la nuit me servirait de paupières. »

Un bruit subit le fit sursauter. Il l'avait entendu, loin là-bas, sur la droite, et ses oreilles, expertes en la matière, ne pouvaient s'y méprendre. Il entendit le même son, une fois encore, puis une autre fois. Quelque part au loin, dans l'obscurité, un homme avait tiré trois coups de fusil.

Intrigué, Rainsford se dressa d'un bond et se précipita vers le bastingage. Il tendit son regard dans la direction d'où étaient partis les coups, mais c'était comme si l'on essayait de voir à travers une couverture. Il sauta sur le bastingage et s'y tint en équilibre pour gagner de la hauteur. Sa pipe heurta un cordage et lui tomba de la bouche. Il se jeta en avant pour essayer de la rattraper. Un cri rauque, bref. lui sortit de la gorge lorsqu'il se rendit compte qu'il s'était trop avancé et avait perdu l'équilibre. Le cri fut coupé net lorsque les eaux de la mer des Caraïbes, tièdes comme du sang, se refermèrent au-dessus de sa tête.

Il lutta pour remonter à la surface et essaya de crier très fort, mais les vagues formées par le sillage du yacht qui filait à toute allure le giflaient en plein visage, et, lorsqu'il ouvrait la bouche.

l'eau salée s'y engouffrait et le suffoquait. Il se mit à nager furieusement, à longues brassées, vers les lumières du yacht qui s'éloignait, mais il s'arrêta avant d'avoir parcouru cent cinquante mètres. Un peu de sang-froid lui était venu : ce n'était pas la première fois qu'il se trouvait en mauvaise posture. Il y avait une chance pour que ses cris fussent entendus à bord du yacht, mais cette chance était minime et s'amenuisait à mesure que le yacht poursuivait sa course. A grand-peine, il se débarrassa de ses vêtements et hurla de toutes ses forces. Les lumières du yacht n'étaient plus que de pâles lucioles, prêtes à disparaître. Puis la nuit les effaça entièrement.

Rainsford se rappela les coups de fusil. Ils étaient venus de la droite. Il nagea donc obstinément dans cette direction, à longues brasses mesurées, économisant ses forces. Pendant un temps qui lui parut interminable, il lutta contre la mer. Il se mit à compter désespérément ses brasses il pourrait peut-être bien aller jusqu'à une centaine encore, et puis...

Rainsford entendit un bruit qui sortait des ténèbres; c'était un hurlement aigu, le hurlement d'un animal au paroxysme de l'angoisse et de la terreur.

Il n'identifiait pas l'animal qui avait émis ce son : il n'essaya pas. Avec une vitalité renouvelée, il nagea dans la direction du bruit. Une fois encore, il se fit entendre, puis il fut coupé net par un autre, qui était sec, haché.

« Un pistolet », murmura Rainsford, continuant à nager.

Dix minutes d'efforts résolus, et ses oreilles perçurent un autre bruit, le plus agréable qu'il eût jamais entendu : la sourde rumeur et le grondement des vagues qui se brisent sur les rochers de la côte. Il fut sur les rochers presque avant de les avoir vus; par une nuit moins noire, il eût été broyé contre leur masse. Il appliqua ce qu'il lui restait de force à se dégager du ressac. Des rocs déchiquetés semblaient se projeter dans les ténèbres opaques; il se hissa à grand-peine jusqu'au sommet. A bout de souffle, les mains à vif, il atteignit une plate-forme, tout en haut. La jungle compacte s'étendait jusqu'au bord des falaises. Quels périls pouvait bien lui réserver cet enchevêtrement d'arbres et de broussailles? Rainsford ne s'en inquiétait pas pour le moment. Tout ce qu'il savait, c'est qu'il avait échappé à son ennemie, la mer, et qu'il ressentait une extrême lassitude. Il se laissa tomber au bord de la jungle et sombra, à corps perdu, dans le plus profond sommeil qu'il eût jamais connu.

Quand il ouvrit les yeux, il vit, d'après la position du soleil, que l'après-midi était avancé. Le sommeil lui avait redonné de la vigueur; il sentait les tiraillements d'une faim aiguë. Il regarda autour de lui, avec une espèce de joie.

« Là où il y a des coups de pistolets, il y a des hommes. Là où il y a des hommes, il y a de la nourriture », pensa-t-il. « Mais quelle espèce d'hommes, se demanda-t-il, dans un lieu d'aspect aussi sinistre? » Une frange ininterrompue de jungle enchevêtrée et déchiquetée bordait la côte.

Il ne vit aucune trace de piste dans cet entrelacement d'arbres et d'herbes. Longer la côte était plus facile; Rainsford avança en barbotant dans l'eau. Non loin de l'endroit où il avait abordé, il s'arrêta.

Quelque créature blessée, un gros animal, à en

juger par les apparences, avait foncé dans la broussaille. Les plantes étaient écrasées et la mousse lacérée. En un point, une tache cramoisie recouvrait l'herbe. Un petit objet qui brillait retint le regard de Rainsford. C'était une cartouche vide.

« Du vingt-deux, remarqua-t-il. Voilà qui est étrange. Cela devait être un assez gros animal, qui plus est. Le chasseur ne manquait pas de cran pour l'attaquer avec un fusil de petit calibre. Il est clair que la bête s'est défendue. Les trois premiers coups que j'ai entendus ont dû être tirés lorsque le chasseur a fait partir sa proie et l'a blessée, le dernier lorsqu'il l'a suivie jusqu'ici et achevée. »

Il examina attentivement le sol et découvrit ce qu'il avait espéré y trouver : des empreintes de bottes de chasse. Elles étaient tournées vers la falaise et partaient dans la direction qu'il avait suivie. Avide, impatient, il se hâtait, glissant parfois sur une branche pourrie, ou une pierre branlante, mais il avançait. La nuit commençait à s'installer sur l'île.

Une morne obscurité recouvrait la mer et la jungle lorsque Rainsford aperçut des lumières. Il les découvrit à un tournant de la côte. Il pensa d'abord qu'il se trouvait devant un village, car il y avait beaucoup de lumières. Mais, en avançant, il vit, à sa stupéfaction, que toutes ces lumières venaient d'une énorme bâtisse, un édifice d'une grande hauteur, dont les tours pointues se perdaient là-haut, dans les ténèbres. Son regard distingua les contours indistincts d'un château grandiose. Il se dressait sur une haute falaise. Sur trois de ses côtés, les rochers plongeaient jusqu'à l'endroit où la mer, au milieu des ombres, léchait ses babines avides.

« Mirage », se dit Rainsford. Mais, en ouvrant le grand portail de métal aux barreaux en fer de lance, il vit que ce n'était pas un mirage. Les marches de pierre étaient bien réelles; la porte massive au heurtoir en forme de gargouille ricanante était réelle, elle aussi et, cependant, il y avait sur tout cela un air d'irréalité.

Il souleva le heurtoir qui était raide et grinça comme s'il n'avait jamais servi jusqu'alors. Il le laissa retomber et sursauta au bruit de tonnerre qui s'ensuivit. De nouveau, Rainsford souleva le lourd heurtoir, et le laissa retomber. La porte s'ouvrit alors, s'ouvrit aussi subitement que si elle était mue par un ressort, et Rainsford se tint immobile, clignant des yeux dans l'intensité du flot de lumière dorée qui s'en échappa. La première chose qu'il distingua fut un homme, le plus grand qu'il eût jamais vu, une créature gigantesque, solidement bâtie, portant une barbe noire qui lui tombait jusqu'à la ceinture. L'homme tenait à la main un revolver à long canon, pointé dans la direction du cœur de Rainsford.

Dans l'enchevêtrement de poils qui recouvraient le visage, deux petits yeux regardaient Rainsford.

« Ne craignez rien, dit Rainsford, avec un sourire qu'il voulait désarmant. Je ne suis pas un voleur; je suis tombé d'un yacht. Mon nom est Sanger Rainsford, de New York City. »

La menace persistait dans le regard de l'homme. Le revolver était braqué avec la même rigidité que si le géant eût été une statue. Rien ne montra qu'il comprenait les paroles de Rainsford, ou même qu'il les entendait. Il portait un uniforme noir, garni d'astrakan gris.

« Je suis Sanger Rainsford, de New York,

reprit Rainsford. Je suis tombé d'un yacht. J'ai faim. »

Pour toute réponse, l'homme, de son pouce, leva le chien du revolver. Puis Rainsford vit la main libre de l'homme se lever jusqu'à son front pour faire le salut militaire. Il le vit rapprocher ses talons en les faisant claquer et se tenir au garde-à-vous. Un autre homme descendait le large escalier de marbre, un homme mince, très droit, en tenue de soirée. Il s'approcha de Rainsford et lui tendit la main. D'une voix distinguée, marquée par un léger accent qui en accusait la précision et la lenteur voulue, il dit :

« C'est un grand plaisir et un grand honneur de recevoir chez moi M. Sanger Rainsford, le célèbre chasseur. »

Machinalement, Rainsford serra la main de l'homme.

« J'ai lu votre livre sur la chasse au léopard des neiges au Tibet, expliqua l'homme. Je suis le général Zaroff. »

Ce qui frappa tout d'abord Rainsford, ce fut la beauté singulière de cet homme, puis l'originalité, presque l'étrangeté de ce visage. C'était un homme de haute taille, sur le retour, car ses cheveux étaient d'un blanc éclatant. Ses sourcils épais, cependant, ainsi que sa moustache pointue, étaient aussi noirs que la nuit que Rainsford venait de quitter. Il avait les yeux noirs également, les pommettes saillantes, le nez bien dessiné, le visage maigre, le teint mat, la physionomie d'un homme habitué à commander : un visage d'aristocrate. Se tournant vers le géant en uniforme, le général fit un signe. Le géant rangea son pistolet, fit le salut militaire et se retira.

« Ivan est un être d'une force incroyable, remarqua le général, mais il a le malheur d'être sourd-muet. Un être simple, mais, je le crains, un peu féroce, comme tous ceux de sa race.

— Il est Russe?

— C'est un Cosaque, et son sourire révéla des lèvres rouges et des dents pointues. Moi aussi. Mais, dit-il, nous ne devrions pas nous attarder ici à bavarder. Nous pourrons parler plus tard. Pour l'instant, vous avez besoin de vêtements, de nourriture et de repos. Vous allez les avoir. Cet endroit est tout à fait reposant. »

Ivan avait reparu, et le général lui parla en remuant les lèvres, sans faire entendre aucun son.

« Suivez Ivan, je vous prie, monsieur Rainsford, dit le général. J'étais sur le point de dîner lorsque vous êtes arrivé. Je vous attendrai. Vous trouverez mes vêtements à votre taille, je crois. »

Ce fut dans une immense chambre aux poutres apparentes, avec un lit à baldaquin, qui aurait pu contenir six hommes, que Rainsford suivit le géant silencieux. Ivan prépara un costume du soir, et Rainsford, en le revêtant, remarqua qu'il venait de chez un tailleur londonien qui, habituellement, ne mettait ses ciseaux et sa machine au service de quiconque n'avait pas au moins le rang de duc.

La salle à manger où le conduisit Ivan était remarquable à maints égards. Elle était d'une magnificence médiévale. Elle faisait penser à la grande salle d'un baron de la féodalité avec ses boiseries de chêne, la hauteur de son plafond, sa vaste table de réfectoire à laquelle auraient pu s'asseoir une quarantaine d'hommes. Tout autour de la salle on voyait les têtes naturalisées de toutes sortes d'animaux : lions, tigres, éléphants, élans, ours, les plus grands, les plus parfaits spécimens que Rainsford eût jamais vus. A la grande table était assis le général, seul.

« Vous prendrez bien un cocktail, monsieur Rainsford », suggéra-t-il.

Ce cocktail était incomparable, et Rainsford nota que tout le service : linge, cristal, argenterie, porcelaine, était des plus raffinés.

Ils mangeaient du *borsch,* la soupe si chère aux Russes, cette soupe généreuse, rouge, à la crème aigre. S'excusant à demi, le général Zaroff dit :

« Nous faisons de notre mieux pour conserver ici les agréments de la civilisation. Je vous prie de fermer les yeux sur les imperfections. Nous sommes loin des chemins battus, n'est-ce pas! Trouvez-vous que le champagne ait souffert de la longue traversée?

— Pas le moins du monde », déclara Rainsford.

Il voyait en la personne du général un hôte affable, plein d'attention, un vrai cosmopolite. Cependant, il y avait une chose qui causait quelque malaise à Rainsford. Chaque fois qu'il levait les yeux de son assiette, il trouvait le général en train de l'observer, de supputer sa valeur.

« Vous vous êtes peut-être étonné, dit le général Zaroff, que je connaisse votre nom. C'est que j'ai lu tous les livres de chasse publiés en anglais, en français, en russe. Je n'ai qu'une passion dans ma vie : la chasse!

— Vous avez là quelques magnifiques bêtes, dit Rainsford en mangeant un filet mignon particulièrement bien préparé. Ce buffle du Cap est le plus grand que j'aie jamais vu.

— Oh! celui-là, oui, monsieur. c'était un monstre...

— J'ai toujours pensé, dit Rainsford, que, parmi le gros gibier, c'est le buffle du Cap qui est le plus dangereux. »

Le général ne répondit pas tout de suite. Il souriait du curieux sourire de ses lèvres rouges.

« Non, vous vous trompez, monsieur; le buffle du Cap n'est pas le gibier le plus dangereux. »

Il buvait son vin à petites gorgées.

« Ici, dans ma réserve, sur cette île, je chasse un gibier plus dangereux. »

Rainsford exprima sa surprise.

« Y a-t-il du gros gibier sur cette île? »

Le général fit un signe de tête affirmatif.

« Le plus gros.

— Vraiment?

— Oh! il ne s'y trouve pas normalement, bien entendu. Il faut que je peuple l'île.

— Qu'avez-vous importé, général? demanda Rainsford. Des tigres? »

Le général sourit.

« Non, dit-il; la chasse aux tigres a cessé de m'intéresser depuis quelques années. J'ai épuisé leurs possibilités. Ils ne me donnent plus le frisson. Je ne cours pas de vrai danger. Je vis pour le danger, monsieur Rainsford.

— Mais quel gibier...? commença Rainsford.

— Je vais vous le dire, dit le général. Cela vous amusera, je le sais, et je crois en toute modestie avoir réussi une chose rare. J'ai inventé une nouvelle sensation. Puis-je vous verser un autre verre de porto, monsieur Rainsford?

— Merci, général. »

Le général emplit les deux verres, et dit :

« Dieu crée certains hommes poètes. Il fait des uns des rois, des autres, des mendiants. Moi, il m'a créé chasseur. Ma main a été faite pour la gâchette, disait mon père. C'était un homme très riche, qui possédait un demi-million d'hectares en Crimée, et c'était un chasseur fervent. Je n'avais pas plus de cinq ans lorsqu'il me fit cadeau d'un petit fusil, fabriqué à Moscou à mon intention, pour tirer les moineaux. Je m'en servis pour tirer quelques-uns de ses dindons privés; il ne me punit pas; il me félicita pour la précision de mon tir. Je tuai mon premier ours au Caucase à l'âge de dix ans. Toute ma vie n'a été qu'une longue partie de chasse. J'entrai à l'armée; c'est ce qu'on attendait des fils de la noblesse. Pendant un temps, je commandai une division de cavalerie cosaque, mais ce qui m'intéressait vraiment, c'était toujours la chasse. J'ai chassé toutes sortes de gibier dans tous les pays. Il me serait impossible de vous dire combien de bêtes j'ai tuées. »

Le général tira une bouffée de sa cigarette.

« Après la débâcle en Russie, je quittai le pays. Il eût été imprudent d'y demeurer pour un officier du tsar. Beaucoup de nobles perdirent tous leurs biens. Quant à moi, j'avais heureusement investi des sommes importantes en titres américains, grâce à quoi je n'aurai jamais à ouvrir un salon de thé à Monte-Carlo ou à me faire chauffeur de taxi à Paris. Naturellement, je continuai à chasser : le grizzli dans vos Montagnes Rocheuses, les crocodiles du Gange, les rhinocéros de l'Afrique orientale. C'est en Afrique que je fus maltraité par ce buffle du Cap, ce qui m'obligea à garder le lit pendant six mois. Dès que je fus guéri, je partis pour chasser les jaguars de la région de l'Amazone, car j'avais entendu dire qu'ils étaient particulièrement rusés. Ce qui n'était pas exact. » Le Cosaque soupira. « Ils n'étaient pas du tout à la hauteur d'un chasseur qui avait toute sa présence d'esprit et un fusil de fort calibre. Ce fut une amère déception. J'étais couché sous ma tente une nuit, avec un violent mal de tête, lorsqu'une pensée terrible se fit jour dans mon esprit. La chasse commençait à m'ennuyer! Et la chasse, rappelez-vous, avait été toute ma vie. J'ai entendu dire qu'en Amérique les hommes d'affaires s'effondrent quand ils renoncent à ce qui a été leur vie.

— Oui, c'est exact », dit Rainsford.

Le général sourit.

« Je n'avais pas envie de m'effondrer, dit-il. Il fallait faire quelque chose. Or, j'ai l'esprit d'analyse, monsieur Rainsford. C'est sans doute la raison pour laquelle les problèmes de la chasse m'amusent.

— Sans aucun doute, général Zaroff.

— Je me demandai donc, continua le général, pourquoi la chasse avait cessé de me fasciner. Vous êtes beaucoup plus jeune que moi, monsieur Rainsford, et vous n'avez pas autant chassé, mais vous pouvez peut-être deviner la réponse.

— Qui est?

— Ceci simplement : la chasse n'est plus ce qu'on peut appeler un divertissement. Elle est devenue trop facile. Je n'ai jamais manqué ma proie. Jamais. Rien n'est aussi fastidieux que la perfection. »

Le général alluma une autre cigarette.

« Aucun animal n'avait désormais une chance de s'en tirer avec moi. Ce n'est pas une vantardise. C'est une certitude mathématique. L'animal ne possédait que ses pattes et son instinct. L'instinct ne peut rien contre la raison. Lorsque cette pensée me vint, ce fut pour moi un moment tragique, je vous assure. »

Captivé par ce que lui disait son hôte, Rainsford se pencha par-dessus la table.

« J'eus tout à coup la révélation de ce que je devais faire, continua le général.

— Et c'était? »

Le général sourit, du sourire tranquille de quelqu'un qui a affronté un obstacle et en a triomphé.

« J'ai dû inventer un nouveau gibier.

— Un nouveau gibier? Vous plaisantez.

— Pas du tout, dit le général Zaroff. Je ne plaisante jamais quand il s'agit de chasse. Il me fallait un nouvel animal. J'en trouvai un. J'achetai donc cette île, y construisis cette maison, et c'est ici que je chasse. L'île convient exactement à mon dessein. Il y a des jungles où l'on trouve un labyrinthe de pistes, des collines, des marécages...

— Mais l'animal, général Zaroff?

— Oh! dit le général, je lui dois la chasse la plus passionnante du monde. Aucune autre chasse ne peut lui être un instant comparée. Tous les jours, je chasse, et je ne m'ennuie jamais, maintenant, car j'ai affaire à un gibier contre lequel je peux faire appel aux ressources de mon esprit. »

L'ahurissement de Rainsford se lisait sur son visage.

« Je voulais l'animal idéal à chasser, expliqua le général. Donc je me dis : « Quelles sont les carac-« téristiques d'un gibier idéal? » Et la réponse était, bien entendu, qu'il devait être doué de courage, de ruse et, par-dessus tout, être capable de raisonner.

— Mais aucun animal n'est capable de raisonner, objecta Rainsford.

— Mon cher, dit le général, il en existe un.

— Mais vous ne pouvez pas penser à...., dit Rainsford, le souffle coupé.

— Et pourquoi pas?

— Je ne peux pas croire que vous êtes sérieux, général Zaroff. C'est une sinistre plaisanterie.

— Pourquoi ne serais-je pas sérieux? Je parle de chasse.

— De chasse? Grands dieux, général Zaroff, c'est de meurtre que vous parlez. »

Le général rit avec la plus parfaite bonhomie. Il regarda Rainsford d'un air narquois.

« Je me refuse à croire qu'un jeune homme moderne et civilisé comme vous semblez l'être puisse nourrir des idées aussi romantiques sur la vie humaine. Certainement vos expériences de guerre... »

Il s'arrêta.

« Ne m'ont pas amené à montrer de l'indulgence pour le meurtre délibéré », acheva Rainsford avec raideur.

Le général était tout secoué de rire.

« Vous êtes extraordinairement cocasse! dit-il. On ne s'attend pas de nos jours à trouver, même en Amérique, un homme d'un milieu éclairé, qui ait des vues aussi naïves, et, si je peux me permettre ce jugement, portant aussi nettement la marque de l'esprit de l'ère victorienne. C'est comme si l'on trouvait une tabatière dans une limousine. Ah! bien sûr, vous avez dû avoir des ancêtres puritains. C'est le cas de tant d'Américains. Je gagerais que vous oublierez vos idées lorsque vous viendrez chasser avec moi. Des émotions authentiques et inédites vous attendent, monsieur Rainsford.

— Merci; je suis chasseur, non assassin.

— Mon Dieu, dit le général, nullement affecté, encore ce vilain mot. Mais je me fais fort de vous montrer que vos scrupules sont très mal fondés.

— Oui?

— La vie est pour les forts, doit être vécue par les forts, et au besoin ôtée par les forts. Les faibles ont été mis en ce monde pour donner du plaisir aux forts. Je suis fort. Pourquoi n'utiliserais-je pas ce don? Si j'ai le désir de chasser, pourquoi ne le ferais-je pas? Je chasse la lie de la terre, des matelots de cargos à la demande, des lascars, des Noirs, des Chinois, des Blancs, des métisses. Un pur-sang ou un chien de race valent plus que vingt d'entre eux.

— Mais ce sont des hommes, dit Rainsford, vivement.

— Précisément, dit le général. C'est pourquoi je me sers d'eux. Cela me donne du plaisir. Ils peuvent raisonner, plus ou moins. Ils sont donc dangereux.

— Mais où les prenez-vous? »

La paupière gauche du général s'abaissa en un clignement d'œil.

« Cette île s'appelle : Piège à Bateaux, répondit-il. Parfois, dans son courroux, un dieu de la haute mer me les envoie. Parfois, lorsque la Providence n'est pas aussi bienveillante, j'aide un peu la Providence. Venez à la fenêtre avec moi. »

Rainsford obéit, et regarda en direction de la mer.

« Regardez bien, là-bas, au large », s'exclama le général, le doigt tendu dans les ténèbres.

Les yeux de Rainsford ne voyaient que du noir. Le général appuya sur un bouton; là-bas, au large,

Rainsford vit jaillir des lumières.

Le général eut un petit rire satisfait.

« Elles indiquent un chenal qui n'existe pas. Des rochers gigantesques sont tapis comme un monstre marin à la gueule grande ouverte. Ils peuvent fracasser un bateau aussi facilement que je casse cette noix. »

Il laissa tomber une noix sur le parquet de bois dur, et d'un coup de talon, l'écrasa.

« Oh! oui, dit-il négligemment, comme en réponse à une question. J'ai l'électricité. Nous nous efforçons d'être civilisés ici.

— Civilisés? Et vous tirez sur des hommes? »

Une lueur de colère passa dans les yeux noirs du général, l'espace d'une seconde, et il dit, de son ton le plus aimable :

« Mon Dieu! Que voilà bien un jeune homme vertueux! Je vous assure que je ne fais pas ce que vous suggérez. Ce serait barbare. Je traite ces visiteurs avec toute la considération possible. Ils ne manquent ni de bonne nourriture ni d'exercice. Ils sont vite en parfait état physique. Vous en jugerez par vous-même demain.

— Que voulez-vous dire?

— Nous visiterons mon centre d'entraînement, dit en souriant le général. Il est à la cave. J'y ai pour l'instant quelque chose comme une douzaine d'élèves. Ils viennent de la barque espagnole *San Lucar,* qui a eu la malchance de heurter les rochers, là-bas. Un lot de qualité bien inférieure, j'ai le regret de dire. De pauvres spécimens, plus habitués au pont qu'à la jungle. »

Il leva la main, et Ivan, qui faisait fonction de maître d'hôtel, apporta un café turc épais. Rainsford, non sans effort, se retint de parler.

« C'est un jeu, comprenez bien, dit le général, affable. Je propose à l'un d'entre eux une partie de chasse. Je lui donne des provisions et un excellent couteau de chasse. Je lui laisse trois heures d'avance sur moi. Il est convenu que je le suis, avec un pistolet de très petit calibre et de très faible portée. Si mon gibier m'échappe pendant trois jours pleins, il gagne la partie. Si je le trouve... » le général eut un sourire... « il perd.

— Et s'il refuse de servir de gibier?

— Oh! dit le général, il va de soi que je lui donne le choix. Il n'est pas tenu de jouer à ce jeu s'il ne le veut pas. S'il ne veut pas prendre part à la chasse, je le remets à Ivan. Ivan eut jadis l'honneur d'être le donneur de knout attitré du Grand Tsar Blanc, et il a des idées à lui sur les divertissements. Invariablement, monsieur Rainsford, invariablement, ils choisissent la chasse.

— Et s'ils gagnent? »

Le sourire se fit plus large sur le visage du général.

« Jusqu'à ce jour, je n'ai pas perdu », dit-il.

Puis il ajouta aussitôt :

« Je ne veux pas que vous croyiez que je me vante, monsieur Rainsford. Nombre d'entre eux ne posent que des problèmes de l'espèce la plus élémentaire. De loin en loin, je trouve à qui parler. Il y en a eu un qui a bien failli gagner. Il a fallu, en fin de compte, que j'aie recours aux chiens.

— Aux chiens?

— Par ici, je vous prie. Je vais vous les montrer. »

Le général guida Rainsford vers une fenêtre. La lumière projetait par les fenêtres une clarté vacillante qui formait des dessins grotesques sur le sol de la cour au-dessous d'eux. Rainsford pouvait voir se déplacer trois ou quatre énormes ombres noires. Lorsqu'elles se tournèrent vers lui, leurs yeux brillèrent d'un feu vert.

« C'est, à mon avis, une assez bonne troupe, observa le général. On les lâche à sept heures chaque soir. Si quelqu'un tentait de s'introduire dans ma maison, ou d'en sortir, il lui arriverait des choses extrêmement regrettables. »

Il fredonna une bribe de chanson des Folies-Bergère.

« Et maintenant, dit le général, je vais vous montrer ma nouvelle collection de têtes. Voulez-vous venir avec moi jusqu'à la bibliothèque?

— J'espère, dit Rainsford, que vous voudrez bien m'excuser ce soir, général Zaroff. Je ne me sens pas bien du tout.

— Ah! vraiment? s'enquit le général avec sollicitude. Je pense qu'il n'y a rien d'anormal à cela; vous avez nagé si longtemps. Vous avez besoin d'une bonne nuit de sommeil, reposante. Demain, je parie, vous vous sentirez un tout autre homme. Alors, nous chasserons, hein? J'ai en vue quelque chose d'assez prometteur... »

Rainsford sortit précipitamment de la pièce.

« Je regrette que vous ne puissiez venir avec moi ce soir, cria le général. Je m'attends à une assez jolie chasse : un grand nègre, vigoureux. Il a l'air plein de ressources. Eh bien, bonne nuit, monsieur Rainsford. J'espère que vous allez bien vous reposer cette nuit. »

Le lit était bon, et le pyjama de la soie la plus douce. Rainsford sentait la fatigue dans toutes les fibres de son être. Néanmoins, le narcotique du sommeil ne put apporter le calme à son esprit.

Il était étendu, les yeux grands ouverts. Une fois, il lui sembla qu'il entendait dans le couloir des pas furtifs, juste à l'extérieur de la pièce. D'un coup brusque, il essaya d'ouvrir la porte; elle résista. Il alla à la fenêtre et regarda au-dehors. Sa chambre était en haut d'une des tours. Les lumières du château étaient maintenant éteintes. Tout était sombre et silencieux; mais il y avait un bout de lune jaune; la pâle lumière qu'elle répandait lui permettait d'entrevoir la cour. Des formes noires, silencieuses, dans un va-et-vient incessant, se glissaient dans la bande d'ombre et en ressortaient.

Les chiens l'entendirent et levèrent la tête; l'attente se lisait dans leurs yeux verts. Rainsford regagna le lit, s'y étendit. Il essaya pour s'endormir des méthodes variées. Il avait réussi à somnoler quand, au moment où le jour commençait à poindre, il entendit tout là-bas, dans la jungle, le bruit faible d'un coup de pistolet.

Le général Zaroff ne parut qu'à l'heure du déjeuner. Il était vêtu impeccablement d'un costume de tweed, comme un gentilhomme campagnard. Il s'inquiéta de l'état de santé de Rainsford.

« Quant à moi, soupira le général, je ne me sens pas tellement bien. Je suis inquiet, monsieur Rainsford. Hier soir, j'ai surpris en moi des symptômes de ma vieille maladie. »

Au regard interrogateur de Rainsford, le général répondit :

« L'ennui; *l'ennui*. »

Puis, se resservant des crêpes suzette, le général expliqua :

« La chasse n'a pas été bonne la nuit dernière. Le bonhomme a perdu la tête. Il est parti droit devant lui, sur une piste qui ne posait pas le moindre problème. C'est là l'inconvénient de ces marins. Ils ont une pauvre cervelle et sont incapables de se diriger dans les bois. Ils font des choses si stupides et tellement évidentes. C'est très ennuyeux. Un autre verre de chablis, monsieur Rainsford?

— Général, dit Rainsford, d'une voix ferme, je veux quitter cette île immédiatement. »

Le général leva la broussaille de ses sourcils. Il paraissait blessé.

« Mais, mon cher, dit-il, vous venez d'arriver. Vous n'avez pas encore chassé.

— Je désire partir aujourd'hui », dit Rainsford.

Il vit les yeux noir mat du général fixés sur lui; ils l'observaient. Soudain, le visage du général Zaroff s'éclaira.

Il emplit le verre de Rainsford d'un chablis vénérable, sortant d'une bouteille poussiéreuse.

« Ce soir, dit le général, nous chasserons, vous et moi. »

Rainsford secoua la tête.

« Non, général, dit-il, je ne veux pas chasser. »

Le général haussa les épaules et mangea avec délicatesse du raisin de serre.

« Comme vous voudrez, mon ami, dit-il. C'est vous seul qui déciderez. Mais me permettrez-vous de vous suggérer que vous trouverez ma conception de la chasse plus divertissante que celle d'Ivan? »

D'un signe de tête, il montra le coin où se tenait le géant, l'air menaçant, ses bras épais croisés devant cette barrique qu'était sa poitrine.

« Vous n'allez pas me dire... s'écria Rainsford...

— Mon cher, dit le général, ne vous ai-je pas averti que je ne plaisante jamais lorsqu'il s'agit de chasse? C'est vraiment une inspiration. Je lève mon verre en l'honneur d'un ennemi d'une qualité comparable à la mienne, enfin... »

Le général leva son verre et Rainsford le regardait, les yeux dilatés.

« Vous verrez que c'est un jeu qui en vaut la peine, dit le général, enthousiaste. Votre cerveau contre le mien. Votre science de la forêt contre la mienne. Votre force et votre résistance contre les miennes. Une partie d'échecs, en plein air! Et l'enjeu n'est pas sans valeur, eh?

— Et si je gagne...? commença Rainsford d'une voix rauque.

— Je me reconnaîtrai battu avec joie si à minuit, le troisième jour, je ne vous ai pas trouvé, dit le général Zaroff. Mon sloop vous déposera sur le continent à proximité d'une ville. »

Le général lut la pensée de Rainsford.

« Oh! vous pouvez me faire confiance, dit le Cosaque. Je vous donnerai ma parole de gentleman et de chasseur. Bien entendu, vous, de votre côté, vous devrez me promettre de ne rien dire de votre visite ici.

— Je ne prendrai point d'engagement de cette sorte, dit Rainsford.

— Ah! dit le général, dans ce cas... mais pourquoi en discuter dès maintenant? Dans trois jours d'ici, nous pourrons le faire en buvant une bouteille de Veuve Clicquot, à moins que... »

Le général dégustait son vin.

Puis il s'anima, et avec l'efficacité d'un homme d'affaires, il dit à Rainsford :

« Ivan vous fournira des vêtements de chasse, des provisions, un couteau. Je vous conseille de vous chausser de mocassins; les empreintes sont moins marquées. Je vous conseille aussi d'éviter le grand marécage à l'angle sud-est de l'île. Nous l'appelons le Marécage de la Mort. Il y a des sables mouvants. Un garçon stupide a essayé de s'y aventurer. Le plus déplorable, c'est que Lazarus le suivait. Vous imaginez sans peine mes sentiments, monsieur Rainsford. J'adorais Lazarus; c'était le plus beau chien de ma meute. Mais il faut que je vous demande maintenant de m'excuser. Je fais toujours la sieste après le déjeuner. Vous aurez à peine le temps de faire un petit somme, j'ai bien peur. Vous tiendrez à partir tout de suite, sans doute. Je ne vous suivrai pas avant le crépuscule. La chasse est tellement plus fertile en émotions la nuit que le jour, ne croyez-vous pas? *Au revoir,* monsieur Rainsford, *au revoir.* »

Le général Zaroff quitta la pièce, sans hâte, avec un salut profond, d'une politesse raffinée.

Par une autre porte, Ivan entra.

Sous un bras, il portait des vêtements de chasse kaki, une musette de provisions, une gaine de cuir contenant un couteau de chasse à longue lame; sa main droite reposait sur un revolver armé, passé dans la ceinture cramoisie qui entourait sa taille...

Depuis deux heures, Rainsford se frayait à grand-peine un chemin à travers la jungle.

« Il faut que je garde mon sang-froid; il faut que je garde mon sang-froid », se disait-il, les dents serrées.

Il n'avait pas toute sa tête lorsque les portes du château s'étaient refermées en claquant derrière lui. Tout d'abord, il n'eut qu'une idée : mettre de la distance entre lui et le général Zaroff. Il s'était précipité droit devant lui, aiguillonné par les éperons acérés d'un sentiment très voisin de la panique. Maintenant il s'était ressaisi, s'était arrêté, il prenait sa mesure et jaugeait la situation.

Il comprit qu'il était puéril de fuir en ligne droite, ce qui l'amènerait inévitablement face à face avec la mer. Il était pris dans un tableau encadré d'eau, et ses mouvements, il allait de soi, devaient s'inscrire dans ce cadre.

« Je vais lui donner une piste à suivre », murmura Rainsford, et il quitta le semblant de chemin qu'il avait suivi pour s'enfoncer dans la brousse vierge de sentiers. Il traça une série de boucles compliquées, à maintes reprises il revint sur ses pas, se remémorant tout ce qu'il avait enregistré de la chasse au renard, et des subterfuges de l'animal. La nuit le trouva, les jambes lasses, les mains et le visage lacérés par les branches, sur une butte boisée aux arbres serrés. Il savait que ce serait pure folie de vouloir marcher à l'aveuglette dans l'obscurité, même s'il en avait eu la force. Il avait un besoin de repos impérieux. Il pensa : « J'ai joué « le renard; maintenant il me faut jouer le chat de « la fable. » Il y avait à sa portée un gros arbre au tronc épais, aux branches étalées; prenant grand soin de ne pas laisser la moindre trace, il grimpa dans la fourche, et, s'étendant sur une des grosses branches se reposa, tant bien que mal. Le repos lui redonna confiance; il se sentit presque en sécurité. Un chasseur, même s'il était doué du zèle que montrait le général Zaroff ne pourrait pas le découvrir, se dit-il; le diable seul pourrait, la nuit venue, suivre à travers la jungle cette piste embrouillée. Mais le général était peut-être le diable. »

Lourde d'appréhension, la nuit se traîna, interminable, comme un serpent blessé. Le sommeil ne vint pas trouver Rainsford, bien que le silence d'un monde mort pesât sur la jungle. Vers le matin, alors qu'un gris sale vernissait le ciel, le cri de quelque oiseau surpris amena Rainsford à concentrer toute son attention dans cette direction. Quelque chose avançait à travers la broussaille, avançait lentement, avec précaution, avançait par ce même chemin sinueux que Rainsford avait suivi. Il s'aplatit sur la branche, et à travers un écran de feuilles presque aussi épais que de la tapisserie, il guetta. Cette chose qui s'approchait de lui était un homme.

C'était le général Zaroff. Il avançait, les yeux fixés à terre devant lui, avec une concentration extrême. Il s'arrêta, presque sous l'arbre, se laissa tomber à genoux, et examina le sol. L'impulsion de Rainsford fut de bondir sur le sol, comme une panthère, mais il vit que la main droite du général tenait un petit objet métallique : un pistolet automatique.

Le chasseur secoua la tête à plusieurs reprises, comme s'il était perplexe. Puis il se redressa, et tira de son porte-cigarettes une de ses cigarettes noires. La fumée âcre monta comme de l'encens jusqu'aux narines de Rainsford, qui retint sa respiration. Le regard du général avait quitté le sol et montait, centimètre par centimètre, le long de l'arbre. Rainsford là-haut se tenait figé, tous les muscles tendus pour bondir. Mais le chasseur arrêta son regard perçant avant d'atteindre la branche sur laquelle Rainsford était étendu. Un sourire s'épanouit sur son visage hâlé. Avec une lenteur calculée, il lança dans l'air un rond de fumée; puis il tourna le dos à l'arbre et s'éloigna nonchalamment, reprenant la piste par laquelle il était venu. Le froissement des broussailles contre ses bottes de chasse se fit de plus en plus faible.

Les poumons de Rainsford laissèrent échapper d'un coup l'air chaud qui y avait été enfermé. Dès qu'il put penser, il se sentit pris de malaise et tout engourdi. Le général était capable de suivre une piste la nuit, à travers bois. Il pouvait suivre une piste extrêmement compliquée; il devait posséder des dons surnaturels.

Il avait tenu à un fil que le Cosaque découvrît sa proie.

La deuxième pensée de Rainsford fut encore plus terrible; elle fit courir dans tout son être un frisson d'horreur qui le glaça.

Rainsford se refusait à ajouter foi à ce que lui disait sa raison, mais la vérité était aussi évidente que le soleil qui avait maintenant percé à travers les brumes du matin. Le général jouait avec lui! Il l'épargnait pour prolonger le jeu encore un jour! Le Cosaque était le chat; il était la souris. Ce fut à ce moment que Rainsford connut ce qu'était vraiment la terreur.

« Je ne veux pas perdre mon sang-froid. Je ne veux pas. »

Il se laissa glisser jusqu'à terre et partit dans les bois. Ses traits étaient tendus, et il forçait son esprit à travailler. A quelque trois cents mètres de sa cachette, il s'arrêta à un endroit où la masse énorme d'un arbre mort prenait appui de façon précaire sur un autre arbre plus petit et vivant. Se débarrassant de son sac de provisions, il tira son couteau de sa gaine et se mit au travail en rassemblant toute son énergie.

La besogne enfin terminée, il se laissa choir derrière un morceau de branche tombé à une centaine de mètres de là. Il n'eut pas longtemps à attendre. Le chat revenait jouer avec la souris.

Le général Zaroff arrivait, suivant la piste avec la sûreté d'un limier. Rien n'échappait au regard fureteur de ses yeux noirs, aucune feuille d'herbe foulée, aucune brindille courbée, aucune empreinte, si faible soit-elle, dans la mousse. Le Cosaque était si absorbé à suivre la piste qu'il fut sur ce que Rainsford avait agencé avant de l'avoir vu. Son pied toucha la branche saillante qui jouait le rôle de gâchette. Au moment même où il la toucha, le général eut le sentiment du danger et fit un bond en arrière avec l'agilité d'un singe. Mais il ne fut pas tout à fait assez rapide; l'arbre mort, délicatement posé sur l'arbre vivant, que Rainsford avait coupé, s'abattit avec fracas, et en tombant atteignit le général, glissant le long de l'épaule. Sans sa promptitude, il aurait inévitablement été écrasé sous la masse. Il chancela, mais ne tomba pas et ne lâcha pas son revolver. Il restait là, immobile, frottant l'épaule qui avait été atteinte. Rainsford, la crainte lui tenaillant de nouveau le cœur, entendit retentir dans la jungle le rire sarcastique du général.

« Rainsford, cria le général, si vous êtes à portée de ma voix, comme je le suppose, laissez-moi vous féliciter. Il n'y a pas beaucoup d'hommes qui sachent fabriquer un piège à homme malais. Heureusement pour moi, j'ai, moi aussi, chassé dans la presqu'île de Malacca. Vous ne manquez pas d'intérêt, monsieur Rainsford. Je vais maintenant faire panser ma blessure. Elle n'est que superficielle. Mais je reviendrai, je reviendrai. »

Lorsque le général, qui frottait son épaule meurtrie, se fut éloigné, Rainsford reprit sa fuite. C'était bien une fuite maintenant, une fuite farouche, éperdue, qui l'emporta pendant des heures. Le crépuscule vint, puis l'obscurité, et il avançait toujour de la même allure. Le sol se fit plus mou sous ses mocassins : la végétation devenait plus luxuriante, plus dense; des insectes s'acharnaient à le piquer. Comme il avançait, son pied s'enfonça dans la vase. Il essaya de le retirer, mais le limon, telle une énorme sangsue, exerçait sur son pied une succion rageuse. Il réussit à le dégager par un effort violent. Il savait maintenant où il se trouvait : c'était le Marécage de la Mort et ses sables mouvants.

Il tenait les mains fortement serrées, crispées, comme si son sang-froid était une chose tangible, que quelqu'un, dans l'obscurité, essayait d'arracher à son étreinte. La mollesse de la terre lui donna une idée. Il recula d'une dizaine de mètres en deçà des sables mouvants et, semblable à quelque énorme castor préhistorique, il se mit à fouiller.

Rainsford, pendant la guerre, s'était creusé des abris en France, alors que chaque seconde de retard pouvait entraîner la mort. C'était, en comparaison de ce qu'il faisait maintenant, un passe-temps tranquille. La fosse devenait plus profonde. Lorsqu'elle lui vint plus haut que les épaules, il en sortit, coupa quelques jeunes arbustes bien durs, pour en faire des pieux qu'il tailla en pointe aiguë. Il les planta au fond de la fosse, les pointes dressées vers le haut. De ses doigts qui volaient, il tissa un grossier tapis d'herbes et de branches, et en couvrit le haut de la fosse. Puis, trempé de sueur, endolori par la fatigue, il se tapit derrière la souche d'un arbre que la foudre avait brûlé.

Il savait que celui qui le traquait était proche. Il

entendait le bruit mat des pas sur la terre molle. La brise nocturne lui apportait le parfum de la cigarette du général. Il semblait à Rainsford que son ennemi avançait avec une rapidité inusitée. Il ne tâtonnait pas, pied par pied. Rainsford, tapi comme il l'était, ne pouvait pas voir le général; ni même le piège. Il vécut une année en l'espace d'une minute. Puis il eut envie de hurler de joie, car il entendit le craquement sec des branches qui se brisaient, au moment où la couverture du piège céda. Il y eut un hurlement aigu de douleur lorsque les pieux pointus remplirent leur office. Il s'élança hors de sa cachette, puis il recula, terrifié. A un mètre de la fosse, un homme était debout, une lampe électrique à la main.

« C'est du bon travail, monsieur Rainsford, cria la voix du général. Votre piège à tigre, à la manière birmane, a coûté la vie à un de mes meilleurs chiens. Vous marquez encore un point. Je vais voir ce que vous pourrez contre toute la meute. Je rentre chez moi pour me reposer maintenant. Merci pour cette très divertissante soirée. »

A l'aube, Rainsford, couché près du marécage, fut éveillé par un bruit qui lui révéla aussitôt qu'il lui restait encore des choses à apprendre en matière de crainte. Ce bruit lointain, faible et incertain, il le reconnaissait : c'était les aboiements d'une meute.

Rainsford savait qu'il y avait deux partis possibles. Rester sur place et attendre, ce qui équivalait au suicide. Prendre la fuite, ce qui n'était que reculer l'inévitable. Il resta là un moment à réfléchir. Une idée, qui semblait présenter une ombre de chance, lui vint à l'esprit; resserrant sa ceinture, il partit dans la direction opposée à celle du marécage.

Les aboiements de la meute se rapprochaient; ils se faisaient plus proches, plus proches, toujours plus proches. Sur une butte, Rainsford grimpa sur un arbre. Dans le lit d'un cours d'eau, à un demi-kilomètre environ, il voyait remuer les broussailles. Le regard tendu, il distingua la maigre silhouette du général Zaroff. Immédiatement devant celle-ci, Rainsford perçut une autre silhouette dont les épaules carrées émergeaient par-dessus les hautes herbes de la jungle. C'était Ivan, le géant. Il semblait tiré en avant par quelque force invisible; Rainsford en déduisit qu'il devait tenir la meute en laisse.

Ils seraient sur lui maintenant d'un moment à l'autre. Son esprit fonctionnait avec frénésie. Il lui suggéra un stratagème qu'il avait appris des indigènes de l'Ouganda. Il se laissa glisser à terre, saisit un jeune arbuste flexible auquel il attacha son couteau de chasse, la lame pointée vers la piste. Avec un morceau de vigne sauvage, il redressa et rattacha le jeune arbuste. Puis il se mit à courir de toutes ses forces. Le bruit de la meute s'intensifia lorsque les chiens découvrirent la trace fraîche. Rainsford savait maintenant ce que ressent un animal aux abois.

Il dut s'arrêter pour reprendre haleine. Les aboiements des chiens cessèrent brusquement et le cœur de Rainsford s'arrêta aussi. Ils devaient être arrivés à hauteur du couteau.

Il grimpa fébrilement à un arbre et regarda derrière lui. Ses poursuivants s'étaient arrêtés. Mais l'espoir qui était né dans le cerveau de Rainsford pendant qu'il grimpait s'évanouit. Dans la vallée peu profonde, il vit que le général Zaroff était toujours debout. Mais Ivan avait disparu. Le couteau.

actionné par le recul de l'arbre flexible, n'avait pas entièrement manqué son but.

Rainsford avait à peine eu le temps de se laisser tomber jusqu'au sol que les aboiements reprirent.

« Du sang-froid! du sang-froid! du sang-froid! » haleta-t-il, en fonçant devant lui. La meute se rapprochait toujours. Rainsford poussait son avance en direction de la brèche. Il l'atteignit. C'était la côte. De l'autre côté d'une crique, il pouvait voir les sinistres pierres grises du vieux château. A un peu moins de trois mètres au-dessous de lui, la mer tonnait et sifflait. Rainsford hésita. Il entendit la meute. Alors il s'élança loin, dans la mer.

Lorsque le général et sa meute atteignirent l'endroit où Rainsford s'était jeté dans la mer, le Cosaque s'arrêta. Pendant quelques minutes il resta là, à regarder l'étendue bleu vert des flots. Il haussa les épaules. Puis il s'assit, but une gorgée de cognac à un flacon d'argent, alluma une cigarette parfumée, et fredonna une phrase de *Madame Butterfly*.

Ce soir-là, le général Zaroff fit un excellent dîner dans sa salle à manger lambrissée. Il l'accompagna d'une bouteille de Pol Roger et d'une demi-bouteille de Chambertin. Deux ombres légères empêchaient sa joie d'être parfaite : la pensée qu'il serait difficile de remplacer Ivan, et l'idée que sa proie lui avait échappé. Bien entendu, l'Américain n'avait pas joué le jeu, pensait le général en dégustant son digestif. Dans sa bibliothèque, pour se consoler, il lut des fragments de Marc-Aurèle. A dix heures, il monta dans sa chambre à coucher. Il était délicieusement las, se dit-il, en fermant sa porte à clef. Il y avait un léger clair de lune; avant d'allumer, il alla à la fenêtre et son regard plongea dans la cour. Il vit les gros chiens et leur cria :

« Vous aurez plus de chance une autre fois. »

Puis il tourna le commutateur.

Un homme qui s'était caché derrière les rideaux du lit, était là, debout.

« Rainsford! hurla le général. Comment, pour l'amour du Ciel, êtes-vous venu jusqu'ici?

— A la nage, dit Rainsford. J'ai trouvé qu'on allait plus vite qu'en marchant à travers la jungle. »

Le général aspira longuement et sourit.

« Je vous félicite, dit-il. Vous avez gagné la partie. »

Rainsford ne sourit pas.

« Je suis encore une bête aux abois, dit-il d'une voix basse et rauque. Préparez-vous, général Zaroff. »

Le général fit un de ses plus profonds saluts.

« Je vois, dit-il. Splendide! L'un de nous devra fournir un repas à la meute. L'autre dormira dans cet excellent lit. En garde, Rainsford. »

« Jamais je n'ai dormi dans un meilleur lit », pensa Rainsford.

# Le diplôme de la Jungle

par

JAMES FRANCIS DWYER

*Traduit par Jos Ras*

LA lumière de la lune tomba sur le crâne chauve de Schreiber au moment où, d'une secousse, il extirpait son corps des profondeurs de sa chaise longue grossièrement construite. Son regard était tourné du côté de la tache bleu noir que faisait la jungle, mais ses oreilles recueillaient les menus bruits qui arrivaient de l'intérieur du bungalow. L'allée, semblable à une bande passée à la chaux, se prolongeait jusqu'aux masses étranges des arbres; sur toute sa longueur, les rudes tiges des rirros se dressaient, hautaines, comme pour protester contre l'aridité créée par l'homme. La jungle n'admet pas les espaces défrichés; ils dénotent la présence des hommes.

« Qu'y a-t-il? demandai-je à voix basse.

— Rien », murmura le naturaliste, mais il ne desserra pas ses mains toujours crispées sur le cadre fait de branches de pin brut où était tendue la natte dayak. Il donnait l'impression d'un homme qui se servait de tout son corps pour passer au crible les bruits de la nuit.

Tout à coup, sa tête tomba brusquement entre

ses épaules, et, d'un bond, il quitta la chaise, qui sembla émettre un grognement de protestation. Un trait noir se dessina sur l'allée blanche de lune, et l'Allemand, malgré sa masse, bondit sur lui avec l'agilité d'un chat.

« C'est ce satané serpent vermillon, grogna-t-il, tandis qu'il avançait à pas traînants vers la porte, en tenant par la queue la bête qui se tordait. C'est la deuxième fois qu'il s'échappe. »

Lorsque la chaise l'eut reçu de nouveau avec un craquement sonore et prolongé, je lui posai une question.

« L'aviez-vous vu avant qu'il ne traverse le sentier? demandai-je.

— Non, dit Schreiber d'un ton sec. J'ai senti que quelque chose *ne va pas*. C'est simple. Lorsqu'il s'est échappé, il s'est produit un petit silence et un tout petit changement dans la voix de ceux qui ne sont pas tout à fait silencieux. Ecoutez, maintenant, s'il vous plaît. »

De l'intérieur du bungalow, où régnait l'obscurité, filtrait un bourdonnement particulier, comme un bruit de guêpes, qui se déversait sans arrêt dans la nuit mystérieuse. La jungle environnante semblait l'écouter. Tout d'abord, ce bruit déjouait les efforts de l'oreille qui cherchait à en analyser la confusion, puis, à la longue, chacun des sons s'affirmait. C'étaient les cris inarticulés des prisonniers de l'Allemand. Il y avait le doux gémissement du gibbon, toujours en éveil, le *pat-pat* de la civette, les geignements de la guenon noire, les reniflements des petites créatures en cage, et le froissement des serpents las qui rampaient tout autour de leur cage. Ces bruits semblaient créer autour du bungalow une atmosphère particulière et l'isolaient ainsi de la jungle, libre d'entraves, qui l'entourait de tous côtés.

« Tout est dans l'ordre maintenant, murmura l'Allemand satisfait. Ils se tiennent tranquilles, bon.

— Mais comment savaient-ils que le serpent vermillon s'était échappé? demandai-je. Ils sont dans l'obscurité, et le serpent ne faisait pas de bruit. »

Le naturaliste se mit à rire, du rire satisfait de l'homme qu'une question comme la mienne chatouille d'une flatterie subtile.

« Comment? répéta-t-il. Mon ami, le gibbon, là-bas, dedans, il l'a senti dans son sang, *ja*. Lui, il a geint doucement, oh! si doucement, et la nouvelle a couru dans toutes les cages. L'obscurité ne change rien pour les créatures sauvages. Le plus petit morceau de leur corps est un œil. Chaque petit poil écoute et leur dit quelque chose. C'est comme ça doit être. J'ai senti le changement dans leur ton. Je rêvais de la ménagerie Jan Wyck à Amsterdam, à ce moment précis, et je me réveille en vitesse. La guenon noire, elle est pleine de sagesse, mais le ton des autres était passé au pianissimo, bien, bien vite. Un serpent, c'est une bête qui peut entrer partout. Ecoute-les maintenant. Je ne leur ai pas dit qu'il était rentré, mais ils le savent. »

Une espèce de nausée s'était emparée de moi, tandis que l'Allemand parlait, ânonnant, cherchant ses mots. Le bungalow m'apparaissait, à moi, comme une tache lépreuse dans cette jungle de tapangs, pandanus, et santals sauvages qui se balançaient, reliés les uns aux autres par des lianes exubérantes. Les plaintes, reniflements et froissements de protestation me faisaient frissonner, et je fus surpris d'exprimer tout haut mes pensées.

« Cela semble d'une cruauté si diabolique, balbutiai-je. Si vous regardez... »

Le naturaliste m'interrompit avec un rire tranquille, et je gardai le silence. Il tirait de vigoureuses bouffées de sa pipe d'écume de mer.

« Ce n'est pas cruel, dit-il avec lenteur. Là-bas — il agita la main dans la direction de la tache bleu noir de la jungle, qui semblait servir de fondation au ciel nacré —, ils se nourrissent les uns des autres. Mes prisonniers sont à l'abri; ils ne manquent de rien. Vous n'avez pas entendu tout à l'heure comment ils s'inquiétaient quand le serpent s'était échappé? Bon! La guenon noire a un petit et elle avait peur. La vie de la jungle n'est pas longue pour les faibles. J'étais à Amsterdam il y a cinq ans, *ach Gott!* ça me semble cinquante ans, et chez Hagenbeck, je vois une *mias* qui n'avait qu'une oreille. Je l'avais prise au piège, il y avait des années. Elle était en bon état. Est-ce qu'elle serait encore en vie ici? Je ne sais pas. »

Le bungalow déversait toujours ce bourdonnement irritant; il flottait et se répandait dans la nuit, qui semblait tout oreilles dans l'effort qu'elle faisait pour le recueillir.

« Non, la captivité n'est pas mauvaise, s'ils sont bien traités, continua le naturaliste. Et pouvez-vous me dire où ils ne sont pas bien traités? »

Je ne répondis pas. Mis en demeure de donner des raisons, pour étayer la protestation que j'avais balbutiée, je me trouvais pris de court. Les captifs de Schreiber étaient bien nourris. Le petit singe était protégé contre le serpent.

Le gros Allemand fuma en silence pendant quelques minutes, les yeux fixés sur la ceinture de jungle qui nous faisait face.

« Les zoologistes traitent mieux leurs animaux que la société ne traite les hommes, dit-il avec douceur. Et les naturalistes? Eh bien, ils les traitent bien. Je n'en ai pas connu qui fassent autrement. »

Il s'arrêta un instant; puis il fit entendre un petit gloussement. La mémoire avait fait passer au premier plan quelque chose qui lui déplaisait.

« Je me suis trompé, remarqua-t-il d'un ton rude. J'en ai connu un. La nuit est encore jeune; je vais vous en parler. Ça se passait il y a longtemps, les premiers temps que j'étais sur les rives de la Samarahan, Fogelberg et moi, nous étions venus ensemble. Le nom de cet homme était Lesohn, Pierre Lesohn, et c'était une espèce de naturaliste. C'est-à-dire que son cœur n'était pas dans son travail. *Nein!* Il pensait toujours à d'autres moyens de gagner de l'argent, et aucun homme qui se dit naturaliste ne peut faire cela. C'est un travail qui vous prend tout entier : cœur, âme, cerveau, tout. C'est pourquoi j'ai dit que Lesohn n'était pas un naturaliste. Le démon du mécontentement le rongeait, et dans cette profession, il n'y a pas de place pour le mécontentement. Non, mon ami.

« Un jour, dans ma barque, je descendis jusqu'à la maison de Lesohn, et il me mit sous les yeux un illustré de Paris. Il riait, et était très surexcité. Il était presque toujours ainsi, les mécontents le sont toujours.

« — Que pensez-vous de cela? » dit-il.

« Je lus les lignes du journal, et regardai l'image qui allait avec. C'était une photo d'un orang-outang, et au-dessous, elle portait le nom de l'animal. Il avait deux noms, comme vous et moi. Il était là, assis devant un bureau. Il fumait un cigare, et faisait semblant d'écrire une lettre. Cela me donnait la nausée. C'était pas bon pour moi. Je rendis le journal à Lesohn et ne dis rien.

« — Eh bien, dit-il d'un ton sec. Je vous ai « demandé ce que vous en pensiez.

« — Pas grand-chose, dis-je. Ça m'intéresse pas.

« — Vieil imbécile! s'écria-t-il; ce singe gagne « deux cents livres par semaine au Royal Music « Hall de Piccadilly. Il fait la fortune de celui qui « l'a dressé.

« — Ça m'est égal, dis-je. Ça ne me trouble pas « du tout.

« — Ah! Ah! fit-il en ricanant. Vous voulez tra- « vailler dans cette sacrée jungle jusqu'à votre « mort, eh? J'ai d'autres choses en tête, Schreiber. »

« Je le savais, mais je ne l'interrompis pas encore.

« — Oui, s'écria-t-il, je ne veux pas être enterré « ici avec des wawas pour chanter la « Marche « Funèbre » sur ma tombe. Je veux mourir à Paris, « et je veux avoir du bon temps avant de mourir, « Schreiber. Il y a une petite fille dont le père « tient le café des Primeroses. *Mon Dieu!* Pourquoi « suis-je venu dans ce pays abandonné?

« — Et en quoi ça vous aidera-t-il? » demandai-je, montrant du doigt le journal avec l'image de l'orang-outang savant.

« — En quoi? hurla-t-il, en quoi? Mais, espèce « d'imbécile, moi, Pierre Lesohn, je dresserai un « orang-outang, moi aussi.

« — Ça n'est pas bon de changer une brute en « un être humain, dis-je. Je ne l'essaierais pas si « j'étais vous. »

« Lesohn rit tellement lorsque je lui dis cela qu'il en avait presque des convulsions. Il trouvait que c'était une bonne plaisanterie. Il se laissa tomber sur le lit et rit pendant dix bonnes minutes. C'était un malin, ce Lesohn, trop malin pour quitter Paris. Les malins devraient toujours rester dans les villes. La jungle n'est pas pour eux. Elle ne convient qu'aux hommes dont les facultés ont été éprouvées. Lesohn n'avait jamais eu le temps de se soumettre à cette épreuve. Il était trop occupé à échafauder des plans. »

Schreiber s'arrêta et se pencha de nouveau sur sa grande chaise. Il y avait une note discordante dans le bourdonnement qui venait de la prison, et, comme un chef d'orchestre, il tâchait de distinguer d'où venait cette discordance. Il se leva avec précaution et disparut dans l'obscurité de l'intérieur.

Lorsqu'il revint, il alluma lentement sa pipe — la vie de la jungle rend les mouvements de l'homme calmes et délibérés — puis il se renversa de nouveau dans le siège de sa fabrication.

« Le petit de la guenon est malade, expliqua-t-il. S'il était dans la jungle, il mourrait. Ici, il vivra, je pense. Mais revenons-en à Lesohn, le Français malin, qui aurait dû rester à Paris. Il colla cette gravure du singe-homme au-dessus de sa couchette, et il la regardait tous les jours. Elle se glissait entre le sommeil et lui.

« — Deux cents livres par semaine, s'écria-t-il « à haute voix. Penses-y, tête carrée de vieil Alle- « mand. Ça fait presque cinq mille francs! Quatre « mille marks! Est-ce que nous ne pourrions pas en « dresser un, nous aussi?

« — Pas moi, dis-je. J'aime l'orang-outang « comme il est. Il me convient ainsi. S'il devenait « assez intelligent pour fumer mes cigares et lire « mes lettres, je ne l'aimerais plus du tout. Il ne

« serait plus à la place que Dieu lui a assignée
« dans le règne animal. »

« J'ennuyais Lesohn en disant cela. Je l'ennuyais fort. Trois jours après, un dayak prit au piège un orang-outang qui en était juste au sortir de la première enfance, et le Français se dépêcha de l'acheter.

« — C'est exactement la taille qu'il me faut, dit-
« il à Fogelberg et à moi-même. Je veux le dresser
« aussi vite que possible. Ah! ah! mes deux imbé-
« ciles, attendez un peu. Il y a une petite fille dont
« le père tient le café des Primeroses; attendez,
« l'Allemand, et vous verrez ce qui arrivera. Le
« professeur Pierre Lesohn et son merveilleux
« orang-outang savant! Cinq mille francs par
« semaine! Ce n'est pas bon? »

« Mais Fogelberg et moi ne disions rien. Nous connaissions la place de l'orang-outang dans le règne animal, et nous ne demandions qu'à le laisser à son véritable niveau. Notre mère nature décide des rangs, et elle sait que l'orang-outang n'est pas une créature à envoyer des billets à sa bonne amie, ou à tirer des bouffées d'un cigare, assis, portant des bottes trop serrées qui lui pincent les orteils, ces orteils qui ont été faits pour qu'il avance en se lançant d'un palmier à l'autre. Depuis le pangolin mangeur de fourmis, avec son armure de corne, jusqu'à Pierre Lesohn lui-même, notre mère nature a arrangé les choses très convenablement et très tranquillement.

« Lesohn n'était pas fait pour vivre dans la brousse. Non, mon ami. Il était toujours en effervescence, tout en nerfs, et dix fois par jour, il lui fallait donner un aliment à cette surexcitation. Il n'y a rien de sensationnel ici. Rien du tout. Les gens des villes croient qu'il se passe des choses chez nous. Ils se trompent. C'est un berceau où vous pouvez vous reposer si vous vous tenez tranquille. Comprenez-vous? Le Français ne pouvait pas se tenir tranquille. Il y avait à peine deux jours qu'il possédait son orang-outang que son imagination faisait de lui un millionnaire. Oui, oui. Il s'achetait un hôtel à Passy, une voiture avec un attelage, et les sourires des ballerines du Grand Casino. Il y a des hommes comme ça. Ils font de leurs visions des carrosses qui les emportent tout droit en enfer. Il avait sous sa couchette une bouteille carrée, et il portait des toasts au singe et au bon temps qu'il allait avoir à Paris, des toasts bien trop fréquents à mon goût.

« Ce singe apprit des tours à toute allure. C'était un très bon mime. Toutes les fois que Fogelberg et moi nous ramions jusqu'au bungalow de Lesohn, le Français nous amenait au trot cette satanée bête toute velue pour nous faire apprécier ses tours. Ça ne plaisait pas à Fogelberg, ni à moi. *Nein!* Nous le dîmes à Lesohn, et il en rit, et se moqua de nous.

« — Ah! pauvres vieux imbéciles! s'écria-t-il, « ah! pauvres vieux piégeurs de singes! Attendez « un peu! Le professeur et son orang-outang savant « à cinq mille francs par semaine! Cinq mille « francs! Pensez un peu! Au café des Primeroses, « je penserai parfois à vous deux, pauvres imbé- « ciles, sur les rives puantes de la Samarahan. »

« Il devenait fou à penser au bon temps qu'il aurait sur les boulevards. Il buvait, *Gott im Himmel!* Comme il buvait! Il se voyait se pavanant dans toute l'Europe avec le singe qui lui apportait de l'argent. Il était vraiment fou. Et je crois que l'orang-outang commençait à trouver qu'il était fou. Il restait assis à côté de Lesohn et se creusait sa pauvre cervelle pour savoir pourquoi le Français s'excitait ainsi. La bête ne connaissait pas les rêves de M. Pierre Lesohn. Non, mon ami. Elle ne savait pas que le Français allait faire de sa sagesse à lui un piédestal sur lequel il pourrait se jucher pour envoyer des baisers à la Voie Lactée. Oh! non. Ce n'était qu'un orang-outang, et il ne savait pas que les gens seraient prêts à payer quatre mille marks par semaine pour le voir plonger son museau bleu dans une chope et fumer une cigarette. *Ach!* ça me rend malade.

« Mais voilà qu'un jour le singe se mit à bouder et refusa de faire la moindre chose. Je crois que Lesohn était ivre ce jour-là. Il devait l'être. La bête boudait et le Français était ivre. Pierre me le raconta par la suite. Le *mias* renversa les casiers de spécimens et fit toutes sortes de caprices; Lesohn en fit autant. Il voyait les boulevards et l'hôtel de Passy et les ballerines et le café des Primeroses s'évanouir, à cause des caprices du singe, et il en tomba malade, très malade. Il buvait de grands coups à la bouteille, si bien qu'il était presque fou, et puis il a fait quelque chose. »

Les profondeurs bleues de la jungle semblaient frémir tandis que Schreiber s'arrêtait dans son histoire pour écouter une fois encore les sons qui venaient de l'intérieur. Il y avait de la magie noire dans la tiédeur de la nuit. Elle vous frôlait de ses doigts mystérieux. Elle guettait à l'extérieur du bungalow solitaire, étonnée, curieuse, les yeux grands ouverts.

« Il a dû être pris de folie, continua l'Allemand, de folie ou de boisson. La Samarahan coulait tout à côté du bungalow de Lesohn, et la Samarahan à cet endroit était pleine de vie. Des crocodiles, boueux, laids, au dos de phoques, y dormaient dans la vase tout le long du jour. Pouah! J'ai horreur des crocodiles. Ils me donnent la nausée. Le Français, lui, il était fou, fou d'alcool et fou parce qu'il croyait que l'orang-outang devenait stupide.

— Et alors? demandai-je. Que se passa-t-il? »

La nuit prêtait l'oreille à cette histoire. Le bourdonnement des prisonniers diminua jusqu'à n'être plus qu'un léger murmure.

« Alors, répéta le naturaliste, Pierre Lesohn donna à cet orang-outang une leçon d'obéissance. Il attacha l'animal à un tronc d'arbre près des rives limoneuses, oui, près des rives limoneuses, puantes, gluantes, qui sentent l'*assa fœtida,* tandis que lui, Pierre, s'étendait sur la véranda de son bungalow, sa Winchester sur les genoux.

« L'orang-outang geignait et Lesohn riait. Il me le raconta par la suite. L'orang-outang ne cessait de geindre. Puis, il cria de terreur. Un morceau de boue se mit à bouger, et le gros *mias* eut peur, très peur. Vous connaissez le regard froid du crocodile. C'est un glaçon. C'est l'œil du requin mangeur d'hommes. Aucun animal n'a un regard aussi froid. Le requin? *Nein!* Le requin a l'œil combatif. Le crocodile ne combat pas. Il attend que toutes les cartes soient de son côté. C'est un démon. L'animal que Lesohn avait attaché attirait cette brute répugnante dans sa vase, et l'orang-outang avait eu la sottise de lui révéler en geignant qu'il était à sa merci. Vous comprenez?

« Le crocodile le guetta pendant une heure, deux heures, trois heures. Il pensait que c'était peut-être un piège. Lesohn guettait de son côté. Il apprenait au singe comme ils sont malins les types qui viennent de Paris.

« Le crocodile fit tomber la vase de son dos pour mieux y voir, et l'orang-outang hurla pour demander à Pierre de le sauver. Il hurla de toutes ses forces. Il bégayait, pour dire ce qu'il apprendrait si Lesohn venait à son secours, bien vite, mais Lesohn sourit pour lui-même et ne bougea pas.

« Le crocodile se tira de la vase, et regarda le *mias* et le *mias* frissonna de tous ses membres. Lesohn me le raconta par la suite. Il dit que le singe le couvrit d'injures lorsque le crocodile, d'un mouvement sec, chassa l'eau de son œil, et avança un peu sur la rive. Ce regard glacé fascinait l'orang-outang. Il reprit courage. Il glapit et pria dans le jargon des singes, et ça donna des tas de courage au crocodile. *Ach, oui!* Il pensa qu'il tenait les quatre as dans la partie qu'il jouait avec l'orang-outang et il pensa que c'est bon de risquer sa chance. Il fonça vers l'arbre. Mais Pierre attendait ce moment. Il épaula son fusil, vite. La balle atteignit la bête dans l'œil et, flop! il retomba avec un grognement dans la vase puante.

« Vous voyez le genre d'homme que c'était, Lesohn? C'était un fou.

« Le lendemain, lorsque nous sommes descendus chez lui, Fogelberg et moi, il nous a tout raconté, et il a bien ri. L'orang-outang avait si peur que Lesohn recommence ce tour, qu'il s'affairait autour de nous, faisant tout ce qu'il pouvait. *Gott!* ce qu'il avait peur, ce singe! Je parie que la nuit il rêvait de ce glaçon qu'était l'œil du crocodile. Chaque fois que Lesohn le regardait, il se mettait à trembler comme s'il allait avoir une crise, et il geignait comme un enfant. Le crocodile l'avait guetté trois heures. Vous comprenez?

« — Regardez-le, hurla le Français. Il ne boude « plus! Je l'ai maté! Ici, glapit-il, s'adressant à « l'orang-outang. Apporte-moi ma bouteille! »

« Et il fallait voir le singe se précipiter pour aller la chercher! Il y allait comme s'il s'agissait de vie ou de mort pour lui, et je suppose que c'était bien ça dans son idée. Et Lesohn se tordait de rire et hurlait si fort qu'on pouvait l'entendre jusqu'à Brunéi. Il jugeait que le regard glacé du crocodile était bien la meilleure chose au monde pour ramener un singe à la raison.

« — Je vais l'emmener à Singapour la semaine « prochaine, et là, je prendrai le bateau pour « Colombo, et puis je m'embarquerai pour Paris « par les Messageries maritimes. Cinq mille francs « par semaine! Vous me lirez. *Mon Dieu!* Oui! « Vous lirez des choses sur Pierre Lesohn, le pro- « fesseur Pierre Lesohn et son orang-outang « savant... »

Schreiber fit une pause dans son récit. Un vent arriva de la mer de Chine, chargea à travers la jungle, et taillada les feuilles de palmiers, tel un régiment de cuirassiers fonçant à travers l'espace dans un bruit de tonnerre. Il mourut brusquement, faisant place à une singulière atmosphère d'attente, qui mettait les nerfs à cran. La nuit semblait tendre l'oreille pour guetter la venue d'une chose dont elle savait qu'elle viendrait.

« Continuez, dis-je avec passion. Racontez! Racontez ce qui s'est passé!

— Quatre jours après cette soirée, dit Schreiber calmement, je descendis en barque la rivière Samarahan. Lorsque j'arrivai au niveau du bungalow de Lesohn, je l'appelai, mais n'obtins pas de réponse. « Il est dans la forêt, me dis-je; je vais « aller jusque dans sa cabane et boire quelque « chose. » Il faisait diablement chaud, et la Samarahan n'est pas un lieu de villégiature. *Nein!* Pas du tout.

« Avez-vous jamais eu cette sensation qu'un silence peut être trop silencieux? Parfois, dans la jungle, je sens un calme qui est suspect. C'est ce que j'ai ressenti ce soir, quand le serpent vermillon s'est échappé. Souvent, dans la forêt, ce calme étouffe le crissement des cigales, et il semble empêcher les petites feuilles d'herbe de remuer. *Ja!* c'est étrange. Chaque fois que je sens ce silence, je suis sur mes gardes. Je n'ai pas peur, mais je sais que d'autres créatures, qui sentent des choses que je ne peux pas sentir, ont très peur. C'était un silence de ce genre que je sentais quand je suivais l'allée menant au bungalow de Lesohn. Il me palpait comme dix mille mains froides. Je n'ai pas d'imagination, mais dans la jungle, on finit par avoir la peau qui sent, et voit, et entend. Et ma peau, à ce moment, faisait des heures supplémentaires... Elle disait à mon cerveau quelque chose que mon cerveau ne pouvait pas comprendre.

« Je traversai sur la pointe des pieds le bouquet de manguiers au bout de l'allée. Pourquoi? je ne sais, mais je le fis. J'étais sur le point de faire une découverte. Je le savais. Je m'arrêtai, glissai un regard à travers les branches, et je vis quelque chose. *Gott!* Oui, je vis quelque chose qui me fit essayer de saisir la nouvelle que ma peau s'efforçait de me communiquer. Je savais et je ne savais pas. Comprenez-vous? Je poursuivais cette chose dans tous les recoins de mon cerveau, et chaque minute m'en rapprochait. Les choses auxquelles je pensais la rapprochaient et mes lèvres en étaient sèches. Je pensais à ce que Lesohn avait fait à cet orang-outang, qu'il l'avait attaché à un arbre, et l'avait plongé dans une crise de terreur folle, à cause du regard de glace de ce crocodile au dos écailleux. Tout en roulant ces pensées, je guettais la véranda du bungalow. Il me semblait voir le singe attaché à l'arbre, et ce regard glacé le regardant de la vase, et puis... mais je savais! Cela me vint en un éclair. Il me sembla que j'avais reçu un sac de sable sur la tête.

« Pendant trois minutes, je ne pus bouger. Enfin, en chancelant, je me dirigeai vers la véranda. Savez-vous ce qu'il y avait? *Ce gros, cet horrible mias tripotait le fusil du Français, et il pleurait comme un homme.*

« — Où est Lesohn? criai-je. où est-il? »

« Et puis, je ris comme un fou de ma question. Ma peau, qui était tout yeux et tout oreilles, m'avait dit où était Lesohn. *Ja!* c'était ainsi.

« Le gros *mias* se dressa d'un bond et me regarda comme s'il comprenait toutes mes paroles. Mes jambes étaient aussi molles que deux feuilles d'herbe. Je n'avais pas assisté à la chose. *Ach!* c'était étrange. Je croyais avoir rêvé, puis je sus qu'il n'en était rien. C'était le silence et le *mias* qui pleurait, et quelque chose en moi qui me disait que ce n'était pas bon d'apprendre trop de choses à une bête.

« — Où est-il? criai-je une seconde fois. Montre-« moi où il est. »

« L'orang-outang essuya les larmes de son affreux museau bleu, et me toucha de son gros bras velu, puis il partit en traînant les pattes vers les rives boueuses où le Français l'avait enchaîné pour lui donner une petite leçon d'obéissance.

« J'en avais mal au cœur. Cette atmosphère me mettait tout sens dessus dessous. Je savais ce qui s'était passé. Oui, je savais. Mon esprit avait tout rassemblé, comme les morceaux d'un puzzle. Je savais ce que Lesohn avait fait à la bête. Je connaissais la manie d'imitation qu'avait le *mias,* et je savais que Pierre était souvent ivre, très souvent ivre. Et puis, il y avait ce savoir que ma peau avait extrait du silence. Une sueur froide ruisselait sur moi, tandis que je suivais l'orang-outang. Je serrais le fusil dans mes mains en approchant de la rive et en cherchant autour de moi quelque chose pour confirmer l'horreur que mon âme avait pressentie. Et la preuve était là. C'était une manche de veste attachée à l'arbre où le Français avait attaché le *mias* une semaine auparavant, et la manche n'était pas vide. *Nein!* Les cordes avaient été serrées autour du poignet de Lesohn, et les cordes étaient très solides. Elles avaient résisté à la traction et étaient là, comme preuve de ce qui s'était passé.

« Tout était si clair pour moi. Lesohn devait être ivre, vous comprenez? Eh bien, pendant qu'il était ivre, l'idée avait dû venir dans la vilaine tête de cette brute de faire sentir à Pierre le frisson que donne le regard de glace de ce démon de la vase, au dos écailleux. Il avait attaché Lesohn à l'arbre, puis il avait pris le fusil et copié le Français en se tenant assis sur la véranda pour guetter la première de ces créatures qui découvrirait que Lesohn était à sa merci.

« C'était clair, oh! si clair pour moi. Mais le Français, lorsqu'il avait dressé l'orang-outang, avait négligé de lui apprendre à charger un fusil. C'était malencontreux, n'est-ce pas? Le fusil était vide et lorsque les bêtes sortirent de la vase, le *mias* ne put rien faire. *Gott,* non! Il tripota la culasse, et pleura comme un être humain, jusqu'à ma venue, et alors il était trop tard.

— Qu'avez-vous fait alors? » m'écriai-je, tandis que la basse profonde de l'Allemand était assaillie et étouffée par les pulsations du silence.

« Je n'ai rien fait, dit Schreiber calmement. Lesohn m'avait raconté ce qu'il avait fait à cette bête. Le destin — Némésis —, donnez-lui le nom qu'il vous plaira, a des voies étranges. Je regardai l'orang-outang, et il recula en pleurant. Il se retourna une douzaine de fois, pleurant toujours, jusqu'à ce que la jungle l'ait englouti. Quelque part là-bas (l'Allemand fit un signe de la main du côté de la forêt obscure qui guettait et écoutait), il y a un orang-outang, obsédé par une tragédie. »

# La dame sur le cheval gris

par

JOHN COLLIER

*Traduit par Odette Ferry*

RINGWOOD était le dernier représentant d'une famille anglo-irlandaise de County Clare, dont la vie pendant ces trois derniers siècles avait été fort dissipée. Peu à peu, toutes les propriétés avaient été vendues, à moins qu'elles n'eussent été incendiées par les habitants du pays, las d'être opprimés. Maintenant, la famille Ringwood ne possédait plus un seul pouce de terrain. Cependant, le dernier descendant avait encore quelques centaines de livres de rentes et, si les domaines ancestraux s'étaient volatilisés, il avait au moins hérité d'un instinct qui lui faisait considérer l'Irlande tout entière comme sa propriété personnelle. Et, en conséquence, il se réjouissait de l'abondance en chevaux, renards, saumons, gibiers et filles qui régnait dans le pays.

Ringwood, avide de ces plaisirs, passait son temps à traverser l'Irlande de Dongeral à Wexford d'un bout de l'année à l'autre. Il n'y avait pas une chasse qu'il n'ait conduite au moins une fois, monté sur un cheval emprunté. Il n'y avait pas un seul pont qu'il n'ait franchi par un matin de mai, pas une seule salle d'auberge où il ne se soit endormi en ronflant, un après-midi d'hiver, devant le feu qui flambait dans la cheminée.

Il avait un ami intime du nom de Bates, qui était de son espèce. Bates, aussi, était grand et mince. Bates, aussi, avait le visage osseux et boucané par le vent, cette arrogance mesquine et cette façon seigneuriale de courtiser les filles, dans les fermes et dans les étables.

Ni l'un ni l'autre ne s'écrivaient jamais; ce qui ne les empêchait pas de savoir où se trouver à n'importe quel moment. Le contrôleur du train, qui fermait volontairement les yeux, lorsqu'il surprenait Ringwood en première classe avec un billet de troisième, le tenait au courant des allées et venues de Mr. Bates. Il lui disait, par exemple, qu'il avait rencontré ce dernier... dans les mêmes conditions, le jeudi précédent, et qu'il se rendait à Killorglin pour une semaine ou deux. La femme de chambre, très intimidée, d'une auberge de pêcheurs, trouvait le temps d'annoncer à Bates que Ringwood s'était rendu à Lough Corrib pour y pêcher le brochet. Les policiers, les prêtres, les gardes-chasse et même les cantonniers sur les routes transmettaient les nouvelles. De sorte que s'il semblait que l'un d'eux fût dans une période de chance, l'autre, automatiquement, emballait ses affaires dans son vieux sac de voyage, prenait ses lignes et ses fusils, et partait rejoindre son ami.

Ainsi, un certain après-midi d'hiver, Ringwood revenait de Ballyneary. La journée avait été particulièrement morne. Soudain, il fut hélé par un maquignon borgne de ses connaissances qui, monté dans un cabriolet, le croisa sur la route. Il dit à notre ami qu'il arrivait tout juste de Galway où il avait rencontré Mr. Bates, qui se rendait dans un village nommé Knockderry. Le maquignon ajouta que Mr. Bates lui avait bien recommandé de faire part de cette nouvelle à Mr. Ringwood si, par hasard, il le voyait.

Ringwood réfléchit longuement à ce message et remarqua qu'il était très particulier : en effet, son ami n'avait pas précisé s'il s'agissait d'une partie de chasse ou d'une partie de pêche. A moins qu'il n'ait fait la connaissance de quelque crésus, propriétaire de nombreux chevaux, qu'il leur prêterait volontiers. « Dans ce cas-là, se dit Ringwood, il aurait certainement nommé ce richard. Je parierais qu'il est sur la piste de deux sœurs : c'est la raison pour laquelle il m'appelle. J'en suis sûr! »

A cette pensée, un sourire rusé plissa son nez à la manière d'un renard. Il fit sa valise sur-le-champ et partit en direction de Knockderry, où il n'avait jamais été auparavant, au cours de ses nombreuses pérégrinations de chasseur en quête de gibier à poils, à plumes, ou de filles.

Il trouva que le parcours était fort long et, quand il fut arrivé, que l'endroit était fort tranquille. Il y avait les collines habituelles, basses et tristes, qui entouraient le village, la rivière qui traversait la vallée et l'éternelle tour démantelée posée sur une petite hauteur à laquelle on accédait par un semblant d'allée tracée au milieu d'arbres disséminés.

Le village lui-même ressemblait à tous les autres : quelques maisons misérables, un moulin en ruine, une demi-douzaine d'estaminets et une auberge où un gentilhomme, endurci par la pratique des plats rustiques, pouvait s'installer.

C'est là que Ringwood descendit de la voiture qu'il avait louée. Il pénétra dans la cuisine, y trouva la patronne et lui demanda où était son ami, Mr. Bates.

« Bien sûr, Votre Honneur, répondit la femme, le monsieur habite ici. Du moins il y habite, pour ainsi dire, mais en ce moment, il n'est pas là.

— Comment? s'exclama Ringwood.

— Sa valise est ici, et ses affaires aussi. Même qu'elles occupent ma plus grande chambre (ce qui n'empêche que j'en ai une tout aussi belle). Il est resté à l'auberge presque toute la semaine. Mais, avant-hier, il est sorti pour faire un petit bout de promenade et, allez-vous me croire, monsieur, nous ne l'avons pas revu depuis.

— Il va revenir, fit Ringwood. Montrez-moi une chambre, je vais rester ici pour l'attendre. »

Donc, il s'installa et resta, en effet, toute la soirée à l'attendre. Mais Bates ne parut pas. Cependant, ce genre de choses ne surprend personne en Irlande, et, si Ringwood était impatient, c'était uniquement parce qu'il pensait aux deux sœurs dont il mourait d'envie de faire la connaissance.

Les deux jours qui suivirent, il passa son temps à se promener dans les sentiers et les chemins de traverse des environs, dans l'espoir de découvrir soit ces deux beautés, soit, à défaut, une autre.

Il n'avait aucune idée préconçue, mais il eût préféré une paysanne parce qu'il n'avait pas envie de perdre son temps en travaux d'approche.

Le second après-midi, au moment où le crépuscule commençait à tomber, il se trouvait environ à quinze cents mètres du village. C'est alors qu'il rencontra un troupeau de vaches couvertes de boue qui marchaient sur la route, conduites par une jeune fille. Notre ami jeta un coup d'œil à celle-ci puis s'arrêta net. Le sourire qui se dessina sur ses lèvres accentua encore sa ressemblance avec un renard.

C'était une enfant qui n'avait pas vingt ans. Ses jambes nues étaient tachées de boue et égratignées par les ronces. Mais elle était si jolie que le sang seigneurial de tous les Ringwood se mit à bouillir dans les veines de leur dernier descendant qui éprouva, subitement, l'irrésistible désir de boire une tasse de lait.

Il attendit donc une ou deux minutes, puis se mit à suivre avec désinvolture le troupeau. Il avait l'intention, dès qu'il apercevrait l'étable, de demander qu'on lui accorde cet innocent rafraîchissement, ce qui lui permettrait de lier conversation et de conclure rapidement l'affaire.

On dit qu'un bonheur ne vient jamais seul, pas plus, du reste, qu'un malheur. Tandis que Ringwood suivait cette charmeuse, se jurant à lui-même qu'elle était unique dans le pays, il entendit le bruit d'un sabot de cheval et regarda. Un cheval girs perle s'approchait de lui, qui débouchait sans doute d'un chemin de traverse, car quelques instants auparavant, il était invisible.

Un cheval gris ne présente pourtant pas une telle importance, surtout quand on a un besoin aussi urgent d'une tasse de lait. Mais ce cheval gris différait pour deux raisons de tous les autres de même race et de même couleur : d'abord, ce n'était ni une haridelle ni un coursier. Il relevait drôlement les jambes en marchant, il avait une toute petite tête et de larges narines qui ne manquaient pas de distinction. Et, en outre — et cela enleva à Ringwood toute curiosité sur la race de l'animal — le cheval gris était monté par une jeune fille qui, incontestablement, était la plus jolie qu'il eût jamais vue dans sa vie.

Ringwood la regarda et, tandis qu'elle émergeait lentement du crépuscule, elle leva ses yeux et fixa Ringwood à son tour. Immédiatement, il en oublia la petite paysanne avec ses vaches. En fait, il oublia tout.

Le cheval s'approchait et la jeune fille continuait à regarder Ringwood qui, lui aussi, la contemplait. Et ce n'était pas un simple échange de regards. C'était plus. C'était à la fois un engagement et une union.

Un instant plus tard, le cheval l'avait dépassé, le laissant sur la route, toujours figé d'admiration. Ringwood ne put ni bouger ni crier : de toute façon, il était trop ému pour tenter le moindre geste. Il se contenta de regarder la monture qui s'éloignait. Il vit le cheval et sa cavalière s'enfoncer dans le crépuscule hivernal, pénétrer sous une porte à demi arrachée, au détour de la route. Avant de s'y engager, la jeune fille tourna la tête et siffla; alors seulement Ringwood s'aperçut qu'un chien s'était arrêté auprès de lui et lui reniflait les jambes. Tout d'abord, il crut que c'était un chien-loup mais, bientôt, il se rendit compte que c'était un chien de braconnier à longs poils. Il le vit courir après la cavalière en boitillant, la queue entre les pattes, et il remarqua que le pauvre animal avait dû être roué de coups peu de temps auparavant, étant donné les traces qu'il portait sur l'échine.

Mais il avait mieux à faire que de concentrer ses pensées sur le chien. Dès qu'il fut revenu de son premier étonnement, il se dirigea vers la porte. Quand il y parvint, la jeune fille était déjà hors de vue, mais il reconnut l'allée en friche qui conduisait à la tour démantelée posée à flanc de colline.

Ringwood estima que toutes ces émotions suffisaient pour la journée et il rentra à l'auberge. Bates était toujours absent et cela était préférable. Ringwood voulait avoir cette soirée à lui tout seul pour préparer son plan de campagne.

« Ce cheval, se dit-il, ne vaut pas vingt livres. Donc, elle n'est pas très riche. Tant mieux! D'ailleurs, elle n'était pas tellement bien habillée. Je ne me rappelle même pas ce qu'elle avait sur le dos... sans doute une espèce de manteau ou quelque chose comme ça. En tout cas, ça ne venait pas de Bond Street[1]. Et puis, elle vit dans cette vieille tour... moi qui croyais qu'elle était complètement en ruine! Probablement qu'il reste une ou deux pièces habitables au rez-de-chaussée : le château du dénuement! Une de ces filles qui a du sang bleu dans les veines et pas un sou vaillant. Elle vit, loin de tout le monde, dans un de ces trous abandonnés de Dieu. Elle ne doit, probablement, même pas voir un homme par an, rien d'étonnant donc qu'elle m'ait regardé! Si j'étais sûr qu'elle habite là toute seule, je n'aurais pas besoin d'avoir une lettre d'introduction pour me présenter. Cependant, on ne sait jamais, il peut y avoir un père, un frère, ou quelqu'un! Bah! j'arriverai bien à me tirer d'affaire! »

Lorsque l'aubergiste apporta la lampe, il lui demanda :

« Dites-moi donc, qui est cette jeune dame qui monte un drôle de cheval gris?

— Une jeune dame, répéta l'aubergiste surprise, sur un cheval gris?

— Oui, répondit-il, elle m'a dépassé dans le sen-

1. Rue de Londres où les magasins sont particulièrement élégants. (N. d. T.)

tier qui monte ici et elle a pris la vieille allée qui conduit à la tour.

— Oh! dit la brave femme, que la Vierge Marie vous garde et vous protège! C'est la belle dame de Murrough que vous avez vue.

— Murrough, fit-il, c'est son nom? Eh bien, c'est un beau nom de l'ouest de l'Irlande.

— C'est vrai, reprit l'aubergiste, car il y avait des rois et des reines de ce nom dans le Connaught avant l'arrivée des Saxons. Et on dit qu'elle, la dame, a le visage d'une reine.

— Ceux qui le prétendent ont raison », conclut Ringwood en ajoutant : « Apportez-moi le whisky et l'eau pour que je sois tout à fait bien. »

Un instant, il fut sur le point de demander si Miss Murrough avait quelque chose qui ressemble à un père ou à un frère habitant la tour avec elle; mais il avait un principe : dans des histoires semblables, moins on parle et mieux ça vaut. Aussi s'installa-t-il auprès du feu et il se mit à se remémorer la beauté de la jeune fille et l'expression du regard qu'elle lui avait jeté. Alors, il décida que le plus petit prétexte lui serait bon pour se rendre à la tour.

Or, Ringwood n'était jamais à court de prétextes; l'après-midi suivant, il se fit une beauté et partit en direction de la vieille allée. Il franchit la porte et suivit le chemin ombragé de vieux arbres aux branches pendantes. Le lierre les recouvrait presque entièrement et leur feuillage était si épais qu'il faisait déjà sombre. Il leva la tête pour essayer d'apercevoir la tour, mais le chemin faisait un coude et la demeure était encore cachée.

Quand il parvint au bout de l'allée, il vit quelqu'un qui se tenait immobile : c'était la jeune fille qui paraissait l'attendre.

« Bonjour, Miss Murrough, dit-il, dès qu'il fut parvenu à portée de voix. J'espère que je ne vous dérange pas. Le fait est que je crois avoir eu le plaisir de rencontrer un de vos parents il y a un mois à peine à Cork. »

A ce moment, il se trouva assez près d'elle pour revoir l'expression des yeux de la jeune fille et il s'arrêta de parler. Tous les mots qu'il prononçait lui paraissaient, soudain, dépourvus de sens.

« Je pensais bien que vous viendriez, dit-elle.

— Mon Dieu, fit-il, il fallait que je vienne. Dites-moi... êtes-vous toute seule ici?

— Toute seule », répondit-elle, et elle tendit sa main comme pour le conduire.

Ringwood bénit sa bonne étoile et s'apprêta à prendre cette main. Mais alors, le chien de braconnier bondit entre eux et le fit presque tomber.

« Va coucher, cria-t-elle, en levant sa main, retourne à ta niche. »

Le chien s'accroupit, gémit, et se mit à ramper derrière la jeune fille.

« Il faut se méfier de cet animal, fit-elle.

— Il est bien gentil, répondit Ringwood, il a l'air d'un chien qui connaît son monde. Moi j'aime bien les chiens de braconnier, ce sont des bêtes intelligentes. Quoi? tu veux me dire quelque chose, mon Dieu? »

Ringwood avait pour habitude de complimenter les dames sur leurs chiens et, en outre, celui-ci gémissait et pleurait d'une façon assez extraordinaire.

« Tranquille, commanda la jeune fille, qui releva la main, et le chien se tut. C'est un sale bâtard, continua-t-elle en s'adressant à Ringwood. Etes-vous venu ici pour chanter les louanges d'un chien sans race? »

De nouveau, elle regarda Ringwood dans les yeux. Il oublia le misérable chien; elle lui donna sa main. Cette fois, il la prit, et tous deux se dirigèrent vers la tour.

Ringwood était au septième ciel. « Quelle chance! pensait-il en lui-même. A l'heure qu'il est, je pourrais perdre mon temps, à courtiser la jeune fermière dans quelque étable humide et malodorante et je parierais dix contre un qu'elle se mettrait à pleurer et irait tout raconter à sa maman! Ici, c'est bien différent! »

La jeune fille avait poussé une lourde porte. Elle ordonna au chien d'aller se coucher et, à travers un grand hall dallé, conduisit notre ami vers une petite pièce voûtée qui ne ressemblait certainement pas à une étable, sauf, peut-être, qu'elle sentait un peu le moisi et l'humidité, comme cela arrive si souvent dans les vieilles demeures. De grosses bûches brûlaient dans la cheminée, devant laquelle était placé un divan large et bas. Le reste de la pièce était meublé dans le style ancien avec la plus grande simplicité. « C'est assez moyenâgeux, se dit Ringwood. Endroit rêvé pour l'amour! »

Elle s'assit sur le divan et lui fit signe de prendre place auprès d'elle. Ni l'un ni l'autre ne prononçaient une parole. On n'entendait rien, sinon le vent qui soufflait et le chien qui gémissait et grattait à la porte devant la chambre.

Enfin elle parla :

« Vous êtes un des envahisseurs saxons, dit-elle gravement.

— Ne m'en veuillez pas, répliqua Ringwood. Mes ancêtres sont venus en Irlande en 1656. Bien sûr, au point de vue de la Ligue Gaélique... mais, voyons, ajouta-t-il en prenant un accent typiquement irlandais, allons-nous parler politique? Parler politique, tous les deux comme nous sommes, assis devant le feu?

— Vous préféreriez parler d'amour? fit-elle avec un sourire, car vous êtes bien le genre d'hommes à vous moquer des pauvres filles de la verte Erin.

— Vous vous trompez complètement. J'appartiens, au contraire, à cette race d'hommes qui vivent solitaires et tristes dans l'attente du véritable amour, que souvent ils ne trouvent pas.

— Oui, mais hier, vous regardiez avec beaucoup d'intérêt une jeune paysanne qui ramenait son troupeau.

— C'est vrai que je la regardais, mais lorsque je vous ai vue, je l'ai oubliée immédiatement.

— Tel était mon désir, dit-elle, en lui tendant ses deux mains. Voulez-vous rester ici avec moi?

— Oh! oui, cela je le veux, s'écria-t-il, ravi.

— Toujours?

— Toujours, affirma Ringwood. Toujours et à jamais », ajouta-t-il, car il sentait qu'il valait mieux exagérer un peu, plutôt que de manquer de courtoisie à l'égard d'une dame.

Mais tandis qu'il parlait, elle fixait ses yeux sur lui et elle avait tellement l'air de le croire qu'il finit par croire lui-même à ce qu'il disait.

« Ah! s'écria-t-il, vous m'ensorcelez. »

Il la prit dans ses bras. Il écrasa ses lèvres sur les siennes et immédiatement il fut sur le bord de l'extase. Généralement, il s'enorgueillissait de pouvoir conserver son sang-froid dans de pareils moments mais, cette fois, l'ivresse était trop forte pour lui. Son esprit sembla se fondre en une voluptueuse douceur et en un feu brûlant. A la fin, lorsque le feu cessa de le dévorer, sa raison disparut en même temps. Il l'entendit encore dire : « Pour toujours! Pour toujours! » Puis il perdit conscience et s'endormit.

Il dut dormir quelque temps. Il lui sembla être réveillé par le bruit d'une porte qu'on ouvrait et qu'on fermait. Pendant un moment, il ignora où il se trouvait.

La pièce était complètement sombre à présent et, dans la cheminée ne brûlaient plus que quelques braises allumées. Il cligna des yeux, secoua la tête, essayant de retrouver la raison. Soudain, il entendit Bates qui lui parlait. Il marmonnait, comme si, lui aussi, était à demi endormi ou à demi ivre.

« Ainsi, il a fallu que tu viennes ici! disait Bates. J'ai pourtant essayé de mon mieux de t'en empêcher.

— Hello! s'exclama Ringwood qui croyait s'être assoupi au coin du feu de l'auberge. C'est toi, Bates? Eh bien, j'ai dû drôlement dormir. Je ne me sens pas tout à fait dans mon assiette. Bon sang! Alors, ce n'était qu'un rêve. Donne un peu de lumière, mon vieux. Il doit être tard. Je meurs de faim! Je vais crier pour qu'on nous apporte à manger.

— Reste tranquille, pour l'amour de Dieu, dit Bates d'une voix toute changée. Ne crie pas, je t'en supplie. Sinon, elle viendra nous battre tous les deux!

— Qu'est-ce que tu racontes? fit Ringwood. Nous battre? Mais tu es fou! »

A cet instant, une bûche roula dans le foyer, faisant jaillir une petite flamme. Et alors, il vit ses pattes maigres et couvertes de poils. Il comprit.

# Au bord de l'eau

par

Robert Bloch

*Traduit par Odette Ferry*

## I

Sur la vitrine maculée de chiures de mouches, on lisait : *The Bright Spot Restaurant*. En outre, l'enseigne signalait : *Repas*.

Il n'avait pas faim et l'endroit n'était pas particulièrement attirant. Il y pénétra cependant.

Dans la salle, il y avait un grand comptoir le long duquel s'éparpillaient une demi-douzaine de clients juchés sur des tabourets. Il les dépassa et alla s'asseoir à l'extrémité.

Il resta un bon moment immobile, fixant tour à tour les trois serveuses. Aucune d'elles ne ressemblait à celle qu'il cherchait; il fallait pourtant se risquer. Il attendit jusqu'à ce que l'une d'elles s'approchât de lui.

« Et pour vous, monsieur?

— Un coca-cola. »

Elle le lui apporta et posa le verre sur le comptoir. Il faisait semblant d'étudier le menu et lui parla sans la regarder :

« Dites donc, est-ce qu'une certaine Hélène Krauss travaille ici?

— C'est moi, Hélène Krauss. »

Il leva les yeux. Ce n'était pas possible. La femme dont lui avait parlé Mike, nuit après nuit, dans leur cellule, n'avait rien en commun avec cette pouffiasse!

« C'est une grande fille blonde, un peu raide. Elle ressemble beaucoup à cette femme qui joue les idiotes à la T. V. Comment s'appelle-t-elle? Enfin, tu vois laquelle je veux dire. Mais elle n'est pas idiote, Hélène, je te le dis! Et bon sang, quand il s'agit d'amour... »

Après quoi, Mike entrait dans de minutieuses descriptions anatomiques, et lui, qui croyait les avoir oubliées, s'apercevait que chaque détail était classé dans sa mémoire. Il les reprenait un à un : aucun d'eux ne correspondait avec ce qu'il avait devant lui.

Cette femme était grande mais là s'arrêtait la ressemblance. Elle devait peser dans les soixante-quinze kilos et ses cheveux étaient tristes, d'un châtain fade et terne. Elle portait des lunettes. Derrière les verres épais, des yeux d'un bleu délavé le dévisageaient avec flegme.

Elle avait dû se rendre compte qu'il l'observait avec trop d'acuité, alors il parla très vite :

« Je cherche une certaine Hélène Krauss qui habitait autrefois à Norton Center. Elle était mariée avec un homme du nom de Mike. »

Les yeux indifférents clignotèrent :

« C'est moi. De quoi s'agit-il?

— J'ai un message pour vous. De la part de votre mari.

— Mike? Il est mort.

— Je sais. J'étais avec lui quand il est mort. Un peu avant, c'est-à-dire. Je m'appelle Rusty Connors. Nous avons partagé la même cellule pendant deux ans. »

L'expression de la femme ne changea pas, mais la voix s'abaissa jusqu'au murmure :

« Quel est ce message? »

Il jeta un coup d'œil autour de lui :

« Je ne peux pas parler ici. A quelle heure vous avez fini?

— A sept heures et demie.

— Bon. Je vous attendrai devant la porte. »

Elle hésita :

« Disons plutôt au coin de la rue, de l'autre côté. Il y a un parc, vous savez? »

Il acquiesça de la tête, se leva et partit sans se retourner.

Evidemment, il ne trouvait pas ce qu'il avait espéré! Quand il avait pris son billet pour Haines-ville, il ressassait avec complaisance les confidences érotiques de Mike. Ç'aurait été rudement agréable si la veuve de Mike avait été la femme jolie et sensuelle qu'il lui avait fait entrevoir! Ils se seraient payé du bon temps mais, maintenant, plus question de s'embarrasser de cette morne pouffiasse.

Comment diable Mike avait-il pu être assez aveugle pour voir une pin-up dans cette commère? Et puis, il comprit : deux années cloîtré dans une cellule nue expliquaient tout. Mike avait certainement fini par croire à sa propre invention : Hélène était devenue pour lui l'incarnation de la femme idéale. Et si Mike avait tout inventé? Le reste, comme la beauté d'Hélène? Le reste, c'est-à-dire le principal : l'endroit où il avait planqué les cinquante-six mille dollars.

Elle vint le retrouver dans le parc et il faisait sombre. Heureusement, ainsi personne ne les verrait ensemble. En outre, il ne pouvait apercevoir son visage ni elle le sien. Ce serait plus facile de dire ce qu'il avait à dire.

Ils s'assirent sur un banc derrière le kiosque à musique. Il se souvint à temps qu'il fallait être aimable et il lui tendit son paquet de cigarettes. Elle secoua la tête :

« Non, merci, je ne fume pas.

— C'est vrai, Mike me l'avait dit. »

Il s'arrêta :

« Il m'a beaucoup parlé de vous, Hélène, reprit-il.

— Il m'a souvent écrit à votre sujet. Il me disait que vous étiez le meilleur ami qu'il avait jamais eu.

— Je voudrais le croire. Mike était un chic type. Il n'y en avait pas de meilleur. Il n'aurait pas dû être là où il était!

— Il me disait la même chose de vous.

— Ni lui ni moi n'avons eu de chance, voilà ce que c'est... Moi, je n'étais qu'un gosse qui ne connaissait rien à la vie. Quand j'ai été démobilisé, je suis resté à rien faire jusqu'à ce que je n'aie plus d'argent. Puis, j'ai travaillé avec un bookmaker. Je n'avais rien fait de mal et puis un jour la police a fait une descente dans la boîte. Le patron m'a tendu une valise et m'a dit de filer par la porte de derrière. Mais là, y avait un flic, avec une mitraillette sous le bras. Je lui ai donné un coup sur la tête avec la valise; vraiment, c'était le hasard! Je n'avais pas l'intention de le blesser : je voulais seulement me tirer. Manque de pot : le flic a eu une fracture du crâne et en est mort

— Mike me l'a écrit. Ils ont été durs pour vous.

— Pour lui aussi, Hélène. »

Rusty se forçait à l'appeler par son prénom et d'adoucir sa voix. Ça faisait partie de son plan. Il continua sur le mode mélancolique :

« Comme je vous le disais, je peux pas croire qu'un type honnête comme Mike ait descendu son meilleur copain pour lui voler l'argent de la paie. Et tout seul, par-dessus le marché. Et qu'il s'est débarrassé du corps pour qu'on ne le retrouve pas! On n'a jamais retrouvé Pete Taylor?

— Je vous en prie! Je ne veux plus parler de cette affaire!

— Je comprends vos sentiments, Hélène... »

Rusty lui prit la main : elle était grasse, moite, et elle resta dans la sienne comme un gros morceau de viande chaude. Elle ne se retira pas et il continua :

« Il n'y a eu que des preuves indirectes pour l'accabler, n'est-ce pas?

— Quelqu'un a vu Mike emmener Pete dans sa voiture cet après-midi-là. Pete avait perdu ses clefs et il a dû demander à Mike de le conduire à l'usine avec l'argent de la paie. C'était assez pour que la police soit à la maison avant qu'il ait eu le temps d'enlever les traces de sang. Et puis, il n'avait pas d'alibi. J'ai juré qu'il était resté avec moi tout l'après-midi à la maison. Ils n'ont pas voulu l'admettre et il a récolté dix ans.

— Il en a fait deux et il est mort, conclut tristement Rusty, et il ne m'a jamais dit comment il s'est débarrassé du macchabée ni où il a planqué le flouze. »

Dans la pénombre, il la vit faire un petit signe de tête :

« Il n'a jamais voulu rien dire et pourtant, paraît que les flics l'ont vachement tabassé. Mike n'a pas parlé. »

Pendant un moment, Rusty resta silencieux. Puis il tira une bouffée de sa cigarette et demanda :

« Et à vous, qu'est-ce qu'il a dit? »

Hélène Krauss se racla la gorge :

« Qu'est-ce que *vous* croyez? Je suis partie de Norton Center parce que je ne pouvais supporter la façon dont les gens parlaient de cette affaire! J'ai fait tout ce chemin pour échouer à Hainesville et depuis deux ans je travaille dans ce sale bistrot. Est-ce la conduite de quelqu'un qui sait quelque chose? »

Rusty laissa tomber son mégot sur le trottoir et le bout rougeoyant lui adressa un clignement d'œil. C'est ce petit œil qu'il regardait en parlant.

« Qu'est-ce que vous feriez si vous trouviez cet argent, Hélène? Vous le porteriez aux flics? »

Elle eut le même petit raclement de gorge :

« Pour quoi faire? Pour leur dire : « Merci « d'avoir mis Mike dans le trou et de l'avoir tué. » Parce que c'est ce qu'ils ont fait : ils l'ont tué. Ils m'ont raconté qu'il était mort d'une pneumonie. Je les connais, leurs pneumonies. Ils l'ont laissé pourrir dans sa cellule, hein?

— Le prophète de malheur qui le soignait a dit qu'il avait la grippe. J'ai fait un tel raffût que finalement ils l'ont emmené à l'infirmerie.

— C'est bien ça : *moi* je dis qu'ils l'ont tué, *moi* je dis qu'il a payé cet argent avec sa vie. Je suis sa veuve, cet argent est à moi.

— A nous », dit Rusty.

Les doigts de la femme resserrèrent leur étreinte

et ses ongles s'enfoncèrent dans la paume de l'homme :

« Il vous a dit où il l'avait caché, c'est ça?

— Il a commencé à me le dire et puis on l'a emporté. Il était mourant et il ne pouvait pas beaucoup parler. Mais j'en ai entendu assez pour me faire ma petite idée. J'ai pensé qu'en venant vous voir et en bavardant nous deux, on pourrait réunir tout ce que nous savons chacun et découvrir l'argent. Cinquante-six mille dollars, qu'il a dit... Même partagés, ça fait une jolie somme...

— Pourquoi vous avez besoin de moi si vous savez où est l'argent? »

Le soupçon perçait sous le ton neutre de la voix. Il s'en aperçut : ce n'était pas le moment de raconter des bobards :

« Je vous l'ai dit : il ne m'en a pas raconté assez. Il faut que nous retrouvions ensemble ce qu'il a voulu dire et que je n'ai pas compris. Après, nous partirons en chasse. Ici, je suis un étranger, les gens pourraient avoir des soupçons s'ils me voient traîner dans les rues. Mais si vous voulez m'aider, je n'aurai pas besoin de traîner et peut-être qu'on pourrait mettre très vite la main sur le magot.

— C'est une affaire, n'est-ce pas? »

Rusty fixa de nouveau le bout incandescent du mégot, et de nouveau le petit œil rouge cligna :

« Pas uniquement une affaire, Hélène. Vous savez comment nous étions, Mike et moi. Il parlait de vous, tout le temps. Au bout de quelque temps j'ai éprouvé pour vous un drôle de sentiment... comme si je vous connaissais aussi bien que Mike. Et j'avais envie de vous connaître encore mieux. »

Il parlait d'une voix étouffée, les ongles d'Hélène s'incrustaient dans sa paume. Alors sa main répondit à l'étreinte et il continua d'une voix brisée :

« Hélène, je ne sais pas, peut-être que je suis un peu cinglé... mais j'ai été pendant deux ans dans ce trou. Deux ans sans femme. Vous vous rendez compte de ce que ça veut dire pour un homme?

— Plus de deux ans se sont passés pour moi aussi. »

Il passa son bras autour de sa taille, ses lèvres se posèrent sur les siennes. Elle lui rendit son baiser.

« Tu as une chambre? murmura-t-il.

— Oui, Rusty, j'ai une chambre. »

Ils se levèrent, serrés l'un contre l'autre. Avant de s'éloigner, il jeta un dernier regard au petit œil rouge du mégot qui clignotait encore. Il l'écrasa sous son pied.

## II

Un autre œil rouge clignotait dans la chambre : celui de la cigarette qu'il tenait cachée dans sa main pour en dissimuler la lumière. Il ne voulait pas qu'elle puisse lire le dégoût qu'elle lui inspirait. Peut-être qu'elle dormait à présent. Il l'espérait. Cela lui donnerait le temps de réfléchir.

Jusqu'à présent tout allait bien. Il fallait que tout aille bien, cette fois. Parce que, auparavant, il y avait toujours eu des coups fourrés quelque part. Se saisir de la valise pleine d'argent chez le bookmaker quand il y avait eu la descente de police avait paru une excellente idée. Rien n'était plus facile, dans la confusion, que de se faufiler jusqu'à la porte de derrière sans qu'on le remarque.

Eh bien, c'était un coup fourré : il fallait qu'un flic se trouve là, ce qui lui avait apporté toutes sortes d'embêtements!

Devenir copain avec cet imbécile de Mike avait été une autre excellente idée : il ne lui avait pas fallu longtemps pour savoir tout sur le vol de la paie, tout, sauf l'endroit où Mike avait planqué l'oseille. Cet obstiné ne voulait jamais parler de ça. Il avait fallu qu'il tombe malade pour que Rusty puisse l'entreprendre sans attirer l'attention de gens mal intentionnés. Ce crétin ne voulait toujours pas parler! De quoi perdre son sang-froid! Alors, il était allé un peu trop loin : Mike ne put que balbutier une phrase avant que les gardes interviennent.

Si Mike s'en était tiré, il aurait eu des ennuis parce que Mike aurait parlé. Mais il ne s'en était pas tiré : il était mort dans la nuit à l'infirmerie, d'une pneumonie, qu'on avait dit...

Donc, Rusty était sauvé et Rusty pouvait tirer ses plans.

Jusqu'à présent, les choses semblaient prendre bonne tournure. Il n'avait jamais demandé la liberté conditionnelle : il valait mieux tirer six mois de plus que d'être filé à la sortie. Aussitôt libéré, il avait pris le premier car en direction de Hainesville : il savait par Mike qu'Hélène travaillait dans un restaurant.

Il ne l'avait pas trompée quand il lui avait dit qu'il avait besoin d'elle. C'était vrai : il avait besoin de son aide. Elle lui servirait de paravent. Il ne susciterait pas la curiosité autour de lui parce qu'il n'aurait aucun rapport avec les voisins.

C'était la première partie de son plan : il l'avait réalisée.

Mais il y en avait une deuxième qu'il s'était complu à élaborer au temps où Mike lui rebattait les oreilles en lui décrivant les suggestives beautés d'Hélène : ayant récupéré les cinquante-six mille dollars, il menait avec elle la grande vie! Cette partie était maintenant hors de question.

Il grimaça dans l'obscurité en se rappelant ce gluant tas de graisse agrippé après lui, les pantelants soupirs d'asthmatique qui s'en exhalaient. Non, ça ne pourrait pas continuer longtemps. Mais pour le moment, il fallait la supporter, ça faisait partie de son plan. Elle serait bien obligée de suivre la bonne voie, tant qu'il serait à ses côtés.

Le moment était venu de décider ce qu'il devait faire. S'ils trouvaient l'argent, faudrait-il partager? En tout cas, il ne resterait pas lié avec cette fille de cuisine, il faudrait trouver un moyen...

« Chéri, tu es réveillé? »

Cette voix... et elle l'appelait « chéri! » Il frémit de dégoût mais parvint à se contrôler :

« Oui... »

Il écrasa sa cigarette dans un cendrier.

« Tu as envie de parler, maintenant?

— Bien sûr.

— Je crois qu'il vaudrait mieux que nous établissions notre plan.

— Voilà ce qui me plaît : une femme pratique (il se contraignait à mettre une joyeuse animation dans sa voix). Tu as raison, mon bébé, plus tôt nous commencerons, mieux ce sera. »

Il s'assit et se tourna vers elle :

« Commençons par le commencement : ce que m'a dit Mike avant de mourir. Il a dit qu'on ne pourrait jamais trouver l'argent parce que Pete l'avait toujours! »

Hélène Krauss resta un moment silencieuse puis elle demanda :

« C'est tout?

— C'est *tout*. Qu'est-ce que tu veux de plus? C'est clair comme de l'eau de roche, non? L'argent est caché avec le corps de Pete Taylor. »

Il sentait la respiration d'Hélène dans son cou :

« T'occupe pas de l'eau de roche, dit-elle. Je sais où il y a de la roche, je sais où il y a de l'eau. Mais depuis deux ans, la police n'a pas pu retrouver le corps de Pete Taylor dans le comté. »

Elle soupira avant de poursuivre :

« Je croyais que tu savais quelque chose, je me suis trompée. J'aurais dû être plus maligne. »

Rusty la saisit par l'épaule :

« Ne cause pas comme ça! Nous en savons assez. Tout ce qu'il nous reste à faire, c'est réfléchir à l'endroit où on doit chercher.

— *Bien sûr*, rien de plus facile! » Sa voix débordait de sarcasmes.

« Essaie de te souvenir, maintenant : où les flics ont-ils cherché?

— Voyons... Ils ont fouillé notre maison, naturellement. On était en location mais ça ne les a pas arrêtés. Ils ont tout saccagé, y compris la cave. Rien de rien.

— Et où encore?

— Pendant des mois, les hommes du shérif ont fouillé tous les bois des environs de Norton Center. Ils ont cherché dans les vieilles granges, dans les fermes abandonnées, etc. Ils ont même dragué le lac. Pete Taylor était célibataire; il avait une petite baraque en ville et une autre au bord du lac. Ils les ont démolies pièce par pièce. Rien. »

Ce fut au tour de Rusty de se taire avant de demander :

« Combien de temps Mike a-t-il mis pour aller chercher Pete et revenir à la maison?

— Trois heures environ.

— Bon Dieu, il n'a pas pu aller bien loin alors, hein? Le corps doit être caché près de la ville.

— C'est bien ce qu'a pensé la police. Je te le dis, elle a fait du bon travail! On a creusé les fossés, asséché la carrière. Tout ça n'a servi à rien.

— Mais enfin! la solution doit se trouver quelque part! Prenons le problème par un autre bout. Pete Taylor et ton mari étaient copains, non?

— Oui. Depuis qu'on était mariés, ils se voyaient souvent. Ils s'entendaient très bien.

— Qu'est-ce qu'ils faisaient? Je veux dire, est-ce qu'ils buvaient? jouaient aux cartes? ou quoi?

— Tout ça, c'était pas le genre de Mike. La plupart du temps, ils chassaient ou ils pêchaient ensemble. Comme je te l'ai dit, Pete avait une baraque sur le lac.

— C'est près de Norton Center?

— A peu près à cinq kilomètres, fit Hélène qui commençait à s'impatienter. Je sais à quoi tu penses mais tu te trompes. Je te l'ai dit, ils ont creusé et ratissé tout autour. Ils ont même éventré le plancher et tout ce qu'ils ont pu...

— Et les hangars à bateaux?

— Pete Taylor n'avait que sa baraque sur son terrain. Quand Mike et lui allaient pêcher, ils empruntaient la barque d'un voisin. »

Elle soupira de nouveau :

« Ne crois pas que j'aie pas essayé de trouver. Depuis deux ans, je cherche, je cherche et je ne trouve pas de réponse. »

Rusty alluma une autre cigarette :

« Pour cinquante-six briques, on doit trouver la réponse. Qu'est-ce qui s'est passé le jour où Pete Taylor a été tué? Il y a peut-être quelque chose que tu as oublié?

— Qu'est-ce qui est arrivé, voyons? J'étais à la maison et Mike était de repos. Il est allé en ville pour se balader.

— A-t-il dit quelque chose avant de partir? Etait-il nerveux, bizarre?

— Non. Je ne crois même pas qu'il avait des projets, si c'est ce que tu veux dire. Je crois que tout est arrivé par hasard : c'est par hasard qu'il s'est trouvé dans la voiture avec Pete Taylor et tout cet argent. Et c'est alors que tout s'est décidé. Ils ont cru que tout était arrangé d'avance. Ils ont dit que Mike savait que c'était le jour de paie parce que Pete allait toujours à la même date chercher l'argent à la banque avec sa voiture et que la paie était en billets de banque... Le vieil Higgins, un drôle de type, à l'usine payait toujours en billets de banque. Ils ont dit que Pete était allé à la banque et que Mike devait l'attendre derrière, dans le parking. Ils ont décidé que Mike s'était introduit dans la bagnole de Pete pour lui piquer les clefs. Quand Pete est sorti de la banque avec le gardien, il n'a pas pu démarrer. Lorsque le gardien s'est éloigné, ils ont prétendu que Mike s'est approché de Pete comme s'il se trouvait là par hasard. C'est à peu près comme ça que ça a dû se passer : le type du parking a dit qu'ils avaient causé ensemble. Mike a dû lui demander ce qui ne marchait pas et lui proposer de monter dans sa voiture. En tout cas, on les a vus partir ensemble. C'est tout ce qu'ils ont su exactement, et que Mike était revenu seul à la maison trois heures plus tard. »

Rusty fit un signe de tête :

« Il est venu te retrouver à la maison. Il était seul dans sa voiture. Qu'est-ce qu'il t'a dit?

— Pas grand-chose. Il n'a pas eu le temps, je pense. Parce que deux minutes plus tard, un car de police s'arrêtait devant chez nous.

— Si vite? Qui les avait alertés?

— Ben! à l'usine on s'est inquiété parce que Pete n'arrivait pas avec l'argent de la paie. Le vieil Higgins à téléphoné à la banque, la banque s'est renseignée près du caissier et du gardien et quelqu'un a posé des questions à ceux du parking. Le surveillant a raconté que Pete était parti dans la voiture de Mike. Ils ont rappliqué à la maison, ça n'a pas traîné.

— Est-ce qu'il a essayé de se défendre?

— Non. Il n'a pas dit un mot. Ils l'ont emmené et c'est tout. Il était dans la salle de bain en train de se laver.

— Il avait de la boue sur lui?

— Ses mains étaient sales, c'est tout. Ils n'ont rien trouvé à soumettre aux examens de leurs laboratoires et de tous leurs machins. Ses souliers étaient boueux, je crois. On a fait des tas d'histoires parce que son fusil avait disparu. C'était ça le plus embêtant de l'histoire : qu'il avait emporté son fusil. Bien sûr, ils ne l'ont jamais trouvé, mais ils savaient qu'il en avait un. Il a dit qu'il l'avait perdu depuis des mois, mais ils ne l'ont pas cru.

— Et *toi?*

— Je ne sais pas.

— Rien d'autre?

— Voyons... Si! il avait une coupure à la main.

Ça saignait un peu quand il est rentré. Je l'ai remarqué et je lui ai demandé ce que c'était. Il s'est arrêté au milieu de l'escalier et il a marmonné quelque chose à propos de rats. Plus tard, devant le tribunal, il a dit qu'il s'était pris la main dans la glace de la portière et que c'était pour ça qu'il y avait du sang dans la voiture. Une des vitres était cassée, c'était vrai. Mais ils ont analysé le sang : c'était pas du même groupe. Ça correspondait avec le groupe sanguin de Pete Taylor, on avait retrouvé le renseignement dans un dossier. »

Rusty aspira profondément la fumée de sa cigarette :

« Mais c'est pas ce qu'il t'avait dit en rentrant. Il t'avait dit qu'un rat l'avait mordu.

— Non. Il m'a dit quelque chose sur les rats, mais j'ai pas compris quoi. Au tribunal, le docteur a témoigné qu'il s'était coupé avec un rasoir. Ils ont trouvé le rasoir sur le lavabo : il était taché de sang.

— Attends un peu, fit Rusty lentement. Il a commencé à te raconter une histoire de rats. Puis il est monté et s'est ouvert la main avec le rasoir. Maintenant, on commence à y voir un peu plus clair. Tu saisis? Oui, un rat l'avait bien mordu, peut-être quand il essayait de faire disparaître le corps. *S'ils* le savaient, *ils* chercheraient le corps dans un endroit où il y aurait des rats. Alors, il s'est charcuté la main avec son rasoir pour qu'on ne reconnaisse pas la blessure.

— Peut-être bien, dit Hélène Krauss. Mais où ça nous mène-t-il? Tu veux fouiller tous les trous à rats qui se trouvent autour de Norton Center?

— J'espère que ce sera pas nécessaire. Je déteste ces satanées bêtes. Elles me donnent la chair de poule. Quand j'étais dans la Marine, je les voyais se balader le long des quais... »

Il fit claquer ses doigts :

« Attends une seconde... Tu dis que quand Pete et Mike allaient pêcher, ils empruntaient une barque aux voisins. Où les voisins garaient-ils leur bateau?

— Ils avaient un hangar.

— Les flics l'ont fouillé?

— Je ne sais pas... Je crois.

— Mais peut-être qu'ils n'ont pas fouillé partout. Les voisins étaient dans leur propriété ce jour-là?

— Non.

— Tu en es sûre?

— Et comment! C'était un couple de Chicago, les Thomason. Deux semaines avant le vol, ils sont morts dans un accident de voiture, en rentrant chez eux.

— Ainsi, il n'y avait personne dans les environs et Mike le savait?

— Oui. »

La voix d'Hélène devint subitement rauque :

« La saison était trop avancée, comme maintenant. Est-ce que tu penses...

— Qui habite maintenant chez les voisins?

— Aux dernières nouvelles, personne. Ils n'avaient pas de gosses et le type de l'agence immobilière n'a pas encore trouvé d'acquéreur. La baraque de Pete Taylor est vide aussi. Pour les mêmes raisons.

— Tout ça représente cinquante-six mille dollars si mes calculs sont exacts. Quand pourrions-nous aller là-bas?

— Demain si tu veux. C'est mon jour de sortie. On pourra prendre ma voiture. Oh! chéri! Je suis si excitée! »

Elle n'avait pas besoin de le dire, il le sentait bien — et il sentit aussi qu'elle se glissait contre lui, dans ses bras. Il dut faire sur lui-même un effort terrible et penser à autre chose pour ne pas trahir son dégoût : il fallait penser à l'argent et à ce qu'il ferait lorsqu'ils l'auraient trouvé. Il devait le trouver, et vite!

Il y pensait encore quand elle reprit sa place dans le lit, à ses côtés. Elle le surprit en lui demandant soudain :

« A quoi tu penses, mon chéri? »

Il ouvrit la bouche et la vérité en jaillit :

« A l'argent, dit-il, à tout cet argent. Vingt-huit briques chacun.

— Pourquoi chacun, chéri? »

Il hésita une seconde avant de trouver la bonne réponse :

« Si tu préfères que ce soit ainsi, bien sûr. »

Mais ce ne serait pas ainsi : les cinquante-six mille dollars lui appartiendraient lorsqu'ils les auraient découverts. Tout ce qu'il lui resterait à faire, ce serait de se débarrasser d'elle.

## III

Si Rusty avait eu quelques hésitations quant à la nécessité de se débarrasser d'Hélène Krauss, elles se seraient évanouies le lendemain. Il passa la matinée et l'après-midi dans la chambre, avec elle, parce qu'il ne pouvait pas faire autrement. Il aurait été imprudent de se montrer ensemble en ville ou dans les environs du lac.

Il se contraignit à la faire tenir tranquille et, pour y réussir, il n'y avait qu'un moyen. Quand vint le crépuscule, il était sur le point de la tuer, avec ou sans argent, uniquement pour se débarrasser de cette masse de chair molle et malodorante.

Mais comment expliquer l'envoûtement de Mike? Il ne le saurait jamais, pas plus qu'il ne saurait ce qui s'était passé dans la tête du petit bonhomme quand il avait décidé de tuer son meilleur ami pour voler l'argent de la paie.

Ça n'avait d'ailleurs aucune importance. Ce qui était important, c'était de retrouver la boîte en métal noir.

Vers quatre heures, il descendit l'escalier sur la pointe des pieds et tourna autour du pâté de maisons. Au bout de dix minutes, elle le retrouva au coin de la rue avec sa voiture.

Il fallait une bonne heure d'auto pour arriver au lac. Elle prit une déviation qui contournait Norton Center et ils atteignirent le lac par une allée sablée. Il voulait qu'elle éteigne les phares mais elle dit que ce n'était pas la peine, parce qu'il n'y avait personne. En examinant le rivage, Rusty se rendit compte qu'elle avait dit vrai : par cette nuit de novembre, le lac était sombre et désert.

Ils garèrent la voiture derrière la baraque de Pete Taylor. Tout de suite, Rusty comprit que le mort ne pouvait être caché là : cette cabane n'aurait même pas pu cacher un cadavre de mouche!

Hélène prit une lampe électrique dans la voiture.

« Je suppose que tu veux aller tout de suite dans

le hangar à bateaux? C'est par là, sur la gauche. Fais attention car le sentier est glissant. »

C'était dangereux de marcher dans l'obscurité et dans la boue. Rusty, suivant la femme, se demandait si le moment était venu. Il aurait pu ramasser une pierre et lui défoncer le crâne pendant qu'elle lui tournait le dos.

« Non, décida-t--il, il vaut mieux attendre. D'abord, il faut trouver l'argent puis un bon endroit : Mike l'avait bien trouvé. »

Le hangar à bateaux se dressait derrière une petite jetée qui s'avançait dans le lac. Rusty tira sur la porte. Elle était cadenassée.

« Reste en arrière », dit-il.

Il ramassa une pierre. Le cadenas était rouillé de n'avoir pas servi depuis longtemps; il tenait mal. Rusty le brisa facilement. Il tomba sur le sol.

Il prit la lampe électrique des mains d'Hélène, poussa la porte et jeta un coup d'œil. Le rayon lumineux balaya le hangar, perçant l'obscurité. Mais ce n'était pas une obscurité totale : une centaine de lueurs rouges la piquaient, comme des bouts incandescents de mégots et qui semblaient cligner comme de petits yeux.

Puis il se rendit compte que *c'étaient* bien des yeux.

« Des rats, dit-il. Viens, n'aie pas peur. Ça prouve que notre supposition est la bonne. »

Hélène était sur ses talons, elle n'avait pas peur. En vérité, c'était à lui-même qu'il avait parlé. Il n'aimait pas les rats. Il fut rassuré quand les rongeurs, effrayés par la lumière, s'éclipsèrent. Le bruit des pas chassa les plus hardis.

Rusty braqua sa lampe sur le sol : c'était du ciment, bien sûr! mais dessous?

« Bon Dieu, dit-il, ils sont *certainement* venus ici! »

Oui, ils étaient venus : le sol, coulé en ciment, semblait maintenant fait de blocaille. Les pioches des hommes du shérif étaient passées par là.

« Je te l'ai dit, soupira Hélène, ils ont cherché partout! »

Il n'y avait pas de bateau dans le hangar, il n'y avait rien d'emmagasiné dans les coins. Le pinceau lumineux de la lampe se brisa sur des murs nus. Rusty le dirigea vers le plafond; on avait utilisé du papier goudronné pour isoler le toit.

« C'est inutile de s'éterniser ici. Tu penses bien, ç'aurait été trop facile!

— Il y a encore la maison, dit Rusty. Allons voir. »

Il se tournait vers la porte, heureux de fuir cette fétide odeur de rat, qui empuantissait le hangar, et projeta une dernière fois la lumière sur le plafond. Alors, il s'arrêta :

« Tu n'as rien remarqué? dit-il.

— Quoi?

— Le toit, il est plus haut que le plafond.

— Et alors?

— Alors? il pourrait bien y avoir une petite place, là-haut...

— Oui, mais...

— Ecoute. »

Elle se tut. Tous deux se taisaient. Dans le silence, ils entendirent naître le bruit. On eût dit d'abord le fouettement de la pluie contre le toit. Mais il ne pleuvait pas et cela ne venait pas du toit. Ça venait d'en dessous. C'était le trottinement de petites pattes qui couraient entre le plafond et le toit. Les rats. Ils étaient là, et quoi encore?

« Viens, murmura-t-il.

— Où vas-tu?

— A la maison. Chercher une échelle. »

Il n'eut pas besoin d'enfoncer la porte, il y avait une échelle dans la resserre et il la rapporta. Hélène trouva un crochet en fer. Elle l'éclaira pendant qu'il appuyait l'échelle contre le mur et y montait. Il creva le papier goudronné avec le crochet; il se déchirait par lamelles, facilement, se détachant des clous. Visiblement, il avait été posé hâtivement par un homme dont le temps est mesuré.

Sous le papier goudronné, Rusty trouva le bois d'œuvre. Maintenant, le crochet lui était utile. Les planches gémirent, il y eut d'autres bruits indéfinissables et inquiétants tandis que les rats fuyaient par toutes les fissures; Rusty s'en félicita : jamais il n'aurait eu le courage de s'introduire en rampant dans la soupente si les rats n'en étaient pas partis. Hélène lui passa la lampe et il s'en servit.

Il n'eut pas besoin de regarder très loin.

La boîte en métal noir était là, juste en face de lui. A côté, gisait la *chose*. Rusty comprit que c'était Pete Taylor, parce que ça ne pouvait être que lui, mais il n'y avait aucun moyen de l'identifier : les rats l'avaient nettoyé et bien nettoyé, jusqu'aux os. Il ne restait ni un lambeau de tissu ni un lambeau de chair. Un squelette, c'était tout ce qui restait, un squelette et une boîte de métal noir.

Rusty l'agrippa et l'approcha de lui. Il l'ouvrit et vit les billets empilés. Il sentit l'odeur de l'argent. Cette odeur domina la puanteur qui lui soulevait le cœur. Ça sentait bon : le parfum des steaks tendres, des housses de cuir d'une voiture de luxe.

« Tu as trouvé quelque chose? » chuchota Hélène.

Sa voix tremblait.

« Oui. Je descends. Tiens l'échelle. »

A lui aussi la voix tremblait un peu.

Il descendit et ça signifiait qu'il était temps... d'agir. Il lui tendit le crochet, la lampe, mais garda la boîte de métal. Il voulait la porter. Puis, quand il la poserait sur le sol et qu'elle se pencherait pour regarder, il s'emparerait d'un bloc de ciment et lui en assènerait un bon coup.

Tout serait simple : il avait tout préparé d'avance, tout, sauf le crochet de fer qu'il lui avait tendu.

C'est avec ça qu'elle frappa quand il parvint au bas de l'échelle...

Il avait dû perdre connaissance une dizaine de minutes, en tout cas assez longtemps pour qu'Hélène Krauss eût le temps de dénicher une corde quelque part. Ou peut-être l'avait-elle apportée dans sa voiture? Où qu'elle l'eût dégottée, elle savait s'en servir. Ses poignets et ses chevilles lui faisaient aussi mal que son crâne où le sang commençait à se coaguler.

Il ouvrit la bouche et se rendit compte que ça ne servait à rien. Elle l'avait bâillonné avec un mouchoir. Il ne pouvait rien faire que rester étendu sur la blocaille et la regarder : elle ramassait la boîte de métal noir.

Elle l'ouvrit et rit.

La lampe électrique était posée par terre. Ainsi il pouvait voir distinctement le visage d'Hélène

Krauss pris dans le faisceau lumineux. Elle avait ôté ses lunettes et il aperçut les verres brisés sur le sol.

Hélène Krauss vit qu'il la fixait et rit de plus belle. Elle repoussa les lunettes du pied :

« Je n'ai plus besoin de ces trucs, dit-elle. Je n'en ai jamais eu besoin. Ça faisait partie de mon numéro, comme de laisser mes cheveux redevenir noirs et la graisse m'envahir. Il a fallu que je m'y habitue pour qu'on ne me remarque pas. Ainsi je pourrai quitter la ville sans qu'on s'en aperçoive! Quelquefois, c'est utile de savoir jouer les idiotes, hein? »

Rusty se débattait sous le bâillon. Elle trouva que ça aussi, c'était drôle.

« Tu commences à comprendre, non? Mike n'a jamais eu l'intention de voler la paie de qui que ce soit. Pete Taylor et moi, on le trompait depuis six mois et il venait seulement d'avoir quelques soupçons. Je ne sais pas ce qu'on lui a dit ni qui le lui a dit. A moi, il ne m'en a pas soufflé mot. Il est seulement parti en ville avec son fusil pour trouver Pete et le tuer. Peut-être qu'il voulait me tuer aussi. Il n'a pas pensé à l'argent à ce moment-là. Tout ce qu'il savait, c'était que ce serait facile d'emmener Pete dans sa voiture le jour de paie. Je suppose qu'il a assommé Pete et qu'il l'a amené ici. Et Pete a repris conscience avant de mourir et a juré qu'il était innocent. Du moins, c'est ce que Mike m'a raconté quand il est revenu. Je n'ai pas eu le temps de lui demander où il avait emmené Pete ni ce qu'il avait fait de l'argent : quand Mike est rentré et m'a raconté qu'il avait descendu son copain, mon premier souci a été de mentir pour me couvrir. J'ai juré que c'était un tas de mensonges, que Pete et moi n'avions jamais rien fait de mal. J'étais encore en train de le baratiner quand les flics sont arrivés. J'ai l'impression qu'il m'a crue parce qu'il n'a jamais rien dit pendant le procès, et, moi, je n'ai plus jamais eu l'occasion de lui demander où il avait caché l'argent. De la prison, il ne pouvait pas me l'écrire puisque le courrier est lu. Il ne me restait donc qu'une issue : attendre, attendre qu'il revienne... ou que quelqu'un d'autre vienne à sa place. C'est comme ça que tout s'est arrangé. »

Rusty essaya de dire quelque chose mais le bâillon était trop serré.

« Pourquoi je t'ai assommé? Pardi! Parce que tu voulais m'assommer toi aussi. Ne dis pas le contraire. Je sais ce que pensent les types dans ton genre. »

Elle baissa les yeux vers lui; sa voix se fit douce :

« Je sais ce qu'on éprouve quand on a été prisonnier car j'ai été prisonnière moi aussi pendant deux ans : prisonnière de ce corps gras, flasque, prisonnière de cette graisse dont je me suis entourée pour récupérer l'argent de Pete Taylor. Je l'ai maintenant et je pars. Je vais perdre vingt kilos, décolorer mes cheveux, redevenir l'Hélène Krauss dont Mike a dû te parler, avec en plus cinquante-six briques pour mener la belle vie. »

Une dernière fois Rusty essaya de parler mais de sous le bâillon ne filtra qu'un borborygme.

« T'inquiète pas, dit-elle, ils ne me trouveront pas. Et ils ne te trouveront pas non plus avant un bon bout de temps. Je remettrai le cadenas sur la porte quand je m'en irai. Il n'y a rien qui puisse établir qu'il y ait eu un rapport entre nous. C'est clair comme de l'eau de roche... »

Elle lui tourna le dos et Rusty cessa d'émettre des borborygmes. Il s'arc-bouta sur les reins et projeta en avant ses deux pieds ligotés. Ils l'atteignirent à la hauteur des genoux et elle s'écroula. Rusty roula sur la blocaille, souleva les jambes et s'en servit comme d'un fléau. Elle fut atteinte au creux de l'estomac et laissa échapper un cri d'agonie.

Elle s'effondra contre la porte du hangar qui se referma et fut bloquée par le corps. Rusty commença par lui marteler le visage avec les pieds. Au bout d'un moment, la lampe s'éteignit. Il continua à frapper dans la direction d'où venaient les cris. Puis les gémissements cessèrent et tout fut silencieux dans le hangar.

Il tendit l'oreille pour discerner le bruit d'une respiration mais il n'entendit rien. Il rampa vers elle et son visage heurta quelque chose de chaud et d'humide. Il frissonna, recula puis revint : la partie du corps qui n'avait pas été atteinte par les coups était froide.

Il roula plusieurs fois sur lui-même et essaya de libérer ses mains. Il frottait la corde contre les arêtes vives des morceaux de blocaille. Ses poignets saignaient mais la corde tenait. La masse inerte du corps d'Hélène Krauss maintenait la porte fermée; les ténèbres fétides s'épaississaient autour de lui.

Il devait pousser ce corps et ouvrir la porte très vite s'il voulait sortir de là. Il commença par lui donner de grands coups de tête pour la faire bouger, il ne la déplaça pas d'un pouce, elle était trop lourde, trop massive, trop énorme. Il fit résonner la boîte aux cinquante-six mille dollars et gloussa quelque chose à travers le bâillon : il voulait lui dire de se lever, de le laisser sortir, que tous deux étaient prisonniers maintenant et que l'argent n'avait plus d'importance. Tout ça, c'était un malentendu. Il n'avait jamais eu l'intention de lui faire mal, ni à elle ni à personne. Il voulait simplement sortir.

Mais il ne sortit pas.

Et, au bout d'un moment, les rats revinrent.

# Le farceur

par

ROBERT ARTHUR

*Traduit par Odette Ferry*

L'IDÉE venait de Bradley. La nuit était morne, et, dans la petite pièce sordide du bureau central de la police où se réunissaient les reporters chargés de la rubrique policière dans les quotidiens, Bradley, de l'*Express*, était las de jouer au bridge à trois et d'attendre qu'il se passe quelque chose.

« J'ai une idée, dit-il en jetant ses cartes, on va jouer un tour au vieux Pop. »

Pop Henderson était l'employé chargé du service de nuit à la morgue, au sous-sol de l'édifice. C'était un homme aux mouvements lents, qui avait franchi le cap des soixante-dix ans, et les démarches de son esprit étaient plus lentes encore. Les services municipaux auraient dû le mettre à la retraite depuis des années, mais il avait des charges de famille, une femme malade, entre autres, et on ne va pas loin avec une retraite. Aussi, comme son emploi n'était pas difficile à remplir, ses supérieurs avaient-ils fermé les yeux sur son âge et lui avaient permis de continuer.

« Quelle espèce de tour? » demanda Furness, un grand garçon maigre, chargé de la rubrique des crimes dans le *Record*. Bradley s'expliqua et Furness hocha la tête :

« Je n'aime pas ça, dit-il. Le vieux Pop n'est pas très malin. Laisse-le tranquille. »

Mais décourager Bradley n'était pas chose facile. C'était un farceur invétéré et il avait la réputation d'inventer des gags originaux. Pour lui, ce qui comptait, c'était la farce; peu lui importait celui qui en était l'objet.

Il insista et, en fin de compte, Furness, qui n'aimait pas les discussions, céda. Morgan, du *Chronicle*, un bon garçon, qui avait bu un verre ou deux, était déjà d'humeur accommodante. Ils descendirent donc tous les trois ensemble jusqu'à la salle sinistre de la morgue où Pop Henderson, assis dans son minuscule bureau, attendait la fin de son service. Il ne lisait pas, il était trop myope. Il n'écoutait même pas la radio. Il restait là, à attendre que finissent ses heures de travail.

Le long d'un des murs de la principale pièce se trouvaient vingt compartiments de quarante-cinq sur soixante centimètres environ, juste assez grands pour y admettre un adulte de bonne taille, à condition qu'il ne lui prenne pas fantaisie de se retourner. Et il va de soi que l'idée n'en venait à aucun des occupants de ces compartiments. Ceux-ci étaient réfrigérés, maintenus à une température inférieure à zéro et, comme on était dans une grande ville avec son contingent de victimes d'accidents et de cadavres non identifiés, bon nombre d'entre eux étaient généralement occupés.

« Pop, dit Bradley, nous voudrions voir le numéro 11. Nous venons de recevoir un tuyau d'après lequel ce serait le banquier new-yorkais disparu.

— Le numéro 11? »

Pop se leva lentement et les conduisit le long de la rangée de compartiments; il poussa la targette de la petite porte portant le numéro 11 et tira à fond le plateau coulissant. Une forme, que recouvrait un drap, y était étendue. Bradley rabattit le drap et fit semblant d'examiner le visage.

« Ça lui ressemble, fit Bradley avec un mouvement de tête affirmatif. Oui, monsieur, ça concorde avec la description. Allez nous chercher la fiche de ce monsieur, voulez-vous, Pop?

— O. K., monsieur Bradley. »

Le gardien de nuit fit demi-tour et s'éloigna de son pas pesant. Bradley cligna de l'œil dans la direction de Furness qui suivit Pop Henderson dans le bureau. Dès qu'ils furent hors de vue, Bradley et Morgan, toujours un peu ivre, s'affairèrent à préparer la farce.

Furness, pour retenir Pop au bureau, feignit de se plonger dans l'examen des fiches d'entrée du numéro 11, jusqu'à l'arrivée de Morgan.

« Inutile de vous donner du mal, Pop, dit-il, réprimant un rire. Je crois que nous avons fait une erreur. Vous pouvez remettre le 11 au lit. Viens, Furness, remontons et faisons encore quelques parties. »

Les deux journalistes se retirèrent et, arrivés à l'extrémité du couloir, ils attendirent. Pop, méthodiquement, patiemment, rangea les papiers dans leurs dossiers. Puis, du même mouvement lent, sans hâte, comme quelqu'un qui passe sa vie à attendre — ce qui lui est imposé par son occupation — il regagna la grande salle de la morgue en traînant les pieds, se dirigea vers le compartiment ouvert, le plateau tiré et la forme recouverte du drap.

Il en était encore à quatre mètres lorsque le drap bougea. Un grognement théâtral en sortit; puis la forme revêtue du drap s'assit lentement et le linge blanc tomba d'un visage que la pénombre et la myopie du vieillard ne lui permirent pas de reconnaître comme étant celui de Bradley.

« Où suis-je? demanda le reporter d'une voix caverneuse. Que m'avez-vous fait? »

Pop Henderson s'arrêta non sans hésitation; Bradley leva un bras entortillé dans le drap et le braqua sur lui, menaçant.

« Vous! psalmodia-t-il, que m'avez-vous fait? Vous avez essayé de me tuer!... »

La farce était très grossière comme la plupart de celles de Bradley. Mais il ne visait qu'à faire impression sur un vieillard à l'esprit émoussé par l'âge. L'effet, du point de vue de Bradley, était entièrement satisfaisant. Un moment, Pop Henderson resta figé sur place, suffoquant, le souffle coupé. Puis il fit demi-tour, prit le pas de course, traînant les pieds plus vite qu'il ne l'avait fait depuis vingt ans et se hâta vers l'escalier.

« Bonté divine! Il est vivant! cria-t-il d'une voix suraiguë. Il est vivant! Il revient! Brigadier, brigadier Roberts! venez vite! Un des cadavres est revenu! »

Haletant, il passa à côté de Furness et de Morgan, grimpa l'escalier pour aller trouver le brigadier de service. Avec un rire contenu et saccadé, Dave Bradley sauta à bas du plateau du compartiment 11, rejeta à l'intérieur le drap qui le couvrait et claqua la porte.

« Venez, vous autres, glousssa-t-il, riant à s'étouffer lorsqu'il les eut rejoints. Vite, grimpons par l'autre escalier avant que le brigadier descende. Il n'y a pas dans le pays plus grand rabat-joie depuis qu'il souffre de son ulcère, et il va être en rage! »

Ils étaient de retour dans la salle de la presse lorsqu'ils entendirent, dans le couloir, les pas du garçon de la morgue et du brigadier, qui était costaud et grincheux. Le vieux Pop bredouillait encore, presque incohérent.

« Y s'est assis, brigadier... J'vous dis qu'y s'est assis et qu'y m'a regardé et qu'y... »

Les voix s'éteignirent lorsqu'au bout du couloir ils prirent tous les deux l'escalier qui descendait à la morgue. Bradley se renversa sur son siège et partit d'un gros rire. Morgan fit entendre un petit gloussement, embarrassé, puis s'arrêta. Furness, toujours irrité contre lui-même d'avoir consenti à les aider, alluma une cigarette qu'il éteignit aussitôt en l'écrasant.

Trois minutes plus tard, le gros brigadier revenait, le long du couloir. Il s'arrêta devant la salle et leur lança un regard fulgurant.

« En voilà des rigolos, grogna-t-il. Les pitres de Drôleville en personne! »

Puis, parce qu'il savait jusqu'où il pouvait aller et la limite à ne pas dépasser lorsqu'il déchargeait sa bile sur les journalistes, il regagna son bureau en faisant sonner ses bottes.

« Vous avez vu la figure du brigadier! hoqueta Dave Bradley, se tordant de rire comme il le faisait toujours à chacune de ses farces. Ça le travaille comme une plaie à vif sur le dos d'un chameau. Il... mais, qu'est-ce que vous avez donc, vous autres? demanda-t-il en s'interrompant, voyant que Furness et Morgan ne le suivaient pas. Vous ne riez plus d'une farce?

— Je sors, annonça Furness à la cantonade, et il

tendit la main pour prendre son chapeau. Si on téléphone de la boîte, dites-leur que je suis en train de vérifier une histoire. »

Il sortit.

« Rabat-joie », marmonna Bradley.

Morgan, chez qui l'effet de la boisson se dissipait, eut un haussement d'épaules.

« Possible que l'idée n'ait pas été très bonne après tout, dit-il. Je sors; je vais avaler quelque chose en vitesse, et rentrer chez moi. De toute façon le journal est au marbre. »

Lui aussi sortit. Dave Bradley fit une grimace, puis prit un cigare, en mordit le bout qu'il cracha sur le parquet.

« J'ai horreur des types qui prennent mal les farces », murmura-t-il.

Il était en train d'allumer son cigare lorsque Pop Henderson arriva en traînant les pieds, s'arrêta à la porte et jeta un coup d'œil dans la pièce.

« C'était pas une chose à faire, monsieur Bradley, dit le gardien sans l'accuser et sans plus élever la voix que d'habitude. Ça m'a donné un coup, mais c'est pas ça qui m'ennuie. Seulement, voilà, ça me fait des histoires avec le brigadier Roberts. Il arrête pas de se plaindre de moi et il est enragé parce que je suis entré chez lui en coup de vent tout à l'heure.

« Nous sommes descendus et nous avons trouvé tous les cadavres comme ils devaient être. Alors, il a dit que j'avais des visions. Puis quand j'ai dit que vous autres, de la presse, vous veniez de passer, il a compris que c'était une de vos farces. »

Pop s'arrêta pour reprendre son souffle, le regard fixé sur Bradley, mais sans rancune. Bradley alluma son cigare en observant des rites minutieux.

« Il a dit que si j' marchais encore ou si j' me trompais une fois de plus, y faisait son affaire de me faire partir comme ça aurait dû arriver y a des années, dit le gardien. Et j'peux pas m'en aller. J'ai b'soin de cet argent. Alors, m'sieur Bradley, s'il vous plaît, plus de farces. »

Il resta au même endroit un moment encore, puis s'en alla de sa démarche traînante. Dave Bradley haussa les épaules, fit un rond de fumée, et saisit le téléphone.

« L'*Express*? Secrétariat de rédaction? Ici, Bradley. Rien de sensationnel ici. Le journal est au marbre? O. K. Je rentre chez moi. Ne m'attendez pas avant demain matin. »

Il raccrocha, refit un rond de fumée et sortit.

Une fois dehors, dans le froid et l'obscurité, il hésita. Son humeur avait tourné à l'aigre, car la chose qui lui était indispensable, plus que l'alcool ou les femmes, c'était de se sentir gai, de rire, de faire des farces. Boire quelque chose, décida-t-il, mais il n'avait pas envie d'entrer dans un lieu où il risquait de rencontrer Furness et Morgan. Il fixa son choix sur un petit bar du quartier des docks qui n'était fréquenté par aucun membre de la cohorte des journalistes.

Le bar était exigu et sale; mais le whisky vous réchauffait. Après le troisième verre, il avait retrouvé sa gaieté. Son entrain renaissait. Un autre verre, et la joie pétillait en lui comme à l'ordinaire. Il commença à méditer une autre farce. Qu'était-ce qu'une soirée sans une bonne farce, sans une bonne partie de rire et sans une bande de bons copains qui mettent leur gaieté en commun? Au diable Morgan et Furness! Des rabat-joie!

Il jeta un regard autour de lui. Il était tard,

deux heures du matin. Le bar était presque vide. Il n'y avait que lui, le barman et un petit homme parcheminé, le pied sur la barre de cuivre, qui buvait de la bière. Le barman, à en juger par son aspect, était un homme capable de rire, et le petit bonhomme serait bien obligé d'en faire autant : il n'avait que la peau sur les os, que pourrait-il faire d'autre?

Bradley eut un petit rire étouffé en se baissant pour rattacher le lacet de sa chaussure. D'une main preste, il glissa une allumette entre la semelle et l'empeigne du soulier du petit buveur. Il l'alluma puis se redressa et demanda un autre verre.

Il adressa un clin d'œil au barman, comme celui-ci lui versait le whisky. Puis, d'un signe de tête, il désigna le second client.

« Vous allez voir », chuchota-t-il.

Le barman, ne comprenant pas, ouvrait les yeux tout grands. Mais Bradley, toujours avec un large sourire, se retenait de rire. Le petit homme poussa un hurlement et fit un bond en arrière, à cloche-pied. De la main, il donna de grands coups sur l'allumette qui flambait.

Bradley laissa fuser son rire, cherchant l'approbation du barman. Le petit homme posa le pied par terre et, avec un grognement, se tourna vers le reporter.

« Fils de... » dit-il succinctement, sans se donner la peine d'achever. Puis il frappa.

Le coup atteignit Bradley au moment où il tournait la tête, en plein sur la bouche, et lui écrasa les lèvres contre les dents. Il chancela, ne parvint pas à s'accrocher aux barres et tomba à la renverse de tout son long; son cou heurta bruyamment la barre de cuivre du comptoir. Il eut tout juste le temps de sentir un craquement affreux quelque part à la base du crâne et toutes les lumières s'éteignirent pour lui.

Le petit homme fixait sur lui un regard mauvais.

« Quel crétin! dit-il. Me chauffer la plante des pieds. A moi, Kid Wilkins! »

Le barman passa devant le comptoir en se dandinant et s'essuya les mains sur son tablier sale.

« Tu as tapé dur comme qui dirait, Kid, murmura-t-il, écarquillant les yeux. Il est un peu trop tranquille.

— Ben quoi! Un direct du gauche sur la bouche, grogna le petit homme, de quoi lui faire sauter une ou deux dents, c'est tout... La prochaine fois, il réfléchira avant de faire ce genre de farce.

— Sa tête, dit le barman, soucieux, elle est drôlement tordue. Tu crois que... »

Il s'accroupit sans achever sa phrase. Il chercha le pouls de Bradley et lui passa la main sous la chemise. Puis, son visage coloré devint couleur mastic; le barman se redressa.

« Il est mort, dit-il d'une voix rauque. Mort comme un hareng congelé.

— Mort? » L'homme parcheminé se passa rapidement la main sur les lèvres. « Merde, c'est un accident! J'ai pas cogné assez fort pour lui faire du mal. C'est un accident, comprends-tu?

— Oui, bien sûr, bien sûr, Kid, un accident. »

D'un pas rapide, le barman alla jusqu'à la porte, tourna la clé, baissa le store comme pour la fermeture, et éteignit toutes les lumières à l'extérieur. Puis il revint auprès de Bradley.

« Ça sent mauvais, Kid, murmura-t-il, tout en fouillant les poches de Bradley. J'ai bien assez de démêlés avec les flics sans avoir un cadavre chez moi, et toi, tu as déjà écopé deux condamnations pour voies de faits.

— Ça va, ça va, dit sèchement Kid Wilkins, j'ai le sang chaud et j' sais me servir de mes poings. Alors, ça fait des histoires. Qu'est-ce qu'on va faire? »

Le barman passait hâtivement en revue le contenu du portefeuille qu'il avait pris dans la poche de Bradley.

« Kid, dit-il, c'est pas seulement une sale histoire. C'est pas bon du tout. Ce crétin est un reporter. De l'*Express!* C'est presque aussi moche qu'un flic.

— Un reporter, dit Kid Wilkins avec amertume. Et y faut qu'y m' chauffe la plante des pieds et y faut que j' lui cogne dessus et y faut qu'il se casse son putain de cou! Pourquoi ça? dis-l'moi? Pourquoi?

— Cherche pas l' pourquoi, j'ai une idée. Faut le sortir d'ici. Là-bas, sur les docks, on l' balancera. Faut qu'il ait l'air d'avoir reçu un coup sur la gueule... ou p't-être qu'il était rond et qu'il est mal tombé.

— Oui, oui, cré bonsoir! » Le petit homme se dérida. « A six heures, mon bateau lève l'ancre, je reviendrai plus dans c' port, v'là tout. Si on remonte la piste jusqu'ici, il était plein en partant, quand t'as fermé, et tu sais rien.

— C'est ça. Maintenant, viens, d'abord on prend tout ce qu'il a sur lui. Comme ça, y mettront plus d' temps à savoir qui c'est. Ça fera traîner l'enquête. Puis, par le passage, on l'emporte jusqu'aux docks. »

Vivement, il fouilla les poches de Dave Bradley. Il en transféra le contenu dans les siennes, puis il éteignit toutes les lumières du bar et ouvrit la porte de derrière qui donnait sur une ruelle obscure et encombrée.

Un moment plus tard, les deux hommes, soutenant Dave Bradley entre eux comme un ivrogne incapable de marcher, sortirent tranquillement dans la nuit et la porte se referma.

Bradley reprit brusquement conscience. Une demi-conscience plus exactement, de quoi se rendre compte qu'il était encore vivant. Il essaya de remuer, mais son corps était gourd et ses muscles refusèrent de lui obéir. Il ne ressentait pas la moindre douleur, pas la moindre sensation d'aucune sorte. Il ne pouvait même pas savoir exactement dans quelle position il se trouvait; il lui semblait pourtant qu'il était sur le dos.

« *Mon cou,* la pensée lui traversa vaguement l'esprit, *je l'ai heurté en tombant. Cette vertèbre que je m'étais tordue à l'école en jouant au football. Je me la suis tordue encore une fois. C'est comme cette fois-là, où je suis resté un mois au lit, pouvant à peine bouger. Mais ce coup-ci, c'est pire. Le coup a été plus rude. Je l'ai entendue craquer en tombant.* »

Puis il entendit une voix. Elle était faible et semblait venir de très loin.

« O. K., il est bien à vous, disait la voix. On l'a trouvé du côté des docks. A voir sa figure, il a reçu un coup en plein dans la gueule. Il était déjà froid lorsque l'interne est arrivé près de lui; fais pas bon d'être étendu dehors par une nuit aussi froide. Le médecin de service n'a pas senti de pouls, ni de battement de cœur. Alors, il vous l'a envoyé. Pas d'identité. Couchez-le, soignez-le bien. On fera l'autopsie demain. »

La voix s'éteignit. Bradley sentit qu'on le soulevait, qu'on le déplaçait. Il y eut un déclic dans son cou et, tout à coup, il put ouvrir les yeux, comme si se trouvait allégée une pression sur un nerf vital.

Même s'il n'était que partiellement conscient, ce qui l'entourait lui était assez familier pour qu'il le reconnût.

« Pop, murmura-t-il, Pop Henderson. »

Le vieillard, sans prêter attention, acheva de bien disposer les bras et les jambes de Bradley. Bradley renouvela sa tentative.

« Pop! (Un peu plus fort cette fois.) Pop, je suis vivant! »

Le gardien, qui était penché, se retourna, fronçant les sourcils. Bradley, au prix d'un effort considérable, fit une nouvelle tentative :

« Pop! »

C'était un croassement cette fois.

« C'est moi, Dave Bradley! Je suis vivant. Vite un docteur! »

Pop Henderson eut une expression d'effroi. Il se pencha tout près de Bradley et le dévisagea :

« Monsieur Bradley, dit-il abasourdi. Je vous avais pas reconnu avec votre figure tout enflée. Personne vous a reconnu.

— Vous occupez pas de cela. (Chaque mot exigeait un effort comme Bradley n'avait jamais eu à en faire auparavant.) Je suis vivant. Sortez-moi d'ici. Allez me chercher un médecin. »

Pop Henderson hésita, troublé et indécis. Puis il s'empara d'un drap, le déplia :

« Monsieur Bradley, je vous l'ai dit, plus de blague. Une fois cette nuit, ça suffit. »

Il étendit avec soin le drap sur le corps allongé.

« Le brigadier Roberts me pardonnerait pas si on se payait ma tête encore une fois, dit-il sévèrement. Non, monsieur Bradley, pas deux fois la même nuit. »

Sans hâte, il repoussa dans le compartiment le plateau coulissant, ferma la porte, marquée du numéro 12, et tourna le bouton qui la maintenait fermée.

Puis, d'un pas lourd, il regagna son bureau et s'assit pour attendre patiemment l'heure de s'en aller.

# Figures de cire

par

A. M. Burrage

*Traduit par Odette Ferry*

Tandis que les gardiens en uniforme du Musée de Cire Marriner faisaient sortir les derniers visiteurs par la porte vitrée, le directeur, assis à son bureau, interrogeait Raymond Hewson.

Le directeur était un homme assez jeune, blond et fort, de taille moyenne. Il savait s'habiller et mettait un point d'honneur à paraître élégant sans ostentation. Ce n'était pas le cas de Raymond Hewson. Ses vêtements, jadis de bonne coupe et quoique soigneusement entretenus, commençaient à montrer les signes de défaite de son propriétaire. C'était un homme petit et frêle, avec des cheveux clairsemés et, bien qu'il parlât avec assez d'assurance, il donnait l'impression d'être toujours sur la défensive, comme quelqu'un habitué aux rebuffades. Il avait l'air de ce qu'il était vraiment : un être plus doué que la normale mais qui, du fait de son manque de confiance en soi, avait échoué dans la vie.

Le directeur parlait :

« Il y a quelque chose de nouveau dans votre requête. En fait, nous avons refusé ce poste à plusieurs personnes à peu près trois fois par semaine. Il s'agissait de jeunes types qui avaient fait des paris avec leurs amis. Nous n'avons rien à gagner mais beaucoup à perdre à laisser des gens passer la nuit dans notre « Antre des Meurtriers ». Si je donnais la permission à quelques-uns et qu'un jeune idiot perde la tête, quelle serait ma position? Mais, étant donné que vous êtes journaliste, cela change un peu les choses. »

Hewson sourit :

« Je suppose que vous voulez dire que les journalistes n'ont pas de tête à perdre?

— Non, non, ce n'est pas ça, repartit le directeur en riant. On les prend, au contraire, pour des gens capables en général. En outre, dans ce cas particulier, nous avons quelque chose à gagner : de la publicité gratuite et qui rapporte!

— Exactement, dit Hewson, et c'est pourquoi je pense que nous pouvons arriver à un accord. »

Le directeur rit de nouveau et s'exclama :

« Oh! je prévois ce que vous allez me dire. Vous voulez être payé double, n'est-ce pas? On a dit que chez Mme Tussaud, ou aurait offert, il y a quelques années, cent livres sterling à un homme pour passer la nuit seul dans la « Chambre des Horreurs ». J'espère que vous ne croyez pas que nous, nous aurions jamais fait une proposition semblable. Et... quel est le nom de votre journal, monsieur Hewson?

— Pour le moment, je suis un journaliste indépendant, avoua Hewson. Je travaille à la pige pour plusieurs journaux; cependant, je suis sûr que je n'aurai aucune difficulté à faire publier mon article. Le *Morning Echo* le prendrait tout de suite parce que c'est une histoire sensationnelle : « Une

Nuit avec les Meurtriers de Marriner. » Il n'existe pas un seul journal qui refuserait un pareil reportage. »

Le directeur se frotta le menton.

« Ah! Et comment avez-vous l'intention de le présenter?

— Je le traiterai sur un mode cruel, bien sûr; cruel avec une pointe d'humour pour l'adoucir. »

L'autre acquiesça et tendit à Hewson son étui à cigarettes.

« Très bien, monsieur Hewson, dit-il, faites publier votre article dans le *Morning Echo* et un billet de cinq livres sterling vous attendra, que vous pourrez venir prendre quand vous en aurez envie. Mais, d'abord, je tiens à vous prévenir que ce n'est pas une petite épreuve que vous allez subir. Je désirerais être tout à fait sûr de vous comme j'aimerais que vous le soyez vous aussi. Quant à moi, je n'oserai pas tenter une telle expérience! J'ai vu tous ces mannequins habillés et déshabillés. Je connais tout sur leur procédé de fabrication. Je peux me promener parmi eux, si je suis accompagné, et demeurer aussi calme que si je me baladais dans un jeu de quilles; mais je serais incapable de passer une nuit tout seul au milieu d'eux.

— Pourquoi? demanda Hewson.

— Je ne sais pas. En vérité, je ne trouve pas de raison précise. Je ne crois pas aux fantômes et, si j'y croyais, je m'attendrais à les voir hanter la scène de leurs crimes ou l'endroit où repose leur corps plutôt qu'une cave qui, par hasard, contient leur effigie en cire. Mais je n'aurais pas le courage de rester assis seul parmi eux, pendant la nuit, avec leurs yeux braqués sur moi. Après tout, ces mannequins représentent les types les plus effrayants et les plus vils de l'humanité et — bien que je ne le confesserais pas publiquement — les gens ne viennent généralement pas ici, poussés par les sentiments les plus nobles. Toute l'atmosphère de cet endroit est déplaisante. Et, si vous êtes sensible aux ambiances, je vous mets en garde contre la très mauvaise nuit que vous allez passer là. »

Hewson savait cela depuis le moment où cette idée avait germé dans son esprit. Il était malade rien que d'y penser et, pourtant, il adressa au directeur un sourire désinvolte. Il avait une femme et des enfants à sa charge. Et, pendant le dernier mois, il avait vécu en plaçant des échos et en prélevant sur ses petites économies qui fondaient à vue d'œil. Cette fois, il avait sa chance, sa chance qu'il ne devait pas manquer : le prix d'un article spécial dans le *Morning Echo,* plus un beau billet de cinq livres sterling. Avec cet argent, il serait relativement riche pendant une semaine. Pendant une quinzaine de jours, il se trouverait pour ainsi dire libéré de tout souci pécuniaire. En outre, si son reportage était bon, peut-être lui offrirait-on une collaboration régulière au journal.

« La vie des non-conformistes et des journalistes est dure, dit-il. Je sais déjà que je ne passerai pas une bonne nuit dans votre « Antre des Meurtriers », car cet endroit n'est certainement pas aménagé avec autant de confort qu'une chambre d'hôtel. Mais je ne crois pas que vos figures de cire me troubleront beaucoup.

— Vous n'êtes pas superstitieux? »

Hewson rit :

« Pas du tout.

— Mais vous êtes journaliste et, par conséquent, vous avez beaucoup d'imagination.

— Le chef des informations du journal pour lequel j'ai travaillé s'est toujours plaint que je n'en avais pas. Les faits tels qu'ils sont ne suffisent pas dans notre profession et les journaux n'aiment pas offrir du pain sec à leurs lecteurs! »

Le directeur sourit et se leva :

« Très bien, dit-il. Je crois que les derniers visiteurs sont partis. Attendez un instant. Je vais donner des ordres pour que les mannequins ne soient pas recouverts de leur housse habituelle et avertir les gardiens de nuit que vous demeurerez ici jusqu'à demain matin. Ensuite, je vous conduirai en bas et vous montrerai les lieux. »

Il décrocha le téléphone intérieur, dit quelques mots et raccrocha :

« Malheureusement, je crains d'être obligé de vous poser une condition, remarqua-t-il. Je dois vous prier de ne pas fumer. Cet après-midi, dans l' « Antre des Meurtriers », on a crié « Au feu. » J'ignore qui a donné l'alerte mais, qui que ce soit, c'était une fausse alerte. Heureusement, il n'y avait que très peu de monde à ce moment-là, sinon c'eût été la panique. Et maintenant, si vous êtes prêt, allons-y. »

Hewson suivit le directeur à travers une demi-douzaine de pièces dans lesquelles les employés étaient occupés à revêtir de leur linceul rois et reines d'Angleterre, généraux et hommes d'Etat célèbres des générations passées et présentes, en un mot tous les représentants de cette humanité que leur réputation bonne ou mauvaise a rendus aptes à ce genre d'immortalité. Le directeur s'arrêta une fois et dit à l'un des hommes en uniforme de placer un fauteuil dans l' « Antre des Meurtriers ».

« C'est tout ce que nous pouvons faire pour vous, j'en ai peur, fit-il à Hewson. J'espère que vous pourrez un peu dormir. »

Il le fit passer par un portillon et le précéda dans un escalier de pierre mal éclairé qui donnait la sinistre impression de conduire à un donjon. Dans un couloir de sous-sol, se trouvaient quelques horreurs préliminaires, telles que des reliques de l'Inquisition, un chevalet provenant d'un château du Moyen Age, marqueurs au rouge, étaux et autres témoignages d'une époque cruelle. Au-delà du couloir, c'était l' « Antre des Meurtriers ».

La pièce était de forme irrégulière, avec un plafond voûté, faiblement éclairée par des lampes électriques munies de globes dépolis. C'était une pièce dont on avait, à dessein, accentué l'ambiance mystérieuse et inquiétante, une pièce qui incitait à parler à voix basse. L'air qu'on y respirait faisait penser à celui d'une chapelle, mais une chapelle où l'on ne pratiquerait plus le culte religieux, mais plutôt des messes noires.

Les meurtriers en cire étaient debout sur de petits socles numérotés. De récentes notabilités coudoyaient les « vedettes » du crime d'autrefois. Thurtell, le meurtrier de Weir, se tenait immobile comme pétrifié. Il y avait Lefroy, le malheureux petit snob qui avait tué pour pouvoir jouer les grands seigneurs. A quelque cinq mètres de lui était assise Mme Thompson, cette obsédée sexuelle qui avait été pendue. Charles Peace, le seul membre de cette compagnie qui n'essayât point de tromper son monde : il respirait la méchanceté et la cruauté; Brown et Kennedy, les deux plus récentes acquisitions, étaient debout entre Mme Dyer et Patrick Mahon.

Le directeur, accompagné de Hewson, désigna plusieurs de ces notabilités de mauvais aloi :

« Voici Crippen, je pense que vous le reconnaissez. Insignifiant petit être dont on n'aurait pas cru qu'il pût faire du mal à une mouche. Voici Armstrong, il a l'air d'un brave campagnard sans malice, n'est-ce pas? Et voilà le vieux Vaquier. On ne peut le confondre avec personne à cause de sa barbe. Et naturellement, celui-ci, c'est...

— Qui est-ce? interrompit Hewson à voix basse, en montrant avec son doigt.

— Oh! j'allais y arriver, dit le directeur sans élever le ton, venez et regardez-le bien. C'est notre vedette. Il est le seul du lot à n'avoir pas été pendu. »

Le mannequin que Hewson avait désigné était celui d'un petit homme mince, qui ne mesurait certainement pas plus d'un mètre cinquante-cinq. Il avait une moustache en cire, de grosses lunettes et un manteau en forme de cape. On eût dit une caricature de Français, telle qu'on en voit sur les scènes londoniennes. Hewson n'aurait pas su dire pourquoi ce visage doux lui paraissait aussi répugnant; il recula d'un pas et, malgré la présence du directeur, il dut faire un effort pour le regarder à nouveau.

« Mais qui est-il? demanda-t-il.

— C'est le docteur Bourdette », répondit le directeur.

Hewson secoua la tête avec incertitude.

« Je crois avoir entendu ce nom mais je ne me rappelle plus dans quelles circonstances. »

Le directeur sourit :

« Vous vous en souviendriez mieux si vous étiez Français, dit-il. Pendant de longs mois, il fut la terreur de Paris. Dans la journée, il soignait les gens avec dévouement et, la nuit venue, leur coupait la gorge quand il était en crise. Il tuait pour le seul plaisir de tuer et toujours de la même façon : avec un rasoir. Après son dernier crime, il a laissé un indice derrière lui qui a mis la police sur sa trace. Un indice mène à un autre et, avant peu, la police savait qu'elle était sur la piste d'un Jack l'Eventreur parisien. Les preuves étaient suffisantes pour envoyer le criminel, soit à l'asile de fous, soit à l'échafaud, avec une douzaine d'accusations accablantes.

« Or, à ce moment-là, notre ami se montra plus intelligent que les policiers. Quand il se rendit compte que le filet se resserrait autour de lui, il disparut mystérieusement et depuis lors toutes les polices du monde le recherchent en vain. Sans aucun doute, il a dû se suicider, mais il a réussi à le faire de telle sorte qu'on n'a jamais découvert son cadavre. Un ou deux crimes de la même espèce ont été commis depuis sa disparition. Ce qui n'empêche pas qu'on le tienne pour mort de façon presque certaine; les experts estiment que ces nouveaux meurtres sont l'œuvre d'un imitateur. C'est curieux comme les meurtriers célèbres ont des imitateurs, n'est-ce pas? »

Hewson frissonna et sautilla d'un pied sur l'autre.

« Je ne l'aime pas du tout, confessa-t-il. Regardez un peu ces yeux!

— Oui, ce mannequin est un véritable chef-d'œuvre. On a l'impression que les yeux vous dévorent. Voyez-vous! il est d'un réalisme étonnant car Bourdette pratiquait l'hypnotisme. On prétend qu'il hypnotisait ses victimes avant de les envoyer *ad patres.* S'il n'avait pas agi ainsi, on se demande comment un si petit homme eût pu exécuter une besogne aussi horrible. Jamais on n'a relevé de traces de lutte sur ses victimes.

— J'ai l'impression qu'il bouge », remarqua Hewson avec de l'angoisse dans la voix.

Le directeur sourit :

« Vous aurez plus d'une illusion optique avant la fin de la nuit, je le crains. On ne vous enfermera pas. Vous pourrez remonter à l'étage supérieur lorsque vous en aurez assez. Il y a des gardiens dans ce local. Ainsi vous aurez de la compagnie. Ne soyez pas inquiet si vous les entendez marcher. Je regrette de ne pas pouvoir vous donner davantage de lumière car, en ce moment, toutes les lampes sont allumées. Pour des raisons évidentes, nous désirons que cette pièce demeure aussi lugubre que possible. Et maintenant, je pense qu'il vaut mieux que vous reveniez dans mon bureau et que vous preniez un bon whisky avant de commencer votre veille. »

Le gardien de nuit qui installa le fauteuil pour Hewson était du genre facétieux.

« Où voulez-vous que je vous mette ce siège? demanda-t-il en ricanant. Ici, pour que vous puissiez bavarder avec Crippen lorsque vous serez fatigué de rester immobile? Ou là, près de la vieille mère Dyer, qui vous fait des yeux doux comme si elle avait besoin de tendresse? Dites-le-moi. »

Hewson sourit. Le bavardage de l'homme l'amusait parce qu'il transformait l'ambiance du lieu et faisait de cette pièce une chambre ordinaire.

« Je l'installerai moi-même. Je verrai d'où viennent les courants d'air.

— Il n'y en a pas ici. Allons, bonne nuit, monsieur. Je suis là-haut, si vous avez besoin de moi. Ne les laissez pas s'approcher de vous ni toucher votre cou avec leurs mains froides et gluantes. Contentez-vous de regarder cette brave Mme Dyer; je crois qu'elle a un petit béguin pour vous. »

Hewson rit et souhaita bonne nuit au gardien. C'était plus facile qu'il ne l'avait imaginé. Il fit rouler le fauteuil — un lourd fauteuil en peluche —, et le plaça dans l'allée centrale. Il tournait délibérément le dos à l'effigie du docteur Bourdette. Pour quelque raison indéfinie, le docteur Bourdette lui plaisait beaucoup moins que ses compagnons. C'est avec un cœur presque léger qu'il arrangea son fauteuil mais, lorsque le bruit des pas du gardien se fut dissipé au-dessus de lui, il comprit que ce n'était pas une épreuve facile qu'il allait affronter.

Une lumière constante et faible tombait sur les rangées de mannequins aussi mystérieux que des êtres humains. Et le silence semblait anormal, presque effroyable. Ce qui lui manquait, c'était le bruit de la respiration, le froufroutement des costumes, les mille et un bruits qui peuplent une minute, même quand le silence le plus profond s'est abattu sur une foule. Mais l'air était aussi stagnant que l'eau au fond d'une mare. Dans la pièce, il n'y avait pas le moindre souffle pour agiter un rideau, faire frissonner une draperie ou trembler une ombre. Sa propre ombre, qui naissait parce qu'il remuait une jambe, était la seule chose qui pût évoquer le mouvement. Tout était immobile et silencieux. « Ça doit être comme ça au fond de la mer », pensa-t-il, et il se demanda comment il pourrait intégrer cette phrase dans son article du lendemain.

Il affrontait les mannequins avec un certain courage. Ce n'étaient que des figures de cire. Aussi longtemps que cette pensée dominerait toutes les autres, tout irait bien. Cependant, cette pensée, si réconfortante fût-elle, ne le sauva pas longtemps du malaise provoqué par le regard fixe du docteur Bourdette qui, il le savait, était dirigé sur sa nuque. Les yeux de l'effigie du petit Français le hantaient, le tourmentaient et il était dévoré du désir de se retourner.

« Allons, se dit-il, je commence à m'énerver. Si je me retourne pour regarder ce mannequin habillé, ce serait comme si j'admettais ma peur. »

Et puis, dans sa tête, s'élevait une autre voix :

« C'est parce que tu as peur que tu n'oses pas le regarder. »

Les deux voix se querellèrent silencieusement pendant une ou deux minutes et, finalement, Hewson fit pivoter son fauteuil et regarda derrière lui.

Parmi les nombreux mannequins qui posaient dans la pièce, raides et dépourvus de naturel, l'effigie de l'affreux petit docteur avait une importance particulière, peut-être parce qu'un rayon de lumière l'éclairait de face. La parodie de douceur que quelque habile artisan avait réussi à communiquer à la cire fit frissonner Hewson. Ses yeux croisèrent ceux du docteur pendant une seconde qui lui parut éternelle puis il parvint à détourner la tête pour regarder dans une autre direction.

« C'est une effigie de cire pareille aux autres, se murmura Hewson sur le qui-vive. Vous n'êtes tous que des figures de cire! »

Oui, ce n'étaient que des figures de cire, mais les figures de cire ne bougent pas. Sans avoir vu le moindre mouvement nulle part, il avait cependant l'impression que pendant les quelques instants où il avait regardé derrière lui, il s'était produit un léger et subtil changement dans le groupe formé par les mannequins placés devant son fauteuil. Crippen, par exemple, paraissait avoir viré d'un degré sur la gauche. Ou bien, pensa Hewson, cette illusion est-elle due au fait que je n'ai pas remis mon fauteuil exactement à la même place. Et il y avait Field et Grey aussi : l'un d'eux avait certainement bougé ses mains. Hewson retint sa respiration pendant un moment, puis il aspira profondément pour retrouver son courage à la manière d'un homme qui va arracher un poids du sol. Il se souvint des mots de plus d'un chef d'information et rit pour lui-même avec amertume. « Et ils prétendent que je n'ai aucune imagination! »

Il tira un carnet de sa poche et se mit à écrire rapidement :

*Silence mortel et immobilité inquiétante des mannequins. Impression d'être au fond de la mer. Yeux d'hypnotiseur du docteur Bourdette. Les mannequins semblent bouger dès qu'on ne les observe plus.*

D'un coup sec, il ferma son carnet et regarda vivement par-dessus son épaule droite. Il n'avait ni vu ni entendu un mouvement mais une sorte de sixième sens l'avait prévenu que quelque chose avait bougé. Il jeta un coup d'œil sur Lefroy qui continua à sourire d'un air idiot comme pour affirmer : « Ce n'est pas moi! »

Naturellement ce n'était pas lui, ni aucun d'entre eux : ce n'étaient que ses propres nerfs. Mais s'agissait-il vraiment d'une hallucination? Est-ce que Crippen n'avait pas fait un geste pendant le moment imperceptible où son attention avait été attirée ailleurs? On ne pouvait avoir confiance en ce petit homme! Dès que vous ne l'observiez plus il en profitait pour changer de posture. Et tous faisaient la même chose! Il se leva à demi de son siège. Ça ne pouvait pas continuer ainsi. Il allait partir. Il ne voulait pas passer la nuit avec un tas de figures de cire qui remuaient dès qu'il les perdait de vue.

... Hewson se rassit. Il venait de se montrer très lâche et très absurde. Ce n'étaient que des figures de cire et elles ne pouvaient pas bouger. Il fallait s'accrocher à cette idée et tout irait bien. Mais alors pourquoi cette inquiétude silencieuse autour de lui? Quelque chose de subtil qui flottait dans l'air. Quelque chose qui ne brisait pas complètement le silence et qui, quelle que fût la direction que prissent les yeux, restait en dehors de son champ de vision.

De nouveau, il se retourna rapidement et rencontra le regard à la fois doux et sinistre du docteur Bourdette. Puis, sans prévenir, il rejeta la tête en arrière et se trouva face à face avec Crippen. Ah! Cette fois, il avait presque pris Crippen en flagrant délit. « Fais attention, mon vieux Crippen, et vous autres aussi. Si j'en vois un d'entre vous bouger, je le brise en mille morceaux. Vous m'entendez? »

Il se dit qu'il vaudrait mieux qu'il s'en aille. Il avait déjà réuni suffisamment d'éléments pour écrire son article. Et non seulement un article, mais dix articles. Alors, pourquoi ne pas partir? Le *Morning Echo* ne saurait pas combien de temps il était resté. Et, d'ailleurs, le rédacteur s'en moquerait à condition que son récit fût bon. Oui, mais le gardien de nuit le moucharderait. Et le directeur — sait-on jamais? — ferait des gorges chaudes au sujet de ce billet de cinq livres sterling dont il avait besoin. Il se demanda si Rose était endormie ou si elle était éveillée et si elle pensait à lui. Comme elle rirait quand il lui dirait ce qu'il avait imaginé...

Cette fois, c'en était trop! Non seulement les effigies de cire bougeaient quand on ne les regardait pas, mais voilà maintenant qu'elles se mettaient à respirer. C'était absolument intolérable! Car, quelqu'un respirait. A moins que ce ne fût la propre respiration de Hewson dont le bruit lui parvenait? Il demeurait raide et immobile; il écoutait et se retenait de respirer jusqu'à ce qu'enfin il exhalât un long soupir. Mais oui, c'était sa propre respiration à moins que... à moins qu'on eût deviné qu'il écoutait et qu'on se fût retenu de respirer également.

Hewson tourna rapidement la tête et regarda autour de lui avec des yeux hagards. Partout, il ne rencontrait que des visages de cire sans expression et toujours il s'imaginait qu'il avait manqué d'une fraction de seconde un mouvement de main ou de pied, un geste des lèvres, un clignement de paupière, quelque chose enfin qui fît preuve d'intelligence humaine. On eût cru des élèves insupportables dans une classe, qui profitent de ce que le professeur est occupé au tableau noir pour remuer et murmurer, et qui redeviennent sages comme des images dès que leur maître les observe de nouveau.

Non, cela ne pouvait pas durer. Cela ne pouvait absolument pas durer. Il fallait que son esprit s'accroche à quelque chose. A quelque chose qui soit directement lié au monde journalier, à la lumière des rues de Londres. Il était Raymond Hewson, un journaliste raté, un homme qui vivait et qui respirait, et ces effigies groupées autour de lui n'étaient que des mannequins. Par conséquent, elles ne pouvaient ni bouger ni parler. Qu'est-ce que cela pouvait faire que ce fût des effigies grandeur nature de meurtriers? Tous ces corps n'étaient faits que de cire et de sciure de bois. Ils étaient là uniquement pour divertir des spectateurs morbides. Allons, ça allait mieux! A propos, quelle était cette histoire drôle que quelqu'un lui avait racontée hier...

Il se souvenait d'une partie mais pas de tout, car le regard fixe du docteur Bourdette, pressant, lui lança un défi et finalement l'obligea à se retourner.

Hewson se retourna à demi puis fit pivoter sa chaise complètement. A présent il était en face de l'homme aux yeux d'hypnotiseur. Les yeux du journaliste étaient dilatés et sa bouche, dont les lèvres avaient d'abord formé une moue terrifiée, s'était relevée aux coins comme s'il allait mordre. Alors il parla et sa voix réveilla un écho sinistre :

« Tu as bougé, que le diable t'emporte! cria-t-il. Oui, tu as bougé, j'en suis sûr. Je t'ai vu! »

Puis il demeura assis sans bouger. Il regardait droit devant lui comme un homme trouvé gelé dans les neiges de l'Arctique.

Les gestes du docteur Bourdette étaient lents et mesurés. Il quitta le piédestal avec autant de soin qu'une dame descendant de l'autobus. L'estrade était à peu près à soixante centimètres du sol et il y avait une cordelière en velours rouge accrochée tout autour. Le docteur Bourdette souleva la cordelière au-dessus de sa tête et passa en dessous comme sous une arche. Il mit pied à terre et s'assit au bord de l'estrade juste vis-à-vis de Hewson. Puis il fit un petit signe de tête et dit :

« Bonsoir.

« Je n'ai pas besoin de vous, continua-t-il dans un anglais parfait où l'on pouvait à peine relever la trace d'un accent étranger. Jusqu'à ce que j'aie surpris la conversation entre le digne directeur de cet établissement et vous-même, je ne m'étais jamais douté que j'aurais le plaisir d'avoir un compagnon cette nuit. Vous ne pouvez ni bouger ni parler sans mon consentement mais vous pouvez m'entendre parfaitement. Quelque chose me dit que vous êtes... comment dirai-je? nerveux. Mon cher monsieur, n'ayez aucune illusion. Je ne suis pas une de ces méprisables effigies de cire miraculeusement animées. Non, je suis le docteur Bourdette en personne. »

Il s'arrêta, toussa et changea ses jambes de place.

« Excusez-moi, reprit-il, mais je suis un peu ankylosé. Laissez-moi vous donner quelques explications. Des circonstances que je n'ai pas besoin de vous décrire ont fait qu'il est souhaitable pour moi de vivre en Angleterre. J'étais tout à côté de cet immeuble le soir où j'ai rencontré un agent de police qui me regardait un peu trop curieusement. Je pense qu'il avait l'intention de me suivre et peut-être de me poser des questions indiscrètes. Aussi me suis-je mêlé à la foule et suis entré ici. En payant un petit supplément, j'ai eu le droit de pénétrer dans la chambre où nous nous rencontrons maintenant. Une soudaine inspiration m'a fait découvir un certain moyen de m'enfuir. J'ai crié : « Au feu! » et lorsque tous les idiots se sont précipités vers les escaliers, j'ai dépouillé mon effigie du manteau en forme de cape avec lequel vous me voyez actuellement, l'ai jeté sur mes épaules, ai caché mon mannequin sous l'estrade et suis monté à sa place sur le socle.

« Je reconnais que j'ai eu une soirée épuisante mais, heureusement, on ne m'observait pas constamment, et j'ai pu de temps en temps aspirer profondément et faire un petit mouvement. Un garçonnet a crié et s'est exclamé qu'il m'avait vu bouger. J'ai entendu ses parents lui promettre une bonne fessée et un dîner sans dessert quand il rentrerait à la maison. J'espère seulement que la menace n'aura pas été exécutée à la lettre.

« La description que le directeur a faite de moi et que j'ai été dans l'obligation d'écouter était partiale mais assez juste dans l'ensemble. Donc, je ne suis pas mort mais je pense qu'il est préférable que le monde croie à mon décès. Le récit de la « manie » à laquelle je me suis adonné pendant de nombreuses années était exact bien qu'elle ne fût pas intelligemment expliquée. Le monde est divisé entre les collectionneurs et les non-collectionneurs. Nous ne nous occuperons pas des non-collectionneurs. Les collectionneurs collectionnent n'importe quoi depuis l'argent jusqu'aux boîtes de cigarettes en passant par les mites et les allumettes. Cela dépend de leurs goûts personnels. En ce qui me concerne, je collectionne les gorges. »

Il s'arrêta de nouveau et contempla la gorge de Hewson avec un intérêt mêlé de dégoût.

« Je suis reconnaissant à la chance qui nous a

réunis cette nuit, continua-t-il, et peut-être serais-je un ingrat si je me plaignais. Pour des raisons de sécurité personnelle, mes activités ont été un peu ralenties ces dernières années et je suis heureux de cette occasion qui s'offre à moi de satisfaire mon caprice assez inhabituel. Mais vous avez un cou maigre, monsieur, si vous me permettez de vous faire cette remarque personnelle. Je ne vous aurais pas choisi de mon propre chef. J'aime les hommes avec de gros cous... de gros cous rouges. »

Il fouilla dans sa poche intérieure et en tira quelque chose qu'il essaya sur son index humide puis se mit à passer gentiment l'objet de droite à gauche sur la paume de sa main gauche.

« C'est un rasoir français, remarqua-t-il avec naturel. On ne les utilise pas tellement en Angleterre mais peut-être en avez-vous déjà vu? On les affûte sur du bois. Vous remarquerez que la lame est très étroite. Ces rasoirs ne coupent pas très profondément, mais juste assez cependant. Dans un instant vous vous en rendrez compte vous-même. Je vais vous poser la question civile que posent tous les barbiers bien élevés : « Le rasoir vous « convient-il, monsieur? »

Il se leva. C'était le symbole réduit mais menaçant du mal. Il s'approcha de Hewson, en marchant à pas souples et silencieux comme une panthère dans la jungle.

« Voulez-vous avoir la bonté, dit-il, de lever légèrement votre menton? Merci. Un tout petit peu plus. Encore un tout petit peu. Ah! merci!... Merci, monsieur... Ah! merci... merci. »

A une extrémité de la chambre, il y avait une verrière en verre dépoli qui, dans la journée, laissait pénétrer quelques faibles rayons de lumière venant de la pièce supérieure. Après le lever du soleil, ces rayons commencèrent à se mêler à la lumière diffuse des ampoules électriques et cet éclairage ajoutait encore de l'horreur à une scène qui pourtant n'en avait pas besoin.

Les figures de cire étaient debout à leur place, attendant d'être admirées ou honnies par les foules qui se promèneraient craintivement au milieu d'elles... Dans l'allée centrale, Hewson était toujours assis contre le dossier de son fauteuil. Son menton était relevé comme s'il s'apprêtait à se faire raser, et bien qu'il n'y eût pas une seule égratignure sur sa gorge ni sur son corps, il était froid et mort. Ses employeurs avaient eu tort de ne pas croire à son imagination.

Le docteur Bourdette, sur son socle, observait l'homme mort sans émotion. Il ne remuait pas puisqu'il était incapable de faire un geste. Car, après tout, ce n'était qu'une figure de cire!

# L'épouse muette

par

THOMAS BURKE

*Traduit par Odette Ferry*

SOMBRE est cette histoire d'amour, sombre comme les tristes arcades qui empêchent la lumière de pénétrer dans les rues qui longent les quais. Dans ces rues grises, vides de bruit et de fenêtres accueillantes, les après-midi sont toujours froids. Là, les trottoirs étroits forment des frontières entre les gens ridés qui y habitent et les pierres ne résonnent pas du bruit des pas.

Pourtant, bien que tous les autres sentiments périssent, la beauté, l'amour et le sacrifice y demeurent vivaces. Dans ces endroits déserts au-dessus de la rivière de Londres, les iniquités se propagent et fleurissent, tendant à détruire tout ce qui serait beau et courageux. Pourtant la beauté persiste. Même au cœur des ténèbres, l'amour prend racine et crée un éternel enchantement de jardins ensoleillés, de clairs de lune, de chansons printanières.

Dans l'une de ces rues sans joie, à quelque distance du quartier chinois, se trouvait une blanchisserie chinoise. Pendant de nombreuses années, une femme de type semi-oriental demeura assise à la fenêtre supérieure de la blanchisserie. Elle demeurait là, jour après jour, mois après mois, excitant la compassion de tous ces malheureux chez lesquels le malheur n'avait pas éteint la pitié. On connaissait une partie de son histoire. Elle était l'épouse du propriétaire de la blanchisserie qui s'appelait Ng Yong et elle était muette.

Tant que le jour durait, elle demeurait assise à sa fenêtre et le chagrin avait effacé toute expression de son visage naturellement placide. Elle ne regardait rien, n'écoutait rien. Elle restait immobile et silencieuse, telle une statuette chinoise. Et ses yeux étroits reflétaient une telle horreur latente que les étrangers qui passaient devant la fenêtre hâtaient le pas pour gagner rapidement la rue principale du quartier. On ne saura jamais ce qui se passait quotidiennement derrière ce visage rigide. On peut seulement l'imaginer. Quels sentiments de haine, de peur, de vengeance, de fuite, quelles sombres idées et quels souvenirs plus sombres encore s'accumulaient dans cette tête? Cela nous ne pourrions le dire.

De temps en temps, sans prévenir, elle perdait son impassibilité et une scène s'ensuivait. Elle courait vers la porte et ses efforts pour parler atteignaient au paroxysme. Mais, tandis qu'elle faisait des gestes désespérés en direction du *Dock des Antilles,* il ne sortait de sa bouche que des sons inarticulés. Alors son mari se précipitait vers elle. Il la prenait par la main, tristement, et la ramenait, avec une douce fermeté, vers sa retraite solitaire. Et les voisins le plaignaient et admiraient sa conduite dans l'épreuve.

Il leur avait expliqué le malheur qui avait fondu sur sa maison et, souvent, ils l'aidaient à calmer la malade. Mari attentionné, il accompagnait toujours sa femme au cours des rares promenades qu'elle faisait. Et, lorsqu'elle tournait de rue en rue, comme si elle eût cherché à retrouver un endroit connu d'elle seule, et que les passants s'arrêtaient, frappés par son visage suppliant et ses lèvres qui remuaient vainement, il l'entraînait. Les étrangers s'éloignaient et ceux qui les connaissaient s'approchaient pour lui prêter renfort.

Voilà ce qu'on savait. Et voici l'histoire complète.

Lorsque Moy Toon naquit à Poplar, d'une mère anglaise et d'un père chinois, elle ne fut pas accueillie avec grand enthousiasme. La famille de sa mère l'ignora complètement, tandis que la famille de son père se contenta de ne pas la laisser mourir de faim. Orpheline de très bonne heure, elle entra dans une maison de thé de la colonie chinoise pour faire les travaux les plus durs. Là, elle passa de longues années pénibles, sans en compter les jours. Elle ne pensait pas beaucoup. Elle n'éprouvait pas grand-chose. Elle posait rarement des questions. Elle était aussi satisfaite de son sort que peut l'être une esclave née dans l'esclavage et à qui on n'a jamais rien appris. Elle avait surtout hérité du caractère soumis des Orientaux et beaucoup moins du scepticisme et du goût de lutte des Occidentaux. Les choses étaient comme elles étaient et elle les acceptait ainsi. Elle grandit dans la promiscuité des docks. Elle avait peu d'éducation morale et ce qu'elle savait se limitait à ce qu'on apprend, en général, à une femme chinoise de la classe des coolies. Aussi passa-t-elle ses années de jeunesse dans une sorte de somnambulisme.

Une nuit, arriva à la maison de thé un jeune second maître, au quatrième stade de l'ébriété. Elle l'avait vu plusieurs fois dans les rues et avait admiré, à sa façon, sa démarche aisée, son visage hâlé par la mer. Ce soir-là, ivre de bière comme il l'était, il remarqua la jeune fille dont le charme était fait d'un mélange de vivacité européenne et de gravité orientale. Il lui fit des propositions. A la vérité, il n'eut qu'à parler, car la métisse fut immédiatement conquise par cet homme-miracle qui apparaissait dans sa vie.

Cette nuit fut suivie de beaucoup d'autres. Il était aux petits soins pour elle, l'appelait Baby Doll ou lui donnait d'autres surnoms d'amoureux, lui apportait de petits cadeaux bon marché. Quand il revint à terre, la fois suivante, il recommença à sortir avec elle, tout heureux de cette compagnie. Quelques mois plus tard, il prenait définitivement congé d'elle en lui disant qu'il allait se marier et se fixer dans un autre quartier de Londres. Elle ne le revit plus. Elle accepta son départ, placidement, sans rancœur, comme elle acceptait toutes choses, qu'il s'agît de bonheur ou de malheurs, et elle ne lui réclama rien.

Plus tard vint l'enfant. Le patron du restaurant ne fut pas très content de ce maladroit écart de conduite. Cependant, il s'occupa un peu de sa servante et le nouveau-né fut placé chez une vieille femme, bien connue de la colonie chinoise, qui habitait à Blackwall. Moy Toon était folle du bébé. C'était pour elle le souvenir vivant de la seule aventure de sa vie et elle adorait cet enfant. Tout d'abord, elle refusa de s'en séparer. En le gardant avec elle, elle montrait le mépris qu'elle éprouvait pour tous ceux qui prenaient sa merveilleuse maternité avec trop de légèreté. Puis, peu à peu, elle se rendit compte que leur conseil était bon. Avec cet enfant, elle ne pouvait espérer gagner la modeste somme d'argent dont elle avait besoin, car elle n'avait pas de goût pour mener le genre de vie des autres filles de sa classe et de son origine. Elle n'avait eu qu'un seul amour et, pour le bien de son fils, désirait être sérieuse. Elle préférait le dur régime de la maison de thé aux tristes aventures de la rue. Elle savait que l'enfant recevrait, même confié à des mains étrangères, les soins indispensables qu'elle ne pouvait pas lui dispenser. Aussi laissa-t-elle la sagesse triompher de ses sentiments et donna-t-elle l'enfant, à condition toutefois de pouvoir le voir chaque fois qu'elle le désirerait.

Pendant six ans, elle continua son existence aride. Elle était plutôt reconnaissante que sa vie sans attrait fût coupée, chaque semaine, par les visites qu'elle rendait à son fils. Pourtant, au cours de ces années, il lui arrivait souvent de sangloter la nuit. Elle se rappelait la force juvénile et les manières délicates de cet enfant qu'elle ne pouvait revendiquer ouvertement, et vers lequel elle tendait vainement ses bras dans les ténèbres. Il avait grandi et était devenu un garçon robuste pour son âge en jouant dans les rues du port. Elle passait de délicieux après-midi à le déguiser en marin : veste de quartier-maître, boutons dorés, casquette à visière ornée d'innombrables galons. Elle l'appelait alors « le petit matelot de sa maman », et ces après-midi compensaient largement ses nuits solitaires.

Ce fut alors que Ng Yong apparut. Il avait acheté la blanchisserie d'un de ses compatriotes qui retournait dans son pays, et il faisait de très bonnes affaires. Mais, en examinant sa maison de plus près, il s'aperçut qu'il lui manquait quelque chose.

Et ce quelque chose, c'était une femme. Il se rendit compte qu'une femme serait un meuble agréable qui donnerait sa touche de fini à l'établissement. Il se mit à en chercher une et, à la maison de thé des *Cent Dragons Dorés,* il découvrit Moy Toon. Moy Toon lui parut être exactement l'article dont il avait besoin. Il demanda des renseignements au patron de la maison de thé, apprit qu'elle était disponible et qu'elle était la propriété du tenancier.

Ng Yong était très strict sur la vertu des femmes (il se plaçait du point de vue de l'acheteur éventuel) et il posa sur la vie et la conduite de Moy Toon des masses de questions au tenancier. L'homme des *Cent Dragons Dorés* y répondit : pas avec une entière franchise, mais avec une certaine liberté agrémentée d'un air de candeur engageante. Lorsque Ng Yong exigea l'assurance que la marchandise n'était pas souillée, le tenancier la lui donna. Il n'y a pas un négociant au monde qui déprécie volontairement sa marchandise et l'homme savait que la révélation d'une certaine aventure ferait sensiblement baisser le prix de vente de l'article.

Moy Toon fut personnellement prévenue de l'ouverture des négociations et on lui fit remarquer, en lui vantant la prospérité de Ng Yong, à quel point sa situation s'améliorerait si une alliance était conclue avec lui. On ajouta qu'il était fort nécessaire de garder secrète l'existence de l'enfant. On la pressa de renoncer pour toujours à lui mais, à ceci, elle ne répondit rien. A l'union qu'on lui proposait, elle ne fit aucune objection. Ng Yong était vieux, mais la différence d'âge était indifférente à la jeune femme. Elle était suffisamment chinoise pour s'en accommoder. Elle vit dans cette union une chance d'être aidée et, indirectement, d'améliorer la vie de son fils. Donc, elle était prête à ce mariage sans y réfléchir davantage. Elle ne se demanda pas un seul instant si elle pourrait garder son secret. De cela, elle était absolument sûre.

Ainsi, quelque temps plus tard, Ng Yong l'examina, l'interrogea, et se déclara satisfait d'elle et de sa modestie. Mais il ne manqua pas de lui faire un long discours sur le comportement d'une épouse. Il était assis devant elle, dans la cuisine du salon de thé, ses mains grasses posées sur ses genoux, sa vieille tête dodelinant, les secrets de ses yeux bien abrités derrière ses paupières bridées afin que les esprits curieux de ses amis ne puissent les deviner. La femme de Ng Yong, lui dit-il, devait être obéissante, servir son seigneur sans cesse et sans jamais poser de questions, s'occuper régulièrement et attentivement de la bonne tenue de la maison, rompre toute relation avec les gens de la maison de thé et, par-dessus tout, être honnête et fidèle. Elle devait être tout à lui, et à lui seulement. Il cita des passages des *Quatre Livres* concernant la femme vertueuse, et les autres, et sa voix devint un murmure lorsqu'il parla du châtiment infligé à la femme qui ne respectait pas la première loi.

Cette homélie, Moy Toon l'écouta sans beaucoup de zèle et répondit aux questions avec une certaine désinvolture mais en gardant, toutefois, un ton modeste. Alors, l'affaire s'engagea. Il y eut de nombreuses soirées passées à marchander jusqu'à ce qu'enfin on tombe d'accord sur un prix moyen. L'argent fut versé aux *Cent Dragons Dorés* et Moy Toon franchit le seuil de la maison de Ng Yong.

Tout ce qu'il exigeait d'elle comme soins et obéissance, elle les lui donnait. Mais elle ne renonça pas à son fils. On ne lui avait pas demandé son cœur et elle le gardait. Son fils était son idole et elle le vénérait comme telle. Pour le reste, elle servait bien Ng Yong. Elle n'avait aucun désir de se conduire autrement. Elle mettait son point d'honneur à deviner ses désirs, s'appliquait à bien tenir la maison et ne regardait aucun autre homme.

Il lui eût été, d'ailleurs, difficile d'agir différemment car son mari était toujours auprès d'elle. Peut-être que son attitude modeste ne l'avait pas entièrement convaincu. Il la surveillait d'un œil vigilant. Il ne la laissait jamais libre et, même quand elle sortait pour faire des courses, elle avait l'impression que ses yeux l'accompagnaient.

C'est pourquoi ses rencontres avec son fils devinrent compliquées. Se rendre à la maison de Canning Town chaque jeudi, comme elle l'avait fait pendant six ans, eût excité ses soupçons. Il aurait remarqué ses absences régulières et périodiques. Il lui aurait posé des questions et peut-être n'aurait-il pas été satisfait de ses réponses. Il l'aurait suivie ou l'aurait fait suivre et, ainsi, son secret serait découvert. Alors, la rue deviendrait son seul refuge et elle et son fils mourraient de faim.

Elle réfléchit avec soin pour trouver de nouveaux arrangements et elle décida que ses futures rencontres avec son fils devraient être laissées au hasard. Elles auraient lieu à des moments imprévus et, chaque fois, on fixerait un nouveau rendez-vous. La prudence lui conseillait de renoncer comme le Dragon le lui avait dit. Elle jouissait à présent d'un confort plein de sécurité et son existence quotidienne était bien organisée. Il eût mieux valu qu'elle se contentât d'apercevoir son fils de loin sans lui parler, et d'avoir de ses nouvelles par des étrangers, plutôt que de risquer sa tranquillité actuelle et son bien-être pour le seul plaisir de l'embrasser, car, si la vérité était découverte, elle serait chassée de la maison de Ng Yong, ce qui signifiait misère et privations. Son esprit n'allait pas au-delà de ces pensées. Des mots de l'homélie de son mari sur l'honnêteté conjugale, elle ne se rappelait rien, comme s'ils étaient entrés par une oreille et sortis par l'autre. Son époux serait furieux, il la renverrait, elle et son fils souffriraient. Et elle ne pouvait envisager la souffrance. Elle la détestait et la redoutait.

Cependant, une nuit, pendant le premier mois de son mariage, comme elle ne dormait pas, elle pensa à son fils, imagina ses petits bras autour de son cou et sa voix la priant à l'oreille de lui donner quelques sous. Son fils. Le lendemain matin, elle s'arrangerait, en passant par de nombreux intermédiaires, pour faire dire à la femme qui le gardait de l'emmener à Tunnel Garden l'après-midi suivant. Là, elle pourrait rester auprès de lui et la femme, et écouter bavarder son enfant. Si Ng Yong ou quelques amis l'apercevaient en cette compagnie, elle pourrait répondre, avec assez de vraisemblance, que cette femme et ce petit garçon étaient des inconnus, mais que l'enfant, en jouant, avait attiré son attention et qu'elle s'était mise à bavarder avec sa mère. Il n'y avait aucun mal à ça. Ainsi fut fait et tout se passa bien.

La fois suivante, elle choisit une confiserie située près de Blackwall et l'enfant fut abreuvé de gâteaux et de bière au gingembre. Elle passa une heure avec lui et, quand elle rentra, elle trouva Ng Yong qui l'attendait en haut de l'escalier alors que, d'habitude, à ce moment de la journée, il surveillait la blanchisserie. Il lui dit qu'elle était restée longtemps dehors et elle répondit qu'elle était allée au marché à Sandwell parce que tout y était moins cher. Elle ajouta qu'elle avait été retardée parce que la route était en réparation. Il la regarda d'une façon à la fois étrange et attentive, mais elle ne le vit pas. Ses yeux, à elle, étaient tout pleins de son fils : comme il était beau et comme ses manières étaient hardies!

Après avoir réfléchi, elle fixa le prochain rendez-vous dans une cave désaffectée située dans un coin éloigné du *Dock des Antilles*. Elle avait découvert cette cave quelques années auparavant et l'endroit n'avait guère changé depuis. Elle et son marin y avaient passé quelques heures par un soir humide d'été, parce qu'ils n'avaient pas pu trouver un autre logis provisoire. Il était facile d'y pénétrer et, comme la cave ne contenait rien à voler, il n'y avait aucune surveillance. Ce lieu était abandonné depuis que la rivière l'avait envahi et inondé. On avait tenté de faire des travaux mais, à chaque marée haute, l'eau y entrait jusqu'à mi-hauteur d'homme. Un étroit passage y conduisait auquel on accédait par un escalier aux marches vermoulues, si bien dissimulé qu'on ne pouvait le découvrir qu'en connaissant son existence.

Ce fut donc là qu'on amena l'enfant. La cave, éclairée par la torche électrique de Moy Toon, ne l'effraya pas. C'était un garçon qui avait l'âme de son père, se dit-elle, car il était ravi de l'aventure et se mit à trotter tout alentour, furetant ici et là, remplissant le cœur de sa mère avec l'éclat de ses rires. Elle restait là debout près de lui, le visage rayonnant de fierté. Elle encourageait ses espiègleries sans se préoccuper de rien d'autre que du petit cercle dans lequel il se mouvait. Mais, au milieu de ses ébats, la femme qui l'avait amené leva un doigt nerveux :

« Ecoutez! Taisez-vous! »

Il s'arrêta subitement et Moy Toon le pressa contre elle. Ils écoutèrent.

« Oh!... Oh!..., coassa la femme, quelqu'un vient. J'étais sûre d'avoir des ennuis en venant ici. Qu'allons-nous faire? Où allons-nous aller? Oh!... Oh!... Moi, je vais sortir d'ici. C'est votre affaire. Pas la mienne. Veux pas être mêlée à... »

Dans un tourbillon inquiet de jupes et de chaussures encombrantes, elle monta l'escalier à pas lourds. Moy Toon, demeurée en bas, entendit un bruit qui ressemblait à un choc sourd et un cri aigu : « Oh!... » suivi par : « Attention... »

Ce fut un moment de panique. La femme avait vu quelque chose qui l'avait effrayée et la première pensée de Moy Toon fut instinctivement pour son fils. A cet instant, elle avait perdu toute force d'imagination. Elle vit à trois pas d'elle une alcôve que l'enfant avait explorée. Elle était gardée par une grosse porte munie d'une serrure et d'un loquet en fer. Elle saisit l'enfant par le bras et approcha sa bouche de son oreille :

« Rentre là, mon chéri. Vite, rentre là. Ne fais pas de bruit. C'est pour maman. »

L'enfant comprit et sauta dans l'alcôve. Elle rabattit la porte sur lui et la verrouilla rapidement. Elle se détourna pour saisir la torche électrique et l'éteindre, puis pivotant sur elle-même elle vit Ng Yong qui descendait la dernière marche, la main levée, dans un geste comminatoire auquel elle obéit instinctivement. Il atteignit la cave et demeura immobile, regardant à droite et à gauche. Le choc soudain que lui avait causé l'arrivée de son mari et la fermeture de la porte l'avait laissée sans souffle, incapable d'agir ou de parler. Elle s'appuya contre le mur en haletant tandis que dans son esprit lent une seule idée surnageait : « Qu'a-t-il vu? Qu'a-t-il vu? » En silence, elle pria pour qu'il parle.

Enfin, il se mit à parler tranquillement :

« Ainsi, c'est ici que tu rencontres ton amant. Montre-le.

— Un amant? Moi?... Non! Je n'en ai pas.

— Alors, qu'est-ce que tu fais ici?

— Mais... voyons... Ne soyez pas ridicule! Un amant? Je viens ici pour...

— Ah! oui, tu viens ici — précisément ici — pour cancaner avec une vieille bonne femme, hein? Allons, fais sortir ton amant!

— Mais... je... je n'en ai pas. »

Soudain, elle comprit que pour sauver son fils, le meilleur moyen était de s'accrocher à l'idée d'un amant, de la développer.

« Eh bien, voyons, je veux dire, supposez que... »

Il leva la main :

« Regarde-moi. »

L'instinct de l'obéissance lui fit lever les yeux et elle le regarda en plein visage et ce qu'elle y vit l'affola. Elle se mit à bafouiller :

« Mais, je n'en ai pas... je n'en ai pas...

— Toi... toi à qui j'avais donné ma confiance. Oh! fille de chienne.

— Mais je veux dire... je... »

Un grognement s'échappa des lèvres de l'homme. Sa main s'enfonça dans sa poche. Elle l'observait avec des yeux exorbités : il fouillait dans sa veste de toile. Elle vit qu'il en extrayait un long couteau recourbé dont la lame était émoussée parce qu'elle n'avait pas servi depuis longtemps. Il le tint par le manche en ivoire, dirigeant la pointe vers elle et, lentement, horizontalement, tranquillement, il l'approcha d'elle. Pareils à des gouttes d'eau qui tombent, les mots de son homélie sur la femme vertueuse pénétrèrent dans l'esprit de Moy Toon.

« Tu as bien choisi l'endroit. Nous sommes en sécurité ici. Je t'ai dit comment je punirais l'infidélité. »

Chaque fois qu'il faisait un pas en avant, elle en faisait un en arrière, s'éloignant de lui. Il la suivait. Elle reculait en tremblant, les bras tendus. Elle s'appuyait de plus en plus contre le mur, comme si elle eût désiré qu'il l'engloutît. Il continuait à la suivre pas à pas. Ils se mouvaient doucement sur le sol humide. Elle continuait à reculer pas à pas, les yeux fixés sur lui. Il la suivait. Il la suivit jusqu'à ce qu'elle eût atteint l'extrémité du mur, à l'endroit où une grille de fer donnait sur la rivière. Là, elle demeura immobile, la bouche ouverte, acculée. Elle était fascinée, comme un lapin, par la langue d'acier émoussé qui lentement se balançait au-dessus de sa gorge et s'approchait de plus en plus. La femme sentit son contact sur son corsage, puis sa piqûre sur sa peau. Alors, à cet instant, elle ouvrit la bouche toute grande pour hurler :

« Pitié! Pitié! Je n'ai pas d'amant! »

Mais, bien qu'elle eût ouvert la bouche toute grande, aucun mot n'en sortit. Ses lèvres s'ouvraient et se refermaient, ses dents se touchaient et se séparaient, mais elle ne pouvait émettre aucun son. Le couteau se releva et s'éloigna de quelques centimètres de sa gorge. Puis Ng Yong le laissa tomber à la hauteur de sa taille et recula. Il la contempla longuement avant de lui parler de nouveau :

« Où est ton amant? »

Ses lèvres remuèrent et des sons incompréhensibles en sortirent. Elle secoua la tête, joignit ses mains pour prier. Ng Yong remit son couteau dans sa veste et hocha gravement la tête : la frayeur qu'avait éprouvée Moy Toon en étant découverte et la menace du châtiment avaient arraché la punition des mains de l'homme. Elle était punie par un instrument plus habile et mieux aiguisé que n'importe quelle lame d'acier : elle était devenue muette.

Il la prit par le bras. Elle frissonna sous le contact et il lui adressa un sourire. Il la conduisit jusqu'aux marches qui conduisaient à la ruelle. Tandis qu'il l'emmenait, elle luttait et désignait du doigt la grande porte de l'alcôve en émettant des petits bruits sourds : « Myw... Myw... »

Ng Yong, aussi, regarda la porte et eut un sourire compréhensif. Il l'obligea doucement à monter les marches. Elle lutta pour se dégager de son emprise et fit des gestes avec ses mains et ses lèvres, comme pour expliquer quelque chose. Mais il l'entraîna dehors, tranquillement, jusqu'à l'étroit passage, et personne ne les remarqua avant qu'ils aient atteint la grand-rue. Il la conduisit jusqu'à leur maison et il raconta, à ceux qui lui posaient des questions compatissantes, que sa femme avait subi un choc nerveux en assistant à un accident dans la rue. Elle en avait perdu la parole et l'esprit.

# Tapie devant la porte

par

D. K. Broster

*Traduit par Odette Ferry*

## I

Ce fut un beau matin d'été, trois semaines environ après sa visite à Prague, c'est-à-dire en juin 1898, qu'Augustine Marchant soupçonna pour la première fois l'existence de la chose. Comme c'était son habitude, lorsqu'il écrivait des vers, il était à demi étendu sur le très confortable canapé de sa bibliothèque à Abbot's Medding, près des portes-fenêtres, dont l'une était ouverte sur le jardin. Il s'arrêta pour attendre l'inspiration — il en était presque à la fin de son poème : *Salut à tous les Incroyants* — et laissa son regard errer par toute la pièce aménagée avec goût : cloisonnés, poteries de Satsuma, meubles de Boule et premières éditions, puis il porta les yeux vers l'extérieur où brillait le soleil.

C'est ainsi qu'entre l'extrémité du précieux tapis d'Herat et le rebord de la porte-fenêtre ouverte, sur la bande de parquet en chêne ciré, il remarqua ce qu'il prit pour un petit morceau de duvet sombre flottant dans le courant d'air; sur-le-champ, il se promit de parler de la femme de chambre à la gouvernante. Il y avait du laisser-aller quelque part et, chez lui, Augustine Marchant était le seul à qui la négligence fût permise.

Il y avait eu une époque où le poète n'aurait pas été reçu, fût-ce un instant, comme il l'était maintenant dans la bonne société du pays et même du comté. C'était l'époque où n'avaient pas encore paru *Le Livre Jaune* et *Le Savoy* : il vivait alors à Londres et avait écrit les pièces et les poèmes qui avaient fait sensation et scandale dans tous les milieux, sauf chez les « décadents » et ceux d' « avant-garde » : *Les Grenades du Péché, La Reine Théodora et la Reine Marozia, Les Nuits de la Tour de Nesle, Amor Cyprianus* et les autres. Mais lorsque le siècle toucha à sa fin, il hérita Abbot's Medding grâce à la mort d'un cousin éloigné et il vint s'y installer. Il était alors à l'apogée d'une réputation presque internationale; sa parenté avec le défunt Lord Medding le fit d'abord tolérer dans la société du Wilshire qui, amadouée par l'excellence de ses dîners et adoucie par le caractère apparemment irréprochable de sa conduite, décida que, tout au moins dans sa vie privée, il avait dû se ranger. Peut-être, à vrai dire, n'avait-il jamais été aussi dissolu qu'on l'avait représenté et si ses œuvres continuaient à être aussi scandaleusement libres et irréligieuses qu'auparavant et s'il fallait toujours strictement veiller à ne pas les laisser tomber aux mains des jeunes filles, aucun homme appartenant à la bonne société de la région n'était tenu, après tout, à les lire!

Augustine Marchant, parvenu maintenant à sa cinquante et unième année, avait un sens trop vif de ce que représentait la bonne opinion de la société du comté pour risquer de la scandaliser par des agissements trop visiblement répréhensibles. Il réserva sa licence pour ses écrits. Quand il allait à l'étranger, ce qui lui arrivait au moins deux fois par an... mais ceci est une autre affaire. Aucune prude n'aurait eu assez de flair pour détecter ses occupations à Varsovie, Berlin ou Naples, ni le regard assez perçant pour distinguer quelle société il fréquentait à Paris, pourtant pas très éloigné de son pays. Sa réputation de « vice » perdait rapidement de sa force pour n'être plus à présent qu'une sensation capable de chatouiller les joueurs de croquet.

Il avait des manières charmantes, était spirituel par moments (mais non de façon permanente), conservait ses boucles d'hyacinthe (grâce à des teintures), portait ses vestes de velours d'une coupe élégante et ses lavallières exactement comme il le fallait — moitié poète et moitié homme du monde — et n'avait réellement à Abbot's Medding aucun secret ténébreux à cacher, en dehors du fait qu'il avait soigneusement dissimulé pendant vingt-cinq ans que son nom de baptême n'avait jamais été Augustine. D'Auguste à Augustine, quel abîme! Mais il l'avait franchi et ses poèmes français (qu'il avait introduits en contrebande dans son pays natal) étaient signés Augustin Lemarchant.

Détournant ses yeux du témoin fâcheux de négligence domestique qu'il avait découvert sur le parquet, M. Marchant les posa, ensuite, d'un air pensif, sur le rubis qui ornait l'extrémité du crayon d'or dont il se servait. Rossell et Xard, ses éditeurs, allaient sortir une édition de luxe de *La Reine Théodora et la Reine Marozia* avec des illustrations d'un jeune artiste inconnu jusqu'ici, si elles n'étaient pas trop osées. Ce serait une édition somptueuse à tirage limité. Cette pensée remémora au poète le récent séjour qu'il avait fait à Prague. Il eut un sourire qui, comme celui d'un homme qui regarde un vin rare, n'était destiné qu'à lui-même et pensa : « Ah! si ces Pharisiens à l'esprit obtus qui habitent aux environs d'Abott's Medding s'en doutaient! » Il était heureux que les gardiens de la moralité britannique et de sa mesquinerie se risquent rarement hors de leur pays. C'était une faveur de... hum... la Providence!

Tortillant son crayon en or entre ses doigts potelés, Augustine Marchant revint à son ode, pesant les mérites des diverses épithètes. Sauf en été, il ne préconisait pas les fenêtres ouvertes, et même, pendant cette saison, il estimait que pour tirer le maximum de cet instrument précieux et délicat qu'était son cerveau, il devait toujours avoir les pieds parfaitement chauds. Avant de s'installer sur le canapé, ils les avait donc couverts d'un beau *sari* indien couleur de rose, de la soie la plus pure et la plus épaisse, dont il avait laissé traîner les extrémités sur le parquet. Il s'aperçut, surpris et ennuyé, que ce qu'il avait découvert, duvet ou autre chose, poussé depuis la porte-fenêtre par le courant d'air, avait atteint le bout le plus proche du sari et, mû par le même souffle, se déplaçait maintenant sur l'étoffe.

Le maître d'Abbot's Medding tendit la main pour prendre la clochette d'argent posée sur la table à côté de lui. La brise qui entrait devait être plus forte qu'il ne le croyait et il risquait de prendre froid, catastrophe dont il se gardait comme de la peste. Il vit alors que la progression de la tache sombre (qui avait à peu près la taille d'un liard) ne pouvait aucunement être imputée à une autre force que la sienne propre. Oui, elle *grimpait* : de toute évidence, c'était quelque horrible insecte, quelque espèce répugnante d'araignée très velue et presque dépourvue de pattes, au contour rond et imprécis. Le poète se redressa et secoua violemment le *sari*. Lorsqu'il regarda de nouveau, l'intrus avait disparu. Il était clair qu'il l'avait fait tomber sur le parquet et qu'il devait y être encore quelque part. Cette idée le troubla et il décida d'aller travailler dans la serre et de donner plus tard des ordres pour que la bibliothèque fût nettoyée à fond.

Ah! qu'il faisait bon être dehors, dans un lieu de plaisance si agréablement disposé, entretenu avec un soin si exquis! Dans le bassin de la fontaine, les nymphes marines en marbre veiné de rose se pressaient autour d'une Thétis dont la beauté égalait celle d'Aphrodite elle-même. Les acacias d'une légèreté aérienne se balançaient tout près de là. Et tandis que le propriétaire de cet endroit charmant passait sur le tapis de la pelouse, il se récitait des fragments de Verlaine sur *les sveltes jets d'eau* et *les sanglots d'extase*.

Puis, comme il tournait la tête pour regarder la fontaine derrière lui, il aperçut un petit objet brun foncé, gros comme un sou, qui arrivait à toute vitesse vers lui, par-dessus le gazon lisse comme du velours...

Il lui sembla par la suite qu'il avait dû entrevoir la vérité dans le jardin à cet instant, sinon il n'aurait pas réagi avec une telle spontanéité et une telle rapidité. Un moment plus tard, il se tenait debout au bord du bassin de Thétis, le visage blême sous le soleil, la main solidement serrée. A l'intérieur de cette main fermée palpitait une chose douce comme du duvet...

Refrénant de son mieux le dégoût et la sensation plus violente qui l'étreignait, Augustine Marchant se pencha et plongea son poing jusqu'au poignet dans l'eau bouillonnante et laissa le courant emporter dans ses tourbillons ce qu'il avait ramassé. Puis, d'une démarche incertaine, il alla s'asseoir sur le siège le plus proche et ferma les yeux. Bientôt, il sortit son mouchoir de batiste et essuya avec soin la main ornée d'un camée, la lécha puis en observa curieusement la paume. « Je ne croyais pas avoir autant de courage, pensa-t-il, autant de courage et de bon sens!... » Sans aucun doute, elle se noierait très rapidement.

Burrows, son maître d'hôtel, arrivait par la pelouse.

« M. et Mme Morrison sont là, monsieur.

— Ah! oui, j'avais oublié... »

Augustine Marchant se leva et se dirigea vers la maison et vers ses invités. Il rejetait ses épaules et arborait son fameux sourire énigmatique, car Mme Morrison était une femme sur laquelle il fallait faire impression.

(Mais qu'est-ce que c'était exactement? Eh bien, probablement, ce à quoi ça ressemblait : une touffe de fourrure que le vent chassait sur l'herbe, une touffe de fourrure! C'était pure imagination de penser qu'elle avait remué dans sa main fermée, comme douée d'une vie propre... Mais alors, pourquoi avait-il fermé les yeux quand il s'était penché pour la saisir? Dieu merci, Dieu merci, ce n'était rien d'autre maintenant qu'une petite tache noyée tourbillonnant autour des nymphes de Thétis!)

« Ah! chère madame, il faut m'excuser! C'est

impardonnable de ma part de n'avoir pas été dans la maison pour vous recevoir! »

Il était maintenant dans le salon qu'une profusion de fleurs de serre emplissait de son parfum. Il se penchait sur la main de la femme élégante assise sur le sofa, et coiffée d'un chapeau vaporeux posé d'un air coquin sur sa chevelure brun doré.

« Votre domestique nous a dit que vous écriviez au jardin, dit avec respect son mari aux yeux globuleux.

— *Cher maître,* c'est nous qui ne devrions pas interrompre vos rendez-vous avec la Muse, répondit Mme Morrison de sa voix douce, au timbre de soprano. C'est terrible de vous arracher à cette compagnie pour vous mettre en présence de simples visiteurs! »

Passant ses mains dans ses boucles parfaitement soignées, le *cher maître* répliqua :

« Entre une visite de la Muse et une de la Beauté en personne, aucun poète véritable ne pourrait résister! En outre, le déjeuner nous attend et il doit être bon. »

Il ne lui était pas désagréable de choquer ses belles admiratrices en admettant qu'il n'était pas insensible aux plaisirs de la table; c'était sans danger, nulle n'ayant assez de clairvoyance pour se rendre compte que c'était vrai.

Le déjeuner était excellent car Augustine avait une cuisinière remarquable. Ensuite, il montra à ses invités la bibliothèque (oui, encore qu'elle n'eût pas été nettoyée, ce qui d'ailleurs n'était plus nécessaire maintenant) et leur fit faire le tour du jardin. Dans la serre, on insista pour qu'il lût tout haut des passages d'*Amor Cyprianus.* Mme Frances (aujourd'hui Francesca) Morrison put raconter par la suite à ses amies jalouses que le poète en personne lui avait lu son texte si audacieux strophe après strophe, cependant que le pauvre Fred, qui s'éventait avec son chapeau de paille — non pas à cause des termes brûlants des vers, mais en raison de la chaleur de l'après-midi — lui avait confié un peu plus tard qu'il n'avait pas compris un seul mot. Ce qui valait peut-être mieux...

Après leur départ, Augustine Marchant eut cette réflexion plutôt cynique : « Tout cela n'était que du fatras lorsque je l'ai écrit. » En effet, il y a dix ans, malgré le caractère osé et ardent de ces strophes, il n'était qu'un ignorant. Bien entendu, depuis lors... Il sourit d'un petit sourire secret, rusé, satisfait. Il était certainement agréable de savoir qu'on n'était plus un fumiste!

Revenant à la serre pour y chercher ses poèmes, il vit sur le sol ce qu'il prit pour le boa de fourrure de Mme Morrison, tout près du fauteuil d'osier qu'elle avait occupé. Curieux qu'elle ne s'en soit pas aperçue au moment de partir — peut-être sous l'effet de sa poésie! Sa gouvernante le ferait suivre par la poste. Mais à ce moment précis, son jardinier s'approcha pour lui demander des instructions et lorsqu'il les lui eut données et qu'Augustine Marchant fit une fois encore demi-tour pour entrer dans la serre, il découvrit qu'il s'était trompé au sujet du boa car il n'y avait rien sur le sol.

D'ailleurs, il se rappelait maintenant que le boa de Mme Morrison était en plumes grises et non en fourrure foncée. En prenant *Amor Cyprianus,* il se demanda paresseusement ce qui avait pu l'induire à imaginer qu'il y avait là un boa de femme et, qui plus est, en fourrure.

Brusquement, la lumière vint. Une petite fenêtre s'ouvrit dans le logis de sa mémoire, et il resta rigide, les yeux fixés sur les jets d'eau du bassin qui montaient et retombaient dans le soleil de l'après-midi...

Oui, de cette nuit de Prague, ensorcelante, merveilleuse, abominable, ce qu'il désirait le moins se rappeler avait trait, incidemment mais incontestablement, à un boa de fourrure, un long boa de fourrure foncée...

Il devait se rendre en ville le lendemain pour assister à un dîner donné en son honneur. Il décida sur-le-champ de partir le soir même par le train, ce qui ne lui arrivait pour ainsi dire jamais, d'où l'émoi de son valet de chambre qui se demandait s'il arriverait en si peu de temps à trouver un compartiment de première classe pour lui tout seul. Cependant, Augustine Marchant partit et même, à la stupeur de son domestique, choisit délibérément un compartiment où était installé un autre voyageur, alors qu'il aurait pu finalement en trouver un vide.

Le dîner fut brillant; Augustine n'avait jamais eu plus d'esprit. Le lendemain, il se rendit dans la petite rue non loin du British Museum où il trouva Lawrence Storey, son nouvel illustrateur, qui travaillait fiévreusement aux dessins de *La Reine Théodora et la Reine Marozia.* L'honneur de cette visite personnelle le combla. Augustine fut très aimable avec lui et, tout en présentant quelques critiques, loua hautement les images de ces deux Messalines de la Rome du x^e^ siècle : leurs longues mains souples, leurs yeux aux paupières lourdes, leurs bouches aux lèvres charnues et presque repoussantes. Storey avait adopté pour la mère et la fille le même type, avec de subtiles différences.

« C'étaient certainement deux femmes perverses, surtout la fille, remarqua-t-il avec candeur. Mais j'imagine que, du point de vue de l'art, cela n'a pas d'importance de nos jours! »

Augustine, qui fumait une de ses cigarettes spéciales, eut un petit geste délicat.

« Mon cher ami, l'art n'a absolument rien à voir avec ce qu'on appelle « moralité »; nous sommes heureusement arrivés à cette certitude! Montrez-moi comment vous avez conçu la scène où Marozia donne l'ordre d'exécuter le pape qui est l'amant de sa mère. Bien, très bien! Oui, ces lignes, y compris la façon dont l'ampleur de la manche tombe du bras tendu expliquent avec clarté ce que j'avais à l'esprit. Vous êtes très doué!

— J'ai essayé de lui donner l'air pervers, dit le jeune homme rougissant de plaisir, mais, ajouta-t-il avec modestie, il est très difficile à quelqu'un d'aussi ridiculement inexpérimenté que moi de se faire une vision artistique correcte. Devant vous, monsieur Marchant, qui avez percé les merveilleux arcanes des domaines interdits, il serait sot de prétendre être autrement que je ne suis.

— Comment savez-vous que j'ai pénétré ces arcanes? demanda le poète, fermant à demi les yeux, comme un grand chat qui se fait caresser (encore que cela n'apparût pas au regard adorateur du jeune Storey.)

— Mais il suffit de vous avoir lu!

— Il faut que vous veniez passer quelque temps avec moi », dit Augustine Marchant en le quittant. (Il montrerait au jeune homme pendant quelques jours ce qu'est la bonne vie; cette expérience lui serait profitable; il faudrait lui faire boire quelques vins honnêtes.) « Combien de temps croyez-vous qu'il vous faudra pour achever les esquisses que vous avez faites pour le reste et les motifs des culs-de-lampes? Quinze jours, trois semaines? Bon. J'espère vous voir à ce moment-là. Au revoir, mon cher. Je suis très, très satisfait de ce que vous m'avez montré! »

Le plus ennuyeux quand on allait de la campagne à Londres, c'est qu'on risquait d'attraper un rhume en ville. Lorsqu'il revint chez lui, Augustine Marchant était à peu près certain d'avoir été victime de cette malchance. Il ordonna qu'on fît du feu dans sa chambre, malgré la saison, et absorba, solitaire, un petit souper *recherché*. Et comme le rhume n'existait que dans son imagination, il se trouvait très bien, vêtu de sa robe de chambre en soie, se grillant les pieds et présentant aux flammes un verre de tokay doré. *Théodora et Marozia,* avec ses illustrations, ferait sensation tout autant que lors de la première parution du livre!

Tout à coup, il posa son verre. Non loin de lui, à sa gauche, se trouvait une grande psyché dans laquelle se reflétait une partie du lit qui était derrière lui. Et dans cette psyché, il venait de voir bouger le couvre-lit. Il n'y avait pour ainsi dire pas le moindre courant d'air dans cette pièce chaude. Il ne permettait jamais à un chat de pénétrer dans la maison. Il était tout à fait impossible qu'un rat s'y promène. Si, après tout, quelque chat s'y était égaré, il fallait l'en chasser sans délai. Augustine fit pivoter son fauteuil pour regarder les tentures elles-mêmes et non plus leurs reflets.

Oui, le couvre-lit de soie couleur topaze se gonfla de nouveau très légèrement, comme poussé de l'intérieur. Augustine se pencha vers le cordon de la sonnette pour appeler son valet de chambre. Puis la bouteille de tokay roula sur la table comme il se ravisait et se levait d'un bond. Quelque chose qui ressemblait à une énorme chenille foncée émergeait très lentement de sous le lit, le corps parcouru d'ondulations. A l'endroit où la tête aurait dû se trouver, il n'y avait qu'un bout effilé plus petit que le reste, mais de la même substance. C'était un boa de fourrure foncée.

Augustine Marchant eut l'impression qu'il hurlait, ce qu'il n'aurait pu faire, car il avait la langue collée au palais. Il restait là, les yeux grands ouverts; tout son sang s'était retiré de son cœur.

Avec une très grande lenteur, la chose continuait de sortir de sous l'étoffe, faisant aller, de-ci de-là, cette extrémité affolée où l'on ne voyait pas d'yeux, comme si elle ne savait où se diriger. « Je deviens fou, pensa Augustine avec un brusque revirement, non, c'est impossible. C'est vraiment un serpent d'une espèce ou d'une autre! »

On pouvait lutter contre cela. Il s'empara du tisonnier tandis que cette sorte de boa, agitant toujours cette tête qui n'en était pas une, continuait d'un mouvement régulier à s'extirper de sous le volant jaune qu'elle soulevait. Lorsqu'un mètre du corps eut dépassé le lit, Marchant se jeta sur lui avec frénésie et lui asséna coup sur coup.

Mais ceux-ci n'eurent aucun effet sur cette chose velue et invertébrée; elle ne faisait que ployer sous les coups et se gonfler en un autre endroit. Augustine frappa le lit, le parquet; enfin, hurlant réellement, il laissa tomber son arme et se jeta sur cette corde épaisse et couverte de poils, la broya dans ses deux mains jusqu'à la réduire en une masse informe — il ne rencontra que peu ou point de résistance, — la lança dans le feu et, haletant, l'y maintint avec la pelle et les pincettes. Les flammes bondirent instantanément et, en ronflant, eurent vite raison de la chose, encore qu'elle parût faire quelque effort pour échapper, ce qui n'était peut-être que l'effet de la chaleur. Un instant plus tard, il y eut une forte odeur de cheveux brûlés et ce fut tout.

Augustine Marchant saisit la bouteille de tokay renversée sur la table, porta le goulot à sa bouche et but le peu de vin qui restait au fond, avant de se diriger en chancelant vers le lit. Il s'y jeta, enfouit son visage dans les oreillers et alla même jusqu'à les accumuler sur sa tête comme s'il pouvait ainsi étouffer le souvenir de ce qu'il avait vu.

Le lendemain matin, il resta au lit; son rhume imaginaire lui était un prétexte suffisant. Bien avant que la femme de chambre n'entrât pour préparer le feu, il s'était glissé jusqu'à la cheminée pour s'assurer qu'il ne restait pas de traces de... de ce qu'il y avait brûlé. Il n'y en avait pas. Un cauchemar, se dit-il, ne pouvait pas laisser de traces. Mais il savait bien que ce n'était pas un cauchemar.

Et, maintenant, il ne pouvait penser à rien d'autre qu'à cette chambre de Prague et au long boa de fourrure de la femme. Son esprit, soupçonnait-il, par quelque activité insoupçonnée, avait dû projeter cette chose qu'il avait à peine notée à l'époque, qu'il se rappelait à peine, jusque dans l'heure et le lieu présents. Il était terrible de penser que l'esprit possédait des pouvoirs aussi mystérieux, aussi inconnus. Mais moins terrible que le fait que cette... apparition... avait été douée d'une existence objective entièrement indépendante. Dans un jour ou deux, il irait consulter son médecin et lui demanderait de lui donner un fortifiant.

« Mais, plaidait une partie de son cerveau dont la lucidité était gênante, vous essayez de ménager la chèvre et le chou. N'est-il pas préférable de croire que cette chose était vraiment douée d'une existence objective, puisque vous l'avez fait disparaître en la brûlant? Fort bien! Mais si ce n'est qu'une projection de votre esprit, qu'est-ce qui pourra l'empêcher de renaître de ses cendres, comme le phénix? »

Il ne semblait pas y avoir à cela d'autre réponse que d'essayer de se persuader qu'il avait eu la fièvre la nuit passée. Le travail était le meilleur antidote. Augustine Marchant se leva et fut surpris et ravi. Il trouvait ce jour-là, contre toute attente, dans son bureau, une atmosphère qui lui apportait de l'apaisement et favorisait l'inspiration. Le *Salut à tous les Incroyants* fut complété par quelques strophes qui ne lui déplaisaient pas. Conscient néanmoins qu'il serait heureux d'avoir de la compagnie ce soir-là, il avait auparavant adressé un mot à l'avoué du pays, un bon vivant, pour lui demander de venir dîner avec lui. Il fit ensuite une partie de billard avec son invité et se mit au lit après avoir bu un porto d'une bonne année et un « whisky and soda » bien corsé. Et c'est à peine si l'idée du visiteur de la nuit précédente lui traversa l'esprit.

Il s'éveilla à l'heure où les grives, au début de l'été, saluent ponctuellement le jour qui vient à trois heures. Elles le saluaient même à pleine gorge et leur enthousiasme dérangeait Augustine Marchant. Les rideaux de damas jaune à sa fenêtre ne laissaient filtrer qu'une faible lueur de l'aube; néanmoins, alors qu'il était étendu sur le dos, le poète ouvrit les yeux un instant et ses facultés visuelles à demi éveillées lui révélèrent quelque chose qui se balançait dans la pénombre à la manière d'un pendule en corde. La chose était vague mais semblait suspendue au ciel de lit. Brusquement éveillé, traversé d'une angoisse prémonitoire indicible, il sentit aussitôt sur la couverture, au niveau de ses genoux, un léger choc. Quelque chose était tombé sur le lit...

Augustine Marchant ne réagit pas : ni cri ni bond pour sortir du lit; il en était incapable. Maintenant que ses yeux étaient habitués à la pénombre de la pièce, il voyait clairement la chose, cette corde de fourrure qu'il avait détruite dans le feu deux nuits auparavant. Elle était sombre et brillante comme toujours, ondulait d'un mouvement délicat tandis qu'elle s'enroulait avec soin à l'endroit où elle s'était laissée choir sur le lit. Elle y demeura, formant un cercle parfait, à l'exception de cette extrémité effilée, un peu dressée, qui le regardait pour ainsi dire, bien que, en vérité, dépourvue qu'elle était d'yeux et de traits, elle ne pût regarder. Augustine Marchant n'eut qu'une pensée où le soulagement se mêlait au dégoût : de toute façon, la chose n'allait pas l'attaquer. Et il s'évanouit.

Cependant, il dut passer insensiblement de l'évanouissement au sommeil, car il s'éveilla d'une façon plus ou moins habituelle pour trouver son valet de chambre qui posait à côté de lui le plateau de thé matinal et lui demandait s'il devait préparer son bain. Il n'y avait rien sur son lit.

« Je changerai de chambre », se dit Augustine

lorsque, se regardant dans le miroir pendant qu'il se rasait, il aperçut son visage défait et ses yeux battus.

« Non, mieux encore, je partirai pour me changer les idées. Alors je n'aurai plus de ces... rêves. J'irai chez le vieux Edgar Fortescue pendant quelques jours. Il m'a encore demandé tout récemment de venir quand je voudrais. »

Il se rendit donc chez ce vieux mécène. Sa réputation le dispensait maintenant de faire appel au patronage de Sir Edgar. C'étaient des hommages qu'il recevait là, tant de l'hôte que de ses invités. Ce séjour contribua beaucoup à apaiser ses nerfs à vif. Malheureusement, le dernier jour détruisit tout le bien qu'avaient apporté les précédents.

Sir Edgar était à la fois l'heureux possesseur d'une femme jeune et jolie — sa troisième — et d'un verger où les fleurs poussaient sous les pommiers, et qui était l'un des charmes de sa propriété du Somerset. Dans la fraîcheur du soir, Augustine s'y promenait en compagnie de son hôte et de son hôtesse, à peu près comme s'il était le Tout-Puissant avec les habitants du Paradis Terrestre. Ils s'assirent bientôt à l'ombre des branches de pommiers, sur un banc rustique, qui n'en était pas moins très confortable.

« Vous n'êtes pas venu à la bonne saison pour les pommiers, Marchant, observa Sir Edgar au bout d'un moment, en sortant un cigare. A l'époque des fleurs ou des fruits, ils sont éclatants, malgré les parterres à leurs pieds. Qu'est-ce qui vous attire sur cet arbre, une mésange? Nous en avons beaucoup d'espèces ici, de ces jolies petites pestes qui dévorent tout.

— Je n'avais pas conscience de regarder... ce

n'est rien... je pensais à quelque chose d'autre », balbutia le poète.

Sûrement, sûrement, il s'était trompé en croyant voir une chose sinueuse, couverte de poils foncés, qui descendait en ondulant comme une chenille le long du tronc de ce pommier, à quelques mètres d'eux.

La conversation continua, il y prenait part. On s'y sentait en sécurité. Ce n'était que la brise qui faisait bruire faiblement le parterre d'héliotropes derrière leur banc. Augustine était pris du désir irrésistible de se lever et de quitter le verger, mais ni Sir Edgar ni sa femme ne semblaient disposés à bouger. Le poète resta donc au bout du siège. De sa main gauche, il jouait nerveusement avec une longue tige d'herbe qui avait échappé à la faux.

Tout à coup, il sentit quelque chose qui lui chatouillait le dos de la main. Baissant les yeux, il vit ce museau de fourrure dépourvu de traits qui émergeait de sous le banc rustique et se frottait d'avant en arrière contre sa main, avec un mouvement qui était presque une caresse. En un éclair, il fut sur pied.

« Cela vous ennuierait-il que je rentre? demanda-t-il subitement, je ne me... sens pas très bien. »

Si la chose pouvait le suivre, il était inutile de partir. Il revint à Abbot's Medding et le changement d'air semblait lui avoir si mal réussi que Burrows exprima respectueusement l'espoir qu'il n'était pas souffrant. Et, le jour même, alors qu'Augustine s'asseyait à son bureau pour s'occuper de sa correspondance, apparut devant lui un serpent brun oscillant qui se détachait du pied bombé de la table où il s'était enroulé et agitait lentement dans sa direction une de ses extrémités, comme pour lui souhaiter la bienvenue...

La bienvenue, oui, c'était bien cela! Cette créature, si incroyable que cela paraisse, cette créature semblait contente de le revoir! Debout à l'autre bout de la pièce, les mains pressées contre ses yeux — à quoi servait, en effet, de s'efforcer de la blesser ou de la détruire? — Augustine Marchant pensa en frissonnant que, de même que le chat d'une sorcière, une « familière » ne serait vraisemblablement pas hostile à son maître. Son maître! Oh! ciel!

La crise de nerfs qu'il avait tenté de contenir était sur le point d'éclater. Au moment où il enlevait une main de devant ses yeux, Augustine regarda du côté de son bureau et il vit alors que le boa s'était enroulé sur son fauteuil et faisait aller une extrémité d'un côté à l'autre du dossier, à peu près de la manière dont un chat, tout en ronronnant, se frotte contre le pied d'un meuble ou la jambe d'une personne, par affection réelle ou simulée.

« Oh! va-t'en, va-t'en de là, lui cria-t-il soudain, s'avançant, le poing tendu, au nom du diable, va-t'en! »

A sa grande stupéfaction, il fut obéi. Les mouvements rythmiques cessèrent; le serpent de fourrure se laissa couler hors du fauteuil et, en se tortillant, se dirigea vers la porte. Au bout de quelques instants, Augustine se risqua à regagner sa table de travail : la chose était enroulée sur le seuil, l'extrémité aveugle tournée vers lui selon son habitude, comme pour l'observer. Et il se mit à rire. Que se passerait-il s'il sonnait et si quelqu'un venait? La porte en s'ouvrant pousserait-elle cette chose?... Est-ce qu'elle disparaîtrait? Bref, existait-elle pour tout autre que pour lui?

Toutefois, il n'osait pas faire l'expérience. Il sortit par la porte-fenêtre, sentant qu'il ne pourrait jamais rentrer dans la maison. Peut-être sans cette horrible certitude qu'il venait d'acquérir qu'elle pouvait le suivre, aurait-il quitté à tout jamais Abbot's Medding avec tous ses trésors et son confort. Mais à quoi cela servirait-il? Comment justifierait-il un acte aussi extraordinaire? Non. Il lui fallait réfléchir et arrêter une ligne de conduite tant qu'il était encore sain d'esprit.

A quoi pouvait-il donc avoir recours? La magie noire où il avait trempé avec des conséquences aussi désastreuses pourrait peut-être l'aider. Abandonné à lui-même, il n'était qu'un amateur, mais il possédait un certain nombre de livres... Il y avait aussi cet autre royaume, dont les frontières étaient parfois très voisines de la magie : la religion. Mais comment pourrait-il implorer une divinité en laquelle il ne croyait pas? Plutôt implorer le Malin de lui montrer comment bannir ce fléau qu'il lui avait envoyé. Cependant, puisqu'il avait suivi délibérément ce que la religion stigmatise du nom de vice et que la société elle-même qualifie de luxure et de nécromancie, il y avait fort peu de chances pour que les prières aux puissances des ténèbres le libérassent d'elles. Il fallait les duper, les circonvenir.

Il conservait ses *grimoires* et autres livres de cette catégorie dans une bibliothèque fermée à clé qui se trouvait dans une autre pièce et non dans son bureau; il y demeura jusqu'à minuit. Mais les sortilèges qu'il y trouva étaient inutiles; en outre, il n'y croyait pas vraiment. L'ironie de la situation était, qu'en un certain sens, il n'avait fait que jouer à la sorcellerie : elle avait simplement ajouté un piment à la sensualité. Il errait misérablement dans la pièce, redoutant à tout instant de voir sa « familière » enroulée autour de quelque objet. Enfin, il s'arrêta devant une petite bibliothèque qui contenait quelques livres oubliés ayant appartenu à sa mère : Longfellow et Mme Hemans, *John Halifax, Gentleman,* et un assez grand nombre de recueils de sermons et d'essais anodins. Et, tandis qu'il regardait cette assemblée irréprochable, un nuage sembla passer devant les yeux d'Augustine Marchant. Il vit sa mère, distinguée, coiffée d'un bonnet de dentelle, comme elle se tenait il y avait tant et tant d'années, lui faisant réciter ses leçons, assise dans un fauteuil à têtières. Elle avait été alors l'univers entier pour ce petit garçon dont l'âme n'était pas souillée. Il l'appelait maintenant silencieusement : « Maman, maman, ne peux-tu m'aider? Ne peux-tu faire partir cette chose? »

Lorsque le nuage se fut dissipé, il découvrit qu'il avait étendu la main et déplacé un gros livre. En le regardant, il vit que c'était sa Bible; sur la page de garde d'un jaune passé, elle portait le nom de *Sarah Amelia Marchant*. Son esprit allait vraiment l'aider! Il tourna une ou deux pages et une phrase se détacha immédiatement au milieu des caractères : *Le serpent était le plus rusé de tous les animaux des champs.* Augustine frissonna et faillit remettre la Bible à sa place, mais la conviction qu'il y trouverait de l'aide le poussa à continuer. Il feuilleta encore quelques pages de la *Genèse* et ses yeux s'arrêtèrent à ce verset qu'il n'avait jamais vu auparavant :

*Si tu es bien disposé, ne relèveras-tu pas la tête? Mais si tu n'es pas bien disposé, le péché n'est-il pas à la porte, une bête tapie qui te convoite et que tu dois dominer?*

Quelles paroles étranges! Quel pouvait bien être leur sens? Y trouverait-il quelque chose qui l'éclairât? « Une bête tapie qui te convoite. » Cette chose, cette apparence répugnante d'affection qui se dégageait d'elle... « Et que tu dois dominer. » Elle lui avait bien obéi jusqu'à un certain point... Ce Livre, entre nous, lui montrait-il la voie de la liberté? Mais le sens de ce verset était si obscur! Naturellement, il n'avait rien qui ressemblât à un commentaire dans la maison. Cependant, en y réfléchissant, il se rappelait que peu après la publication des *Grenades du Péché,* quelque pieuse personne ayant gardé l'anonymat lui avait envoyé une Bible dans la version revisée avec une dédicace lui recommandant de la lire. Elle devait être quelque part, bien qu'il ait toujours eu l'intention de s'en débarrasser.

Après vingt minutes de recherches dans la maison endormie, il la découvrit dans une des chambres qui n'étaient pas occupées. Mais il n'en fut pas très éclairé, car les versions n'étaient guère différentes, excepté qu'à la place de *tu n'es pas bien disposé,* la Bible revisée indiquait *si tu n'agis pas bien* et que le verset se terminait : *Son élan est vers toi, mais toi, domine-le,* sans point d'interrogation.

Augustine Marchant était encore debout après minuit dans cette chambre d'amis silencieuse aux sièges couverts de housses, répétant :

« *Mais toi, domine-le.* »

Et, tout à coup, il lui vint à l'esprit un moyen de se tirer d'affaire.

## II

Ce séjour auprès d'Augustine Marchant allait être merveilleux. Parfois, Lawrence Storey espérait qu'il n'y aurait pas d'autres invités à Abbot's Medding; d'autres fois, il espérait qu'il y en aurait. Un tête-à-tête de quatre jours avec le grand poète! Serait-il à la hauteur de son rôle. Car Lawrence, en dépit des dons artistiques remarquables qui s'épanouissaient vraiment pour la première fois dans ses illustrations du poème d'Augustine, n'était pas encore gâté par le succès. Il était capable d'émerveillement et d'admiration, toujours humble et presque naïf. Il continuait à s'étonner que lui, assistant d'un architecte, eût été enlevé, comme Ganymède par l'aigle, au monde inférieur des plans et des canalisations sanitaires pour servir sur l'Olympe. Certes, ce n'était pas Augustine Marchant qui l'avait découvert en premier, mais c'était Augustine Marchant qui allait le rendre célèbre.

Les poteaux télégraphiques filaient au-delà de la portière du compartiment de seconde et plus d'un voyageur regardait avec une certaine envie et une certaine admiration ce beau jeune homme blond qui irradiait une telle impression de bonheur et de candeur et avait sur les lèvres un sourire aussi charmant. Il avait avec lui un carton à dessins qu'il gardait toujours à portée de la main. Le couple d'un âge respectable assis en face de lui, qui se demandait quel en était le contenu, aurait peut-être changé d'opinion si on leur avait montré les dessins.

Mais il n'y avait plus en Lawrence Storey une ombre de la lassitude trouble des choses interdites. Connaître Augustine Marchant, illustrer son grand poème, avoir appris de lui que l'art et la moralité n'avaient rien de commun, c'était plonger dans un nouveau royaume de liberté et d'expérience enrichissante. Les vers d'Augustine Marchant, pensait-il, avaient déjà enseigné à sa main ce que son cerveau et son cœur ignoraient complètement.

Un cabriolet l'attendait à la gare, et dans l'air embaumé de cette soirée de juin, il était entraîné, le cœur battant, vers sa destination, le long des prairies et des champs.

M. Marchant, qui l'attendait dans le vestibule, fut on ne peut plus charmant :

« Mon cher ami, ce sont les dessins? Venez, allons les enfermer tout de suite dans mon coffre-fort! Si vous m'aviez apporté des diamants, je me soucierais beaucoup moins des voleurs. Votre voyage a-t-il été agréable? J'ai dû vous donner la chambre orange, elle est à côté de la mienne. Personne d'autre ne séjourne ici, mais il y aura quelques personnes qui viendront dîner pour vous rencontrer. »

Il n'y avait que le temps de s'habiller pour dîner et Lawrence n'eut pas l'occasion de rencontrer son hôte avant de le voir assis au bout de la table. Alors, il fut immédiatement frappé par la mine d'Augustine qui avait l'air étrangement malade. Son visage qui, ordinairement, ne manquait pas de relief, semblait s'être affaissé; les yeux étaient cernés de noir. Lawrence, qui était troublé, l'observa au cours du repas et trouva que ses manières aussi paraissaient étranges et qu'à une ou deux reprises il sembla distrait. A un certain moment, bien que la dame à sa droite fût en train de lui parler, il détourna brusquement la tête et regarda le pied de sa chaise, tout comme s'il apercevait quelque chose sur le parquet. Puis il s'excusa, disant qu'il avait horreur des chats et que parfois cet animal empoisonnant qui vivait à l'écurie... Mais après cela, il continua de jouer son rôle d'hôte comme seul il savait le faire et même pour le timide Lawrence la soirée fut très agréable.

Les trois jours suivants furent merveilleux et passionnants pour le jeune artiste — des jours de contact ininterrompu avec un esprit supérieur qui ne reconnaissait, comme le poète lui-même l'admettait, aucune de ces barrières mesquines que l'homme pour sa commodité avait dressées entre ce qui est soi-disant le bien et le mal. Lawrence avait appris pourquoi son hôte n'avait pas l'air bien : c'était le manque de sommeil, la rançon de l'inspiration. Un drame poétique prenait forme dans son esprit, qui atteindrait des hauteurs vers lesquelles il n'avait pas encore tenté de s'élever.

Il y eut quelque chose qui ressemblait à de la fièvre dans les rêves du jeune homme cette nuit-là, son avant-dernière nuit. Il rêva plusieurs fois. Tout d'abord, il était debout près du bord d'une espèce de lac désolé et indiciblement hostile, un endroit qu'il n'avait jamais vu de sa vie et qui cependant lui semblait vaguement familier. Quelque chose lui disait : « Vous ne quitterez jamais ce lieu. » Il fut effrayé et s'éveilla, mais se rendormit presque immédiatement. Cette fois, assez curieusement, il se retrouvait dans l'église où, enfant, il avait été emmené à l'office par la tante qui l'élevait. C'était une grande église pleine de bancs en pitchpin avec des rebords étroits pour poser les livres d'hymnes. Il léchait ces rebords subrepticement pendant les longues stations à genoux où son visage était caché. Mais, par-dessus tout, il se rappelait le vitrail avec Adam et Eve, au Paradis Terrestre, debout de chaque côté d'un pommier où un monstrueux serpent, avec une tête à demi humaine, était enroulé autour du tronc. Lawrence haïssait et redoutait ce vitrail et, à cause de lui, refusait toujours d'aller dans un verger et n'avait aucune tentation de voler des pommes... Maintenant, il se retrouvait dans cette église. les yeux fixés sur le vitrail qu'une lueur infernale éclairait par-derrière. Il se réveilla de nouveau, sur le bord de l'épouvante, lui, une grande personne! Mais il se rendormit très rapidement.

Son troisième rêve, comme il arrive souvent dans les cauchemars, se situait dans la pièce même où il était couché. Il rêvait qu'une porte s'ouvrait dans le mur et, dans l'encadrement, se profilant nettement dans la lumière qui venait de la chambre voisine, se tenait Augustine Marchant en robe de chambre. Il regardait par terre quelque chose que Lawrence ne voyait pas mais, la main tendue vers le jeune homme, il disait d'une voix impérieuse : « Va vers lui, entends-tu? Va vers lui! Va vers *lui!* Ne suis-je pas ton maître? » Lawrence, incapable de bouger et de prononcer une syllabe, se demandait avec un certain malaise ce que pouvait être cette chose à qui on donnait des ordres, mais son attention était principalement dirigée vers le visage d'Augustine Marchant. Après que ces mots eurent été prononcés plusieurs fois, apparemment sans résultat, un changement affreux s'y peignit, une expression du désespoir le plus indicible. Il sembla visiblement vieillir et se flétrir. Dans un murmure sonore et pénétrant, le poète répéta : « N'y a-t-il donc pas d'issue? » Il couvrit un moment avec ses mains son visage ravagé puis se retira et ferma doucement la porte. Sur ce, Lawrence s'éveilla, mais le matin, il avait oublié les trois rêves.

Le dîner en tête-à-tête, le dernier soir de son séjour, serait resté marqué dans la mémoire d'un gourmet; il était bien dommage que le jeune homme ne s'aperçût pas le moins du monde de ce qu'il mangeait. Il se produisait enfin ce qu'il avait à peine osé espérer : le grand poète de la sensualité lui révélait quelques-unes des sources de son inspiration, dont l'étrangeté et le mystère dépassaient toute imagination. A la lueur rose des chandelles, les coudes posés sur la table parmi des guirlandes de fleurs, lui qui n'était même pas un néophyte écoutait comme un homme qui, pour la première fois, apprend quelque sortilège ou quelque source d'inspiration qui feront de lui plus qu'un mortel.

« Oui, dit Augustine Marchant après une longue pause, oui, ce fut une expérience merveilleuse que rien ne peut anéantir... et qu'il n'est pas donné à beaucoup de connaître. Cela ouvrait des portes, cela... mais je désespère de lui rendre justice rien que par des mots. »

Son visage était transfiguré comme s'il était dans le domaine du rêve.

« Mais elle... la femme... comment avez-vous?... demanda Lawrence Storey à voix basse.

— Oh! la femme? dit Augustine, buvant son vin d'un trait. La femme n'était qu'une vulgaire pierreuse. »

Un instant plus tard, Lawrence regardait son hôte avec un vague regret :

« Mais ceci se passait à Prague. Prague est bien loin d'ici.

— Il n'est pas besoin d'aller si loin, en fait. Même à Paris...

— On pourrait... avoir la même aventure à Paris?

— A condition que vous sachiez où vous adresser. Et naturellement, il est nécessaire d'avoir des lettres d'introduction. Je veux dire que... comme pour toutes les initiations de ce genre, cela doit être tenu secret, très secret, à cause des esprits vulgaires qui imposent leurs restrictions aux plus délicats. Cela va de soi.

— Bien sûr », dit le jeune homme, poussant un profond soupir.

Son hôte le regarda affectueusement.

« Vous, mon cher Lawrence — vous permettez que je vous appelle Lawrence? — il vous manque... comment dire... de connaître... *les choses cachées* pour libérer vos immenses dons artistiques des entraves qui les enchaînent encore. Par cette ouverture, vous trouveriez la possibilité de les amener à leur pleine maturité! Votre génie en serait fertilisé et parviendrait à une éclosion encore plus magnifique... Mais vous auriez des scrupules... et vous êtes très jeune...

— Vous connaissez, dit Lawrence d'une voix basse et tremblante, mes sentiments sur votre poésie. Vous savez combien je meurs d'envie de déposer à vos pieds tout ce qui est en moi. Si je pouvais faire que mes illustrations pour les deux reines soient plus dignes — que vous m'ayez choisi est déjà un honneur qui me confond — mais elles ne sont pas ce qu'elles devraient être. Je ne suis *pas* suffisamment libéré... »

Augustine se pencha sur la table décorée de fleurs. Son regard brillait.

« Est-ce que vous désirez vraiment l'être? »

Le jeune homme approuva d'un signe de tête, trop plein d'émotion pour émettre un son.

Le poète se leva, se dirigea vers un meuble dans l'angle de la pièce et l'ouvrit. Lawrence suivait son élégante silhouette dans une sorte de ravissement. Puis il se dressa à demi en poussant une exclamation.

« Qu'y a-t-il? demanda Augustine d'un ton très sec en faisant volte-face.

— Oh! rien, monsieur — si ce n'est que je crois que vous avez horreur des chats et il m'a semblé en voir un, ou plutôt sa queue qui disparaissait dans ce coin.

— Il n'y a pas de chat ici », dit Augustine vivement.

Son visage était maintenant brillant et marbré mais Lawrence ne le remarqua pas. Le poète demeura un moment à regarder le tapis. On aurait presque pu croire qu'il s'efforçait d'avoir le courage de le traverser, puis il revint en hâte vers la table.

« Rasseyez-vous, commanda-t-il. Avez-vous un carnet, un carnet que vous ne laissez jamais traîner? Bon! Alors, écrivez *ceci* à un endroit, et *cela* sur une autre page... en caractères fins... le mieux serait de le noter parmi d'autres choses... et non sur une page blanche... Ecrivez en caractères grecs si vous le pouvez...

— Mais... qu'est-ce? demanda Lawrence, excité

au plus haut point, les yeux fixés sur le morceau de papier qu'Augustine tenait dans la main.

— Les deux moitiés de l'adresse de Paris. »

## III

A cette époque, Augustine Marchant tenait un journal, un journal qu'il gardait sous clef, écrit en code. Et pendant plus d'un mois après la visite de Lawrence Storey, ce qu'il y nota était presque toujours identique :

*Pas de changement... Toujours avec moi... Combien de temps encore pourrai-je le supporter? On me lance en plein visage des réflexions sur le changement de mon aspect. Il faudra que je me débarrasse de Thornton (son domestique) sous un prétexte ou un autre car je commence à croire qu'il L'a vue. Rien d'étonnant, car Elle me suit comme un chien. Lorsqu'Elle sera visible à tous, ce sera la fin... Je L'ai trouvée dans mon lit, ce matin, blottie contre moi, comme pour se réchauffer...*

Mais de temps à autre, on voyait apparaître dans ce journal des passages d'un caractère différent qui dénotaient une impatience toujours croissante.

*L. S. ira-t-il?... Quand recevrai-je une lettre de L. S.?... L'expérience aura-t-elle l'effet que j'en attends? C'est mon dernier espoir.*

Puis, brusquement, lorsque cinq semaines se furent écoulées, une note d'une écriture tremblée :

*Pas le moindre signe d'Elle depuis vingt-quatre heures! Est-ce vraiment possible?*

Et le jour suivant :

*Rien encore. Je commence à revivre. Ce soir, je viens de recevoir de Paris une lettre enthousiaste de L. S., me disant qu'il a « présenté ses lettres d'introduction » et devait être initié le lendemain. C'est chose faite maintenant — depuis hier, en vérité. Me suis-je vraiment libéré? On le dirait!*

Une semaine après la date de cette dernière note, on remarqua à Abbot's Medding que M. Marchant avait retrouvé sa belle mine. Ces derniers temps, il n'avait pas semblé dans son assiette. Ses joues s'étaient creusées, il paraissait flotter dans ses vêtements alors qu'en général il les remplissait si bien, et il était nerveux. Maintenant, il avait retrouvé son entrain, sa courtoisie, sa jovialité. Et, dimanche dernier, le croiriez-vous, il est allé à l'église! Le pasteur, en chaire, a été si étonné de sa présence qu'il a presque oublié d'énoncer son texte. Et, qui plus est, le poète a chanté avec les autres fidèles. Ils sont plusieurs à avoir observé ce phénomène stupéfiant.

C'est le lendemain du jour de cette apparition insolite à Saint-Pierre qu'Augustine flânait dans son jardin. L'air avait une saveur nouvelle, le soleil une lumière nouvelle. Il pouvait de nouveau contempler avec plaisir Thétis et ses nymphes, pouvait travailler paisiblement dans la serre. Libre, libre! Le monde entier était de nouveau agréable à ses sens; les teintes et les parfums du début de l'automne plus plaisants, en vérité, que l'éclat de ce mois d'été qui avait vu s'abattre sur lui son fléau.

Le maître d'hôtel lui apporta une lettre de France. De Lawrence Storey, bien sûr — pour lui dire — quoi? Où avait-il aperçu la chose pour la première fois? Dans une de ces chambres françaises où l'abondance des meubles vous accable? Et comment avait-il réagi?

Toutefois, au premier abord, Augustine n'était pas certain que la lettre vînt de Storey. L'écriture était très différente, crispée au lieu de couler librement et, par endroits, la plume en crachant avait percé le papier comme si la main qui la tenait, avait échappé à tout contrôle. « Presque, pensa Augustine, les yeux brillants d'excitation, presque comme si quelque chose s'était enroulé telle une liane autour du poignet. » (Le cœur faillit lui manquer lorsqu'il se souvint brusquement d'un jour où cela lui était arrivé, mais ce sentiment fut bientôt submergé par un flot d'anticipation avide.) S'asseyant sur le bord de la fontaine, il lut — mais ce n'était pas tout à fait ce qu'il attendait :

*Je ne sais ce qui m'arrive,* commençait la lettre sans autre préambule. *Hier, j'étais seul dans un café et je venais de commander une absinthe, bien que je ne l'aime pas. Brusquement, tout en sachant que je me trouvais dans le café, je me rendis compte que j'étais de retour* dans cette pièce. *J'en voyais tous les détails mais je voyais également le café et tous les gens qui s'y trouvaient. Les uns étaient pour ainsi dire en surimpression sur les autres, la pièce, qui était beaucoup plus petite que le café, se trouvait à l'intérieur de ce dernier, comme une petite boîte dans une grande. Et, pendant tout ce temps, elle s'éclairait, et le café s'effaçait. Je vis le verre d'absinthe qui tout à coup ne reposait sur rien, semblait-il. Tout le mobilier de la* pièce, *tous les accessoires que vous connaissez se mêlaient aux chaises et aux tables. Je ne sais comment je parvins jusqu'au* comptoir, *à payer et à sortir. Je pris un* fiacre *pour rentrer à mon hôtel. Lorsque j'y arrivai, j'avais retrouvé mes esprits. Je suppose que c'était simplement le contrecoup d'une expérience affective très étrange et très violente. Mais je prie le Seigneur que cela ne se renouvelle pas!*

« Très intéressant! se dit Augustine Marchant, plongeant la main dans les remous de la fontaine où il avait autrefois noyé un morceau de duvet foncé. Et pourquoi donc aurais-je supposé que Cela se tapirait à sa porte sous la même forme que la mienne? »

Quatre jours encore de paix retrouvée et il lut ce qui suit :

*Au nom de Dieu — ou du Diable — venez à mon secours! C'est à peine s'il y a maintenant une heure le jour ou la nuit où j'ai conscience de l'endroit où je me trouve. Je ne pourrais m'aventurer seul à faire le voyage de retour. C'est comme si j'étais emprisonné dans une espèce de boîte infernale à demi transparente qui va sans cesse en se rapetissant. Partout où je vais maintenant, je l'emporte avec moi; quand je suis dans la rue, je distingue difficilement le trottoir de la chaussée parce que je marche toujours sur ce tapis noir qui porte les signes cabalistiques; si je parle à quelqu'un, il arrive qu'il disparaisse brusquement. Essayer de travailler est inutile, naturellement. Je voudrais consulter un médecin, mais il me faudrait tout lui raconter...*

« J'espère bien qu'il n'en fera rien! murmura Augustine, inquiet. Impossible, il m'a juré le secret absolu. Toutefois, je n'avais pas prévu qu'il cesserait tout travail. Et s'il se trouvait incapable d'achever les dessins de *Théodora et Marozia*! Ce serait grave. Cependant, m'être libéré vaut *tous* les sacrifices... Mais il est évident que Storey ne peut pas continuer indéfiniment à vivre simultanément sur deux plans... Du point de vue artistique, cependant, cela pourrait lui inspirer quelque chose d'entièrement neuf. Je vais lui écrire et attirer son attention là-dessus; il se peut que cela l'encourage. Mais aller auprès de lui en personne, il y a peu de chances! »

Le lendemain fut un jour de grande activité littéraire. Augustine était si profondément plongé dans son nouveau drame poétique qu'il en vint à négliger sa correspondance et presque ses repas, sauf le dîner qu'il sembla partager ce soir de la façon la plus agréable et la plus passionnante avec les nouvelles créations de son cerveau. En fait, il était si absorbé par celles-ci que ce ne fut que lorsqu'il eut fini l'entremets et se fut versé un verre de son porto inégalable qu'il se souvint d'un télégramme qu'on lui avait remis lorsqu'il était entré. Il était encore près de son assiette et il n'avait pas été ouvert. L'arrachant de l'enveloppe, il lut avec un étonnement croissant ces mots au-dessus du nom de ses éditeurs :

*Prière nous informer immédiatement quelles mesures prendre Stop Sommes prêts envoyer quelqu'un en France pour récupérer dessins si possible Stop Quelles suggestions pouvez-vous faire pour successeur?*

*Rossell et Ward*

Augustine était plus qu'étonné; il était stupéfait. Etait-il arrivé à Lawrence Storey quelque accident dont il n'avait pas eu connaissance? Pourtant, il avait ouvert toutes ses lettres ce matin s'il n'avait répondu à aucune. En proie tout à coup à une inquiétude de mauvais aloi, il se leva et sonna.

« Burrows, apportez-moi le *Times* qui est dans la bibliothèque. »

Le journal arriva; il n'était pas ouvert. Augustine, inquiet, hors de lui, en parcourut rapidement les pages. Mais il se passa quelques secondes avant qu'il ne tombe sur la manchette : *Mort tragique d'un jeune artiste anglais,* et lut l'article suivant, qu'avait fait parvenir le correspondant à Paris :

*Les amateurs, qui attendaient avec impatience la parution de la splendide édition illustrée du poème de M. Augustine Marchant* La Reine Théodora et la Reine Marozia *apprendront avec regret la mort du très doué et jeune artiste, M. Lawrence Storey, qui s'est noyé alors qu'il travaillait aux dessins de ce livre. M. Storey avait habité ces derniers temps à Paris, mais, la semaine passée, il était parti s'installer dans un petit coin perdu de Bretagne, sans doute pour y terminer son travail. Vendredi dernier, on a découvert son cadavre flottant sur un étang près de Carhaix. Il est difficile de comprendre comment il a pu tomber, étant donné que cette pièce d'eau — la mare de Plougouven — est entourée de roseaux, que le bord est complètement plat, qu'elle n'est pas profonde et qu'il n'y avait aucun bateau. On dit que depuis quelque temps le comportement du jeune Anglais était un peu étrange et qu'il se plaignait d'hallucinations. Il est donc possible qu'il se soit jeté volontairement dans la mare de Plougouven. Il est curieux de signaler qu'il avait attaché sous son veston, autour de lui, ses dessins terminés pour le livre de M. Marchant. Naturellement, ils avaient été complètement détériorés par l'eau avant qu'on retrouve le corps. On espère qu'ils n'étaient pas uniques...*

Augustine, en rage, jeta le *Times* loin de lui et frappa la table avec son poing fermé.

« Sur mon âme, c'est trop fort! C'est criminel! Ma propriété — et moi qui avais tant fait pour lui! Les attacher autour de lui... Il devait être fou! »

Mais, au fait, était-il fou? Lorsque sa colère se fut un peu dissipée, Augustine ne put s'empêcher de se poser cette question : le jeune artiste n'avait-il pas, en un affreux moment de lucidité, deviné la vérité, ou tout au moins une partie? N'avait-il pas compris que son patron l'avait délibérément corrompu? Cela en avait tout l'air. Mais s'il avait réellement emporté tous les dessins terminés en Bretagne avec lui, c'était une sordide vengeance de les avoir ainsi détruits!... Pourtant, même s'il en était ainsi, il devait considérer leur perte comme le prix de sa propre délivrance car, de son point de vue, l'expédient désespéré qu'il avait utilisé pour se débarrasser de sa « familière » avait parfaitement réussi. En s'arrangeant pour que quelqu'un d'autre plonge encore plus profondément que lui dans le domaine de l'interdit (car il avait veillé à ce que ce fût le cas pour Lawrence), il avait prouvé que, comme le disait ce verset de la Genèse, *il avait dominé...* ce qui l'avait poursuivi sous une forme concrète — conséquence de sa nuit de Prague. Il ne serait jamais assez reconnaissant. Le monde littéraire non plus ne serait jamais assez reconnaissant. Car son art à lui était infiniment plus important que l'art servile et parasitaire d'un illustrateur. En cherchant un peu, il trouverait une demi-douzaine d'artistes aussi doués que ce pauvre halluciné de Storey pour finir *Théodora et Marozia,* voire pour faire un jeu d'illustrations complètement nouvelles. Et, cependant, au cours de cette nouvelle période d'énergie créatrice rendue possible pour ce malheureux mais nécessaire sacrifice, il commencerait à mettre sur papier le chef-d'œuvre qui peu à peu prenait forme dans son esprit libéré. Un dernier verre et ensuite une bonne soirée dans son atelier!

Augustine se versa un peu de porto et leva son verre, prêt à boire à son propre succès, lorsqu'il crut entendre un bruit près de la porte. Il regarda par-dessus son épaule. L'instant d'après, le pied de sa coupe s'était brisé entre ses doigts et, comme mû par un ressort, il avait reculé jusqu'à l'autre bout de la pièce.

Dressée contre la porte, sur une hauteur de plus d'un mètre cinquante, énorme, foncée, luisante d'humidité et mouchetée de petites taches d'algues vertes, était une chose demi-python demi-cobra, la tête rejetée en arrière et comme prête à frapper... Oui, sa tête, car à la place de l'extrémité effilée et sans traits de jadis, il y avait deux yeux rouges, pareils à ceux que les fourreurs mettent dans leurs animaux empaillés. Et ils le regardaient fixement et cruellement, tandis qu'il restait là, tremblant, serrant entre ses doigts le verre à vin brisé. L'exemplaire froissé du *Times* gisait à ses pieds.

# TABLE DES MATIÈRES

## ŒUVRES DE ALFRED HITCHCOCK

*Chez Robert Laffont :*

HISTOIRES ABOMINABLES.
HISTOIRES A FAIRE PEUR.
LES MEILLEURES HISTOIRES DE SUSPENSE, tomes I et II.
HISTOIRES A NE PAS LIRE LA NUIT.

IMPRIMÉ EN FRANCE PAR BRODARD ET TAUPIN
6, place d'Alleray - Paris.
Usine de La Flèche, le 12-06-1973.
1702-5 - Dépôt légal n° 2662, 2e trimestre 1973.
1er Dépôt : 1er trimestre 1964.
LE LIVRE DE POCHE - 22, avenue Pierre 1er de Serbie - Paris.
30 - 22 - 1108 - 09

30/1108/7